D0658125

# Laura Thornton

# *Verbotene Lust*

Ins Deutsche übertragen von
Inge Fauth

BASTEI
LÜBBE

BASTEI LÜBBE TASCHENBUCH
Band 15 425

1. Auflage: Dezember 2005

Vollständige Taschenbuchausgabe

Bastei Lübbe Taschenbücher in der Verlagsgruppe Lübbe

Deutsche Erstveröffentlichung
Titel der englischen Originalausgabe:
The Name of An Angel
© 1997 by Laury Thornton
Published by Arrangement with Virgin Books Ltd., London UK
© für die deutschsprachige Ausgabe 2005 by
Verlagsgruppe Lübbe GmbH & Co. KG, Bergisch Gladbach
All rights reserved
Dieses Werk wurde vermittelt durch die
Literarische Agentur Thomas Schlück GmbH, 30827 Garbsen
Titelabbildung: age fotostock/Mauritius Images
Umschlaggestaltung: Gisela Kullowatz
Satz: SatzKonzept, Düsseldorf
Druck und Verarbeitung:
Maury Imprimeur, Frankreich
Printed in France
ISBN 3-404-15425-8

Sie finden uns im Internet unter
www.luebbe.de
www.bastei.de

Der Preis dieses Bandes versteht sich einschließlich
der gesetzlichen Mehrwertsteuer.

# Erstes Kapitel

Clarissa Cornwall stand vor dem Spiegel und betrachtete sich im halb bekleideten Zustand.

»Doktor Cornwall«, rief sie sich in Erinnerung.

Sie bereitete sich auf den ersten Tag im neuen Studienjahr vor. Seit kurzem unterrichtete sie mit einem zeitlich begrenzten, aber verlängerbarem Vertrag an der Universität. Clarissas erste Vorlesung an diesem Tag war die Einführung zu ihrem Kurs »Repräsentanten der Erotik« – trotz des Titels ein seriöser Studienkurs berühmter erotischer Werke der Weltliteratur. »Nichts Anrüchiges«, hatte sie versprochen, als sie das Thema vorgeschlagen hatte. Sie wollte sich auf die großen Autoren konzentrieren; Schriftsteller, Dichter, Dramaturgen. H. D., James Joyce, Tennessee Williams und natürlich Sigmund Freud. In einem akademischen Kontext wollte sie über weibliche Sexualität, homophile Liebe, Masturbation und andere sexuelle Themen sprechen. Im Hinblick auf ihre Zuhörer – meist Neunzehnjährige im ersten Jahr auf der Uni – war sie ziemlich sicher, keine Mühe mit der Aufmerksamkeit zu haben, weil das Thema schon attraktiv genug war, aber vielleicht auch wegen ihres knallharten amerikanischen Akzents. Trotzdem nahm sie sich vor, sich dem Thema entsprechend zu kleiden.

Clarissa hielt sich zwar für eine hübsche Frau, aber nicht für eine natürliche Schönheit. Als sie sich im Spiegel betrachtete, fiel der erste Blick auf ihre Haare, eine Quelle häufiger Qualen und ständigen Stolzes. Ihre Haare waren eine Fülle kupferfarbener Locken, die ihr wie kleine Korkenzieher bis auf die Schultern hingen und ihr Gesicht einrahmten. Vergebens versuchte sie, die Mähne zu bändigen, sie ließ sich auch nicht in Zöpfe zwingen. Heute verzichtete sie auf das breite Haarband, das sie meistens trug, und ließ die Haare offen. Also fuhr sie nur mit einer Bürste durch die krausen Locken und beschäftigte sich dann mit dem Make-up.

Sie strich Gel auf die dichten gewölbten Brauen, damit sie gezähmt blieben, strich schwarzes Mascara über die Wimpern und trug Kakaoschatten über den grünen Augen auf. Sie pinselte Rouge auf die hellen, mit Sommersprossen gesprenkelten Wangen und wünschte, ihre Wangenknochen wären ausgeprägter. Den vollen reifen Mund malte sie mit einem malvenfarbenen Stift an.

Das Gesicht war fertig. Sie trat einen Schritt vom Spiegel zurück und musterte sich kritisch. Clarissa haderte oft, dass sie kleiner war als die langen schlanken Models und Filmstars, aber sie unterschätzte die sinnliche Ausstrahlung ihres gut proportionierten Körpers.

Sie fand ihre Beine zu kurz, aber jetzt bewunderte sie die cremige Haut ihrer Schultern, die vollen, nicht schweren Brüste mit den rosa Spitzen, die schmale Taille und die kleinen Halbkugeln ihres Popos. Jahre mit Aerobic und Übungen im Fitness-Studio hatten ihre Oberschenkel geformt und für Muskeln in Beinen, Armen und Bauch gesorgt. Clarissa arbeitete hart daran, ihre Figur zu halten. Sie hatte den Körper einer Frau, nicht eines Mädchens, aber ihr jugendliches Gesicht und die stramme Figur ließen niemanden vermuten, dass sie schon fünfunddreißig Jahre alt war.

Clarissa sah auf die Uhr, knöpfte rasch die Bluse über dem BH mit Vorderverschluss zu und schaute noch mal in den Spiegel, um sich zu vergewissern, dass ihre Nippel nicht zu sehen waren. Sie zog den Reißverschluss des eng anliegenden Jerseyrocks hoch, schloss den schwarzen Ledergurt um die Taille und drückte die Silberspangen der schwarzen Wildlederschuhe zu.

Auf der kurzen Fahrt zum Campus sang sie laut den Text der Songs aus dem Radio mit und stellte sich die Gesichter der Studenten vor, die den Hörsaal wahrscheinlich bis auf den letzten Platz ausfüllten. Der Kurs war bei den Studenten sehr populär, zweifellos wegen des sexy Titels. Das Register war randvoll gefüllt, und einige Studenten hatten ihren Namen mit Bleistift unter die volle List geschrieben – für den Fall, dass jemand absprang.

Obwohl sie einige Namen aus dem vorigen Semester kannte, sagten ihr die meisten jungen Männer und Frauen nichts, die sich für den Kurs angemeldet hatten und sich auf schlüpfrige Texte freuten. Ha!, dachte sie und stellte ihren Honda Civic XL auf einen der engen Parkplätze, die den Fakultätsmitgliedern vorbehalten waren. Es wird kein Zuckerschlecken für die Studenten, nahm sie sich vor, während sie im Geiste ihre Einführungsansprache durchging und die Namen der französischen Theoretiker Felix Guattari und Luce Irigaray übte. Sie trat durch die schwere Glastür, die zu ihrem Gebäude führte, und war so sehr in ihren Monolog verstrickt, dass sie kaum darauf achtete, wohin sie ging – bis sie gegen einen Studenten stieß.

»Oh! Dr. Cornwall – entschuldigen Sie. Ich habe Sie nicht gesehen«, platzte es aus einem rotgesichtigen und offensichtlich sehr verlegenen jungen Mann heraus, der um sein Gleichgewicht rang und seine Hand dabei auf ihren Arm legte.

»Schon gut, alles okay«, sagte Clarissa, schob behutsam die Hand von ihrem Arm und versuchte krampfhaft, sich an seinen Namen zu erinnern. Daniel? David? Derek? Sie hoffte, dass er keiner von den Hechlern war, deren Atem sie im Nacken spürte und die offenbar nach ihr lechzten. Sie konnte sich noch gut an ihre eigene Schwärmerei für einen Dozenten erinnern.

Zum Glück schien dieser hier immun gegen ihren Charme zu sein, denn er wich hastig zurück, aber dann rief er ihr noch zu: »Wir sehen uns später, denn ich habe Ihren Kurs über die Literatur des neunzehnten Jahrhunderts belegt.«

Großartig, dachte Clarissa und schüttelte den Schlüssel zu ihrem Büro aus dem Bund. Ich hoffe, ich erinnere mich dann auch an deinen Namen. Sie war hoffnungslos, was die Namen der Studenten anging, wenn ihnen herausragende Merkmale fehlten – gute Schreibe, blendende Rhetorik, starker regionaler Akzent oder – besonders bei männlichen Studenten – gutes Aussehen. Davon gibt es nie genug, dachte Clarissa, verdrängte den Gedanken dann aber sofort und schaltete die Schreibtischlampe ein, ehe sie mit den Vorbereitungen des Einführungskurses begann.

Neunzig Minuten später stand Clarissa vor den Studenten und überflog noch einmal das erotische Gedicht »Der Floh« von John Donne. Ihre manikürten Finger glitten über die Zeilen, während ihr Blick auf den langen schlaksigen Jungen fiel, der lässig da saß und sie ungeniert anstarrte.

Er saß in der letzten Reihe auf der linken Seite, und auch wenn er sie nicht angestarrt hätte, wäre dieses Gesicht bei ihr haften geblieben. Rotblonde Haare, wenn auch nicht so leuchtend wie ihre, schmale Augen, eine lange kräftige Nase und ein breiter, sinnlicher Mund. Er trug schwarze Lederjeans und einen schwarzen Rollkragenpullover. Die schwarzen Stiefelspitzen waren direkt auf sie gerichtet. Sie wandte den Blick.

Es ist unglaublich, dachte Clarissa. Der Junge zeigt mir, dass er mich will. Er ist gerade neunzehn Jahre alt und will mich vor meinen Studenten anmachen. Zu ihrem Entsetzen stellte sie fest, dass seine Blicke auf ihrem Körper und sein offensichtliches Begehren einen Hitzeschwall zwischen den Schenkeln auslösten, und unter der Bluse schwollen ihre Brustwarzen an, was hoffentlich unsichtbar blieb. Um ihre Verwirrung zu kaschieren, begann sie das Gedicht zu lesen. Ihre Stimme passte sich sofort dem Rhythmus der Zeilen an.

Clarissa las mit lauter, kräftiger Stimme und verharrte einen Lidschlag lang bei dem Wort ›saugen‹, das Donne ein paar Mal bewusst verwendet hatte. Sie wartete auf einige verlegene Kicherlaute aus dem Hörsaal, aber dann nahm sie aus den Augenwinkeln eine Bewegung wahr, und fast hätte sie eine Zeile übersprungen.

Sie kannte das Gedicht auswendig und konnte deshalb aus dem Gedächtnis rezitieren, deshalb hoffte sie, dass sie dem Drang widerstand, den Jungen anzusehen. Doch die kaum wahrnehmbare Bewegung des Arms zog sie magisch an. Das kann nicht sein, dachte sie fassungslos. Der Junge kann doch nicht im Hörsaal masturbieren!

Aber genau das tat er. Er saß strategisch günstig, sodass nur sie ihn sehen konnte. Die unverwechselbare Bewegung des Arms passte sich ihrer Stimme an. Sie konnte die Glut seiner Blicke fühlen, als sie die Form ihrer Brüste und die Kurve ihres Hinterns im engen Jersey streichelten. Seine Hand war unter dem Tisch verborgen, und er saß nach vorn gebeugt da, aber sie konnte seine Aktivität nicht missdeuten. Er fühlte wohl, dass sie ihn ansah und hob frech den Blick, während er sein Tun fortsetzte. Es war, als forderte er sie heraus, genau zu erkennen, was er da trieb. Sie sollte wissen, dass er seinen Schaft in der Hand hielt und rieb, und beinahe hätte sie seine Männlichkeit riechen können, während der maskuline Arm pumpte und pumpte.

Selbst erregt, nicht zuletzt, weil sie wusste, dass sie seine Inspiration war, der Katalysator seiner Schau männlichen

Verlangens, trug sie das Gedicht jetzt zügiger vor, damit der peinliche intime Moment schneller vorbei war, aber je flotter sie sprach, desto flotter bewegte sich der Arm des Jungen. Sie blieben im Rhythmus, ihre Stimme und seine Hand, und Clarissa brachte es nicht fertig, die Gedanken an das zu verbannen, was unter dem Tisch geschah.

Sie überlegte kurz, ob er beschnitten war und wie sich der Rhythmus des harten Schafts in ihr anfühlen würde. Gebannt starrte sie auf die Hand des Jungen, als sie den Stab zum erlösenden Finale führte. Donnes Worte flossen dahin, als sie das Gedicht rezitiert hatte, und die letzte Zeile fiel mit dem Höhepunkt des Jungen zusammen. Sie erkannte den exakten Zeitpunkt, denn er schloss für einen Moment die Augen, legte den Kopf in den Nacken und atmete leise durch den Mund aus.

Clarissa glaubte zu spüren, wie die dicke Flüssigkeit sich in ihre Hand ergoss, sie konnte die seidigen Perlen fast auf der Zunge spüren. Als der Junge die Augen aufschlug, lächelte er sie an, und in seinem Lächeln lagen Verführung und Befriedigung zugleich. Clarissa atmete tief durch, schüttelte einige Male nervös den Kopf, legte den Gedichtband zur Seite und richtete ihre Aufmerksamkeit auf den ganzen Hörsaal.

Sichtlich mitgenommen und nach außen hin mehr berührt als der Junge, schrieb Clarissa eine Aufgabe an die Tafel, die ihre Studenten in den nächsten fünf Minuten zu erfüllen hatten. Sie setzte sich wieder hin und gab vor, ihre Notizen durchzulesen. Sie schaute nicht hoch, als die jungen Leute ihre Zettel auf ihren Tisch legten und dann aus der Tür gingen, aber sie spürte es mit allen Fasern, als der namenlose Student seine Arbeit abgab, bevor er durch die Tür ging. Ihr Blick blieb an seinem Rücken hängen, gerade und sehr arrogant der Schritt, volles Haar, breite Schultern und schmale Hüften. Stumm bewunderte sie seinen festen Hintern und stellte sich vor, wie er nackt wirken würde.

Sie fragte sich, wie sie die nächste Vorlesung überstehen konnte oder auch nur die achtundvierzig Stunden bis zum neuen Treffen im Erotikkurs. Clarissa wusste, sie würde das Bild des jungen unglaublich sexy Fremden nicht aus dem Kopf verdrängen können, sie konnte jetzt schon kaum erwarten, ob es zur Fortsetzung der aufregenden erotischen Intimität kommen würde.

Clarissas Blick fiel auf das Blatt, das ganz oben auf dem Stapel lag. Zunächst stand da sein Name, Nicholas St. Clair, dann folgten ein paar Zeilen der Zusammenfassung des Gedichts. Wahrscheinlich taugt sie nichts, dachte Clarissa, ehe sie sah, dass der Junge noch hinzugefügt hatte: »Das Vortragen hat mir gut gefallen.« Dicht darunter befand sich ein kleiner runder Klecks. Clarissa sah sich flüchtig im Hörsaal um, dann hob sie das Papier ans Gesicht und atmete tief ein.

Ah, der süße Duft seines Samens.


Am Abend in ihrem Haus spulte Clarissa noch einmal das Geschehen im Hörsaal ab. Sie sah wieder die starrenden Blicke des Jungen, die ihren Körper so herausfordernd gemustert hatten. Sie sah die soliden Bizeps, als der Arm sich auf und ab bewegte. Der bloße Anblick Nicholas St. Clairs löste ein Verlangen in ihr aus, das ihre Adern zum Glühen brachte. Sie biss sich auf die Unterlippe und blickte zum Telefon. Sollte sie Graham anrufen? Sie legte den Kopf auf eine Seite, wickelte eine kupferfarbene Locke um den Finger und schob das Telefon kopfschüttelnd zur Seite. Es sollte bei der Trennung bleiben. Ihr zickiger Ex-Freund war ganz sicher nicht das, was sie an diesem Abend brauchte.

Nein, heute Abend war sie in der Stimmung für einen neuen Mann. Entschlossen trat sie vor den Kleiderschrank und ging ihre Sachen durch. Sie musste das Bild des Jungen loswerden, und ein anderer Mann, ein heißer Fremder und nicht der coole Graham schien der einzige Weg zu sein, das zu erreichen. Clarissa brauchte eine Ablenkung von der unglaublich erotischen Szene, die sie am Morgen im Hörsaal erlebt hatte.

Sie hielt nichts davon, mit Studenten zu schlafen, auch wenn sie nicht zögerte, ihre Sexualität einzusetzen, um die Aufmerksamkeit im Hörsaal auf sich zu ziehen. Es war ihr durchaus bewusst, dass sie ihren Job an der Uni und ihren akademischen Ruf aufs Spiel setzte, wenn jemals bekannt wurde, dass sie einen ihrer Studenten verführt hatte. Sie wollte sich diesen Horror gar nicht erst vorstellen. Sie hatte von Professoren gehört, auch in hohen, gesicherten Ämtern, deren Karrieren wegen sexueller Belästigung abrupt beendet worden waren, und sie hatte absolut nicht vor, ihre Zukunft zu gefährden, nur weil sie einer momentanen Lust gefolgt war.

Ihr Zeitvertrag an der Uni lief am Ende des Semesters aus, aber bei entsprechendem Wohlverhalten würde der Vertrag sicher verlängert werden. Sollte ihr also mal das Fell ganz arg jucken, blieb immer noch Graham oder irgendein anderer. Außerdem zweifelte Clarissa, dass ein Junge mit neunzehn Jahren genug Phantasie und Erfahrung hatte, um sie so intensiv zu befriedigen, wie sie es erwartete. Fast gleichzeitig erinnerte sie sich an ihre Tagträume, in denen die legendäre Kraft und Ausdauer der jungen Männer die größte Rolle spielten; Phantasien, die auch von den eigenen Erinnerungen genährt wurden, obwohl ihre ersten sexuellen Erfahrungen mit gleichaltrigen Jungen nur vage in ihrem Gedächtnis geblieben waren. Natürlich konnte sie in Zeiten der Not auf ihre geschickten Finger zurückgreifen oder auf den verlässlichen Vibrator, aber Plastik war ein erbärmlicher Ersatz für Fleisch.

Heute Abend aber war Clarissa auf der Suche nach einem Mann, und dafür zwängte sie sich in ein raffiniertes Mieder. Während sie ihr Bild im Spiegel überprüfte, strich sie mit einem Finger über einen rosigen Nippel und lächelte ihrem Spiegelbild zu, als die Brustwarze sich aufrichtete. Sie war mit dem tiefen Ausschnitt zufrieden und knöpfte die enge Reitjacke aus schwarzer Seide zu, sodass nur ein winziger Streifen der violetten Spitze des Mieders zu sehen war. Dazu trug sie purpurfarbene Jeans aus Wildleder, deren seltene Farbe sie verleitet hatte, einen halben Wochenlohn zu verschwenden.

Als sie in die schwarzen Wildlederschuhe mit den klobigen Absätzen schlüpfte, dachte sie über ihre Chance nach, einen Mann zu finden, der ihre Zukunft nicht gefährdete. Da sie mit Graham gebrochen hatte, suchte sie keine neue Liebe; sie hatte eine wichtige Forschungsarbeit abzuschließen, damit sie endlich in Buchform veröffentlicht werden konnte. Sie brauchte weitere akademische Meriten, um ihre Position an der Uni zu sichern.

Außerdem hatte sie gerade eine unbefriedigende Affäre hinter sich gebracht und war überhaupt nicht in der Stimmung, eine neue zu beginnen, deshalb war sie jetzt nur an einem langen, harten Schwanz interessiert.

Sie trug scharlachfarbenen Lippenstift auf und schwarzen Lidschatten, ließ die wilden Locken frei und trat hinaus in die samtschwarze Nacht. In der kleinen Universitätsstadt befand sich fast alles in einem Umkreis, den man zu Fuß meistern konnte, abgesehen von einem Einkaufszentrum auf der grünen Wiese.

Clarissa konnte im Zwei-Meilen-Radius unter mehreren

Pubs wählen. Sie entschied sich, im *King's Head* zu beginnen. Ein viel versprechender Name, dachte sie grinsend, als sie auf den Eingang zuging und hoffte, keinen ihrer Studenten oder Kollegen anzutreffen.

Tatsächlich nahmen nur wenige Kollegen am Nachtleben der Stadt teil; die meisten waren Familienväter, mussten an Manuskripten arbeiten oder waren auf Konferenzen. Selbst Graham ließ sich wochentags draußen selten sehen. Ein ganz anderes Problem waren die Studenten.

Clarissa erinnerte sich mit einem amüsierten Lächeln an einen Abend während des vergangenen Semesters, als sie und Graham so ungeduldig waren, dass er sie in einem seltenen Anfall von Spontaneität in seinem Auto verführt hatte. Genau in diesem Augenblick johlte eine Gruppe von Studenten an seinem BMW vorbei. Graham und sie saßen drinnen, sein Schaft tief in ihr, ihre Füße gegen die Scheibe auf der Beifahrerseite gestemmt.

Ihr Kopf hing am Sitz hinab, während ihr Körper gegen Grahams ruckte, aber selbst in dieser Lage und mit zuckender Vagina erkannte sie die hochnäsige Debbie-Marie Townsend, die entsetzt und verdutzt auf ihre Dozentin starrte, die auf dem Rücksitz nach allen Regeln der Kunst durchgezogen wurde.

In den folgenden Tagen hatte Clarissa an der Uni die Luft angehalten, immer von Verhaftung oder Entlassung bedroht, schließlich erfüllte das, was sie sich erlaubt hatte, den Tatbestand der Erregung öffentlichen Ärgernisses. Aber zum Glück hatte sich nichts getan. Clarissa lächelte, als sie sich erinnerte, dass Debbie-Marie sie während des Semesters so gut wie nie angesehen hatte, vielleicht, weil sie fürchtete, Clarissa könnte ihr schlechte Noten geben, falls sie auch nur ein Wort verlauten ließe. Dabei war es Clarissa, die für das Schweigen der Studentin dankbar war.

Endlich zog Clarissa die Tür zum Pub auf und betrat das laute, gut gefüllte Lokal.

Zum Glück hatte ihre Freundin Julian heute Dienst, ein weiterer Grund, warum Clarissa den *King's Head* als Start in die Nacht gewählt hatte. Julian hatte ein gutes Auge für jene Männer, die Clarissa gefallen könnten, und sie hatte ein glückliches Händchen, wenn es darum ging, sie miteinander bekannt zu machen. Clarissa war erleichtert, dass jemand da war, die ihr helfen konnte, die Möglichkeiten des Abends aufzuspüren. Sie hoffte, dass sie die Freundin nicht vor den Kopf stieß, denn sie hatte sich seit der ersten Begegnung bemüht, Clarissa zu verführen. Aber neben der Maxime, sich nicht mit Studenten einzulassen, waren auch Freundinnen und Freunde tabu. Unbefriedigender Sex führte zu gebrochenen Freundschaften. Ganz abgesehen davon, dass sie ihrem eigenen Geschlecht nicht wirklich zugetan war. Doch Julian gab nicht auf.

»Hallo, meine Liebe!«, rief Julian, als sie Clarissa hinter der Traube um die Theke sah. »Und was soll heute Nacht ablaufen?«

Obwohl zwölf Jahre jünger als Clarissa, war Julian eine der engsten Freundinnen. Dabei hätten sie unterschiedlicher nicht sein können: Julian war schlank und groß, wie Clarissa immer sein wollte; sie war fast einen Kopf größer als die Freundin. Julians pechschwarzes (gefärbtes) Haar war kurz geschoren, und zu Clarissas Entsetzen war sie mit einem Nasenring und einem tätowierten Schmetterling auf der rechten Pobacke verziert, aber sie hatte Clarissa versichert, dass weder Brustwarzen noch Nabel gepierct waren – noch nicht.

Clarissa hatte eine mit auffälligen Kurven betonte Figur, während Julian flach war. Clarissas Bildung schloss Ivy League und Oxford ein, während Julian laut und stolz zu ihrer Arbeiterklasse stand. Clarissa wunderte sich immer wieder, wie ein Mädchen wie Julian, ohne Schliff und Ehrgeiz, zu einem so aristokratisch klingenden Namen gelangen konnte: Julian Eugenia Davenport. Im Gegenzug machte sich Julian oft über Clarissas Stammbaum und Erziehung lustig, und außerdem war sie der einzige Mensch, der ihren schönen Namen aus dem achtzehnten Jahrhundert in ›Rissa‹ oder ›Ris‹ verschandeln durfte, aber beides war wenigstens besser als ›Clary‹. Clarissa nannte sie liebevoll nur ›Jules‹.

Clarissa drängte sich ungeduldig zur Theke vor, hielt sich an der Messingstange fest und rief Julian ihre Bestellung zu. »Ein doppelter Jack Daniels.«

Es war eine heimliche Absprache zwischen Julian und ihr, Clarissas Getränk des Abends verriet ihr, welchen Typ Mann sie einzufangen versuchte. Wenn Clarissa ein Newcastle Brown bestellte, wusste Julian, dass sie einen Blaumanntyp haben wollte, am liebsten einen, der mit den Händen sein Geld verdiente. Wodka und Gin – sie hasste Gin – deutete an, dass ihr nach einem Geschäftsmann, weißes Hemd und Krawatte, zumute war, einer, dessen Hosenstall mit großen Knöpfen versehen war, die sie später mit den Zähnen öffnen konnte. Wenn Clarissa Brandy bestellte, was selten geschah, dann suchte sie ihresgleichen, einen Akademiker, obwohl sie von denen im Bett meistens enttäuscht worden war, doch einige von ihnen konnten sie wenigstens zum Lachen bringen. Der gute alte J. D. schließlich signalisierte Julian, dass Clarissa nach einem Ausländer Ausschau hielt, Amerikaner am liebsten oder zumindest jemand, der nicht auf englischem Boden geboren war; notfalls tat es auch ein Schotte.

»Ist was Brauchbares dabei?«, fragte sie die Freundin, als sie das Glas in die Hand nahm und über die vielen Köpfe schaute, die über einen Drink gebeugt waren. »Lohnt sich bei irgendeinem der Aufwand?«

Julian konzentrierte sich darauf, ein Glas mit Shandy zu füllen und verbiss sich ein Grinsen, denn sie hatte oft genug gesagt: »Richtige Frauen trinken keine Limonade.« Sie wies mit dem Kopf in die Richtung des Kamins, wo eine Gruppe Männer saß, Zigarren paffte und Bier trank. »Da drüben«, sagte sie, nahm den Geldschein und gab Wechselgeld heraus. »Der mit den Schuhen.«

Clarissa wusste genau, worauf Julian anspielte: Aus nicht erklärlichen Gründen zog Julian Männer mit handgemachten italienischen Lederschuhen vor – wenn überhaupt ein Mann in Frage kam. Die Männer konnten bedrohlich hässlich oder alt sein, das Schuhwerk war der Schlüssel zu Julians Libido, und wenn sie dann noch die passenden Accessoires dabei hatten – Gürtel, Brieftasche, Geldbörse, Kondometui –, dann war sie nicht mehr zu halten. Seltsamerweise galten diese Kriterien nicht bei Frauen, sie ließ sich auch nicht von modisch gekleideten Frauen beeindrucken, sondern eher von intimeren Dingen.

Clarissa bedankte sich bei der Freundin und schlenderte hinüber, um die Männer zu inspizieren. Es war keine Mühe, den Mann zu identifizieren, den Julian für sie ins Auge gefasst hatte. Der Vorteil ihrer Absprache bestand darin, dass Clarissa nicht in die Gesichter der Männer starren musste, um den meist versprechenden Hengst einzufangen. Sie brauchte nur auf die Füße zu sehen, als suchte sie nach einer gefallenen Münze, und auf diese Weise wählte sie den Partner für die Nacht aus.

Gucci Treter mit Fransen, an den Fußgelenken gekreuzt, zogen ihre Blicke an. Die doppelten Gs auf den Schuhen wiesen aus, dass der Besitzer einen unverschämt hohen Preis gezahlt hatte und wohlhabend sein musste. Clarissa, die sich an die Tür zur Damentoilette gelehnt hatte, besah sich die Empfehlung Julians etwas genauer und musste einräumen, dass die Freundin vermutlich eine ausgezeichnete Wahl getroffen hatte. Die Beine des Fremden steckten in robusten Levys, auch so eine Nobelmarke, und waren dick und kräftig, wie Clarissa sie liebte. Sie hasste die Hühnerbeine der typischen englischen Männer.

Dieser Mann schien nicht allzu groß zu sein, auch ein wichtiger Punkt, denn Clarissa war gerade mal etwas über einssechzig, und alles, was über einsachtzig war, machte beim Hinlangen und Aufsehen zu viel Mühe.

Gute Größe, untersetzte Figur, kräftige Oberarme, wie die hoch gestreiften Hemdsärmel andeuteten, dazu breite Schultern, über denen sich das gestreifte Baumwollhemd spannte. Clarissa sah ein paar krause Härchen unterhalb des Halses hervorlugen, denn die oberen zwei Hemdknöpfe waren geöffnet.

Sie hob den Blick zum Gesicht. Welche Nationalität er auch hatte, seine Vorfahren kamen aus Sizilien. Glänzende dichte Haare, streng zurückgekämmt und mit ein bisschen Gel geglättet, borstige Brauen waagerecht über den Augen, und selbst aus ihrer ungünstigen Position konnte Clarissa die Länge seiner Wimpern sehen, die klassische römische Nase und ein voller gewölbter, sinnlicher Mund. Dieser Mund hielt ein Versprechen, und Clarissa konnte fast spüren, wie er sich auf ihren presste.

Ihr Körper vibrierte so stark, dass sie bald attackieren musste, also stellte sie sich an die Theke, nur ein paar Schritte von ihm entfernt, und wartete auf den unvermeidbaren Kontakt. Sie musste nicht lange warten.

»Drei Pils und ein St. Clements, bitte.«

Sie hörte, was er bestellte und versuchte, seinen Akzent zu lokalisieren. Amerikanisch, wahrscheinlich aus dem Nordosten wie sie selbst. Sie sah zu, wie er das Bier unter seinen Freunden verteilte, dann kehrte er an die Bar zurück und holte den letzten Drink. Er beugte sich vor und trank das volle Glas St. Clements ab, und sie versuchte nicht verächtlich die Lippen zu schürzen, da sie Orangensaft nicht ausstehen konnte, obwohl sie Bitter Lemon durchaus mochte. Aber sie war beeindruckt von seinem Wissen um ein typisch englisches alkoholfreies Getränk.

Der Mann blickte sie über den Rand des Glases an, und dabei trafen sich ihre Blicke, und das gab ihr die Gelegenheit zuzuschlagen.

»Entschuldigen Sie«, sagte sie in ihrem besten Bostoner Akzent, »haben Sie Feuer?« Sie schämte sich ein wenig über das müde Klischee, aber nach ihrer Erfahrung war es auch nach all den Jahren noch die wirkungsvollste Zeile, um mit jemandem ins Gespräch zu kommen. Sie hatte noch nie versagt, und jetzt auch nicht.

Der Fremde überflog Clarissas Körpers, während er sein goldenes Dunhill Feuerzeug aufklicken ließ, auch wieder so eine Nobelmarke, dann lächelte er verlegen, als die Flamme ein bisschen flackerte und dann ausging.

»Entschuldigen Sie, aber ich rauche nicht selbst und habe deshalb vergessen, Benzin nachzufüllen.«

Ach, du trägst also nur das Statussymbol mit dir herum? Clarissa behielt ihren Spott für sich, sie lächelte lieb und sagte: »Ist vielleicht auch ganz gut so, ich versuche nämlich aufzuhören.« Sie warf die Zigarette in den Aschenbecher. Die Begegnung hätte damit zu Ende sein können, aber sie blickte ihm in die tiefen, schokoladenbraunen Augen und fragte: »Darf ich Ihnen einen Drink spendieren?«

Er trank hastig sein Glas leer und reichte es ihr. »Ja, mit Vergnügen. Es ist ein . . .«

»Ich weiß«, sagte sie lächelnd. »Ich habe gehört, wie Sie es bestellt haben.« Sie orderte ihre Drinks, ignorierte Julians Grinsen und deutete auf den Platz neben sich. »Können Ihre

Freunde Sie ein paar Minuten entbehren? Es ist so nett, einen anderen Amerikaner zu treffen.« Sie sah ihn an. »Was haben Sie hier zu tun?«

Er lieferte bereitwillig einen Bericht darüber ab, dass seine amerikanische Firma ihn zu einem Vertragsabschluss auf die Insel geschickt hatte, zum Glück in einer Branche, die mit der Uni absolut nichts zu tun hatte. Schweigend hörte sie zu, verbarg ihre Ungeduld und richtete den Blick auf den lebhaften Mund, und ab und zu sah sie auf seine breiten Schultern oder die kräftigen Hände mit den dicken Fingern. Halt deinen Mund, sagte sie stumm, ich will dich bumsen und dich nicht anstellen. Er musste ihre innere Abwesenheit bemerkt haben, denn er hielt in seinem Monolog inne und sah ihr ins Gesicht.

»Ich langweile Sie«, sagte er. »Ich vergesse, dass die Story der Mikrokerne nichts ist, worauf die Welt gewartet hat.« Er leerte sein Glas und sagte: »Erzählen Sie mir von sich.«

Sie hielt seinem Blick Stand. »Hören Sie«, sagte sie ohne Umschweife – Aufrichtigkeit war ihre große Stärke – »Sie brauchen nur zu wissen, dass ich eine allein stehende Frau mit einer eigenen Wohnung bin, dass ich keine Krankheiten habe und auch keine Phantasien wie in *Fatal Attraction*, und dass ich in der Stimmung bin, die ganze Nacht mit einem Fremden Liebe zu machen.«

Er sah sie einen Moment mit offenem Mund an, dann strich er sich mit einer Hand über die Haare und lachte, ein wenig rot im Gesicht, wie Clarissa feststellte. »Ich hätte das schon an der Art erkennen sollen, wie Sie mich angestarrt haben«, sagte er grinsend und fügte hinzu: »Ich mag Ehrlichkeit, und ich habe immer Frauen bewundert, die mit der Sprache nicht hinterm Berg halten.«

Sie stand vom Barhocker auf und reichte ihm ihre Hand. »Gut. Gehen wir also.« Er schob seine Finger zwischen ihre.

»Wo wohnst du, oder willst du lieber zu mir nach Hause kommen?«

Er wies mit einem Blick auf das Trio seiner Kollegen, die scheinbar nicht bemerkten, was sich an der Theke abspielte. »Es wäre wohl das Beste, wenn wir das Hotel meiden«, sagte er. »Meine Freunde könnten auf die Idee gekommen, dass wir noch einmal über unsere Präsentation für morgen reden sollten, verstehst du?«

Sie nickte und führte ihn schnell durch die Hintertür, nachdem sie Julian kurz zugewinkt hatte.

Sie sprachen wenig auf dem Weg zu ihrem Haus, sie nannten ihre Namen, und sie erfuhr, dass er Sam hieß. Sie spürte, wie das Verlangen nach ihm durch ihren Körper floss und wollte keine Zeit mit Reden verlieren, wenn sie im Haus waren. Er dachte offenbar genauso, denn sobald sich hinter ihm die Tür schloss, drückte er sie gegen das Holz und presste seinen Mund auf ihren. Er schob die Zunge tief in ihren Schlund und stieß seine Hüften gegen ihren Leib.

Ihre Intensität stand seiner nicht nach, sie fuhr mit den Fingern durch seine Haare und verschlang seine Zunge. Sie leckte seine Lippen und saugte an seiner Zunge, fuhr mit den Händen unter sein Hemd und streichelte über seinen muskulösen Rücken. Ungeduldig streifte er sein Sakko ab, während sie sein Hemd aufknöpfte und in ihrer Hast einen Knopf abriss. Sie strich über seinen flachen Bauch und hinauf zu den kakaofarbenen Brustwarzen. Bewundernd glitt sie in die schwarzen krausen Haare, die seine Brust zierten. Clarissa strich die Hände kreisförmig über Sams Muskeln, und er legte seine Hände um ihre schmale Taille.

»Ich will dich in mir spüren«, raunte sie heiser, »und ich will nicht warten.«

Während sie sprach, drückte sie eine Hand gegen die viel versprechende Beule in seinen Jeans. Sie rieb mit der Handfläche dagegen und freute sich, wie die Beule wuchs. Sie testete Länge und Breite mit den Fingern, bevor sie den Reißverschluss aufzog.

Ein beeindruckend großer Penis sprang heraus, die Eichel in einem glänzenden Purpur. Der Schaft fühlte sich seiden in ihrer Hand an. Clarissa lächelte in sich hinein, den Mund an seinem Hals. Sie liebte Männer, die beschnitten waren; die meisten Amerikaner waren es.

»Du fühlst dich gut an meinem Körper an«, murmelte sie und saugte die kleinen Nippel ein. »Ich will deine Hände auf meiner nackten Haut spüren.«

Er streifte ihre Jacke von den Schultern und fuhr mit den Lippen über ihren Hals. Clarissa seufzte vor Lust und legte den Kopf in den Nacken. Sam schälte die eng sitzenden Jeans über die Hüften, kniete sich hin und zog sie zusammen mit dem Seidentanga hinunter auf die Füße. Er streifte ihre Stiefel ab und die kurzen Söckchen. Als er sich erhob, versuchte er sich vergeblich an ihrem Mieder und grinste verlegen.

»Ich glaube, dabei musst du mir helfen«, murmelte er und beugte sich hinunter, um ihre entblößten Brüste zu küssen. Sie bog den Rücken und stieß ihm ihre Brüste entgegen, dann langte sie hinter sich und befreite sich von dem einengenden Wäschestück. Seide, Spitze und Wildleder lagen in einem Haufen auf dem Boden. Sam schob ihn weg und drängte sich zwischen ihre Schenkel.

Sie schlang die Beine um ihn, griff zum pulsierenden Penis und führte ihn zur bereitwilligen Öffnung ihrer Vagina. Die Nässe floss aus ihr hinaus, und die Lippen der Vulva schmiegten sich um die pralle Eichel. Sams Penis drang zuerst ganz langsam in sie ein, zögerlich stieß er in die nasse Wärme, aber dann wuchtete er sich mit einem lauten Grunzen tief in sie hinein, und ihr weiches Gewebe umschlang ihn.

Clarissa keuchte hörbar auf, schloss hingerissen die Augen und genoss seine Stöße. Gewöhnlich zog sie es vor, wenn sich der Akt der Penetration langsam aufbaute, aber ihr inneres Feuer loderte schon seit dem Morgen, und nun lechzte sie nach nichts als seinem dicken Schwanz, der in sie hineinpumpte.

Sams Mund nagte an ihrer Kehle, seine Hände drückten sich gegen das Türblatt und hielten Clarissa in ihrer Position fest. Bei jedem kräftigen Stoß klatschte ihr Po gegen die Tür. Clarissa ahnte, dass Sam nicht weit vom Orgasmus entfernt war, deshalb schob sie eine Hand zwischen ihre Körper und rieb mit den Fingerspitzen über ihre Klitoris. Sie strich über die zuckende Knospe und nahm den Rhythmus von Sams schneller werdenden Stößen auf. Ihre Nässe klebte an ihren Fingern, und dann spürte Clarissa ganz überrascht, dass ihr Orgasmus sich ankündigte, als die Versteifung der Klitoris einsetzte.

Sie zog die schlüpfrigen Finger zurück und stieß sie in Sams Mund, damit er die Lust schmecken konnte, die er ihr bereitete. Sie wand sich in den Wellen der Ekstase. Der Geschmack von ihr auf seiner Zunge trieb Sam über die Klippe, und als Clarissas Höhepunkt abzuflachen begann, setzte seiner ein, und die noch schwingenden Wände ihrer Vagina klammerten sich um seinen Penis. Er schrie laut auf und stieß so hart in sie hinein, dass sie unter der Wucht ein paar Zentimeter die Tür hinaufrutschte.

Clarissa umschlang ihn mit den inneren Muskeln, als er sich in ihr verströmte. Sie spürte seinen Atem an ihrem Ohr und rang nach Luft, während er sie langsam sinken ließ, bis sie beide auf dem Boden lagen.

Sam blieb die ganze Nacht und schaffte es noch drei Mal, sie zu Orgasmen zu bringen, bevor er sich gegen sechs Uhr verabschiedete.

Clarissa bedauerte, dass er ging, aber heute Abend würde er in die Staaten zurückfliegen. So sehr sie es bedauerte – länger als zwei, drei Tage hätte sie nicht mit ihm verbringen wollen, denn sie hatte kein Interesse an einer festen Beziehung – jedenfalls für eine Weile nicht.

Clarissa hatte sich an diesem Abend für einen Mann entschieden, um das Verlangen zu stillen, das zwischen ihren Schenkeln floss, wann immer sie an die Blicke des Studenten dachte. Obwohl Sam sich als gelungene Ablenkung erwiesen hatte, kehrten ihre Gedanken sofort zu Nick zurück, sobald Sam das Haus verlassen hatte.

Sie begann, die nächsten Kurse vorzubereiten, ging die Texte durch und überlegte sich zu jedem Thema die passende Kleidung. Sie wollte aus der erotischen Thematik des Kurses Kapital schlagen. Obwohl ihr Beschluss, nicht mit Studenten zu schlafen, unverrückbar galt, hatte sie nicht vor, auf das Flirten mit Nicholas St. Clair zu verzichten. Es werden die stimulierendsten Vorlesungen meiner Laufbahn, dachte sie. Mit diesen Gedanken nahm sie ihr Exemplar von Coleridges ›Christabel‹ aus dem Regal und schob es in ihre Kollegmappe.

## Zweites Kapitel

Leider erfüllten sich Clarissas Erwartungen nicht. Nicholas St. Clair nahm an jedem Kurs teil, und Clarissa musste sich widerwillig eingestehen, dass seine Arbeiten gut waren. Ab und zu beteiligte er sich sogar begeistert an Diskussionen während eines Kurses, aber er sah sie nie direkt an, und ihren Körper ignorierte er total. Nach außen hin war er ein engagierter Student voller Respekt und Intelligenz.

Enttäuscht, aber auch ein wenig erleichtert konzentrierte sich Clarissa darauf, ihre Studenten durch den Kurs zu führen. Sie lenkte die Aufmerksamkeit ihrer Hörer auf die Art, wie männliches Verhalten in den verschiedenen Werken ausgedrückt wurde, und sie ermunterte die jungen Leute, die Geheimnisse weiblicher Sexualität zwischen den Zeilen zu erforschen. Teils Schülerin, teils Verführerin, neckte und reizte Clarissa ihre Studenten, ihre eigenen Essays zu schreiben.

An einem feuchten, windigen Februartag saß Clarissa in ihrem Büro und sah, dass die Arbeit von Nicholas St. Clair oben auf dem Stapel lag. Der Name eines Engels, dachte sie, der Körper eines Gottes und das Alter eines Jungen. Nicks Arbeit trug den Titel Eine *Abhandlung über die Kunst der Überredung.* Sein Thema war ›Der Floh‹, jenes Gedicht von Donne, das Clarissa zu Einführung in den Kurs rezitiert hatte.

Der erste Teil des Essays beschäftigte sich mit der Metrik und dem Rhythmus des Reims, dann beschrieb Nick, wie der Floh das Blut von Mann und Frau einsaugt und sich die

Flüssigkeiten in seinem Körper verbinden. Der Verführer regt an, weil ihre Säfte sich schon vermischt haben, könnten sie das vollenden, was der Floh begonnen hatte. So machen sie Liebe miteinander.

Nick schrieb: »Im Gedicht geht es um das Verlangen, es zeigt, wie weit ein Mann geht, um eine Frau zu verführen, auch wenn er sie dabei hintergehen und betrügen muss.«

Clarissa fühlte sich angesprochen, ihr war, als hätte sich Nick direkt an sie gewandt. Das Bild von Nick, wie er sie zu verführen versucht, sein offener Mund auf ihrer nackten Brust, sein Penis tief in ihr, prägte sich ihr so sehr ein, dass ihre Finger unwillkürlich zu ihrer rasch feucht werdenden Vagina griffen. Sie langte unter ihren Rock und schlüpfte mit den Fingern unter den engen Slip. Sie strich die Härchen glatt, die ihre Klitoris beschützten.

Sie lehnte sich zurück und spreizte die Schenkel unter dem marineblauen Wollkrepprock, ehe sie mit den Kuppen der Finger zärtlich über den kleinen Hügel strich. Sie hörte das quatschende Geräusch ihrer Finger auf dem seidigen Gewebe und roch ihre eigene moschusartige Nässe, wobei sie sich die rosigen Falten ihrer samtenen Lippen vorstellte, die reif leuchteten wie die Blütenblätter einer Rose. Clarissa vergaß Nick fast ganz und konzentrierte sich nur auf ihre eigene Lust und hob jetzt einen Fuß auf den Schreibtisch, um sich den forschenden Fingern noch weiter zu öffnen.

Sie stieß die Finger tiefer in sich hinein, blieb aber mit dem Daumenballen auf der zuckenden Knospe. Die inneren Muskeln spannten sich um ihre Finger, und Clarissa erhöhte ihr Tempo. Sie spürte, wie ihr Körper zu beben begann, ihr Atem kam schneller, und dann breitete sich das Gefühl der Hitze in ihr aus und schien sie zu versengen. Es war gut für sie, dass sie gelernt hatte, einen Orgasmus auch leise zu genießen, schließlich war sie in einem kleinen hellen Büro, von Büchern umgeben.

In welcher Gefahr der Entdeckung sie sich befunden hatte, wurde ihr erst recht bewusst, als es zaghaft an ihre Tür klopfte.

»Herein«, rief sie, setzte sich hastig wieder zurück in den Sessel und wandte sich der Tür zu. Sie hoffte, es würde Nick sein, dann könnte sie die Lust mit ihm erleben, aber sie wurde wieder enttäuscht.

Monica Talbot trat ein, auch eine Dozentin für Englisch und bekannt als Gerüchteküche. Sie hielt einen Stapel Papier im Arm und legte ein Blatt auf Clarissas Schreibtisch.

»Was ist das?«, fragte Clarissa und begann neugierig zu lesen. Eine Bekanntmachung der Universitätsverwaltung, die auf die neue Auslegung ihrer Politik bei sexueller Belästigung aufmerksam machte. Es hieß dort, dass ›jedes Mitglied der Fakultät, das sich im Verhältnis Student – Dozent unangemessen, unprofessionell oder unanständig‹ verhält, grundsätzlich entlassen und der Vertrag fristlos gekündigt wird, unabhängig von Stand und Status.

Clarissa hob den Blick und sah in die amüsierten Augen der Kollegin. »Und?«, fragte Clarissa. »Geht das auf einen frischen Skandal zurück?«

Monica schien mehr als vergnügt zu sein. »Es scheint, dass kein Geringerer als der Dekan unserer Fachabteilung entlassen worden ist, weil er sich wohl ein bisschen intensiv um eine Studentin gekümmert haben soll.«

Clarissa legte das Blatt über ihr Gesicht und kicherte voller Entzücken. »Das geschieht dem geilen Bock zu Recht. Der widerliche Lüstling hat versucht, seinen Stab in alles zu stecken, was Röcke trägt.«

Ein verdutzter Blick huschte über Monikas Gesicht – oder war es etwas anderes? Clarissa betrachtete die Frau genauer und erkannte, dass ihr Satz vielleicht unüberlegt gewesen war; die arme Monica war vermutlich seit Jahren nicht mehr sexuell belästigt worden. Nicht, dass sie eine unattraktive Frau gewesen wäre, dachte Clarissa, sie war nur so ... mütterlich. Obwohl etwa so alt wie sie, litt Monica an der klassisch britischen Birnenfigur, und ihre Kleidung – langweilig graue Strickjacke, fest zugeknöpft über einer noch langweiligeren schwarzen Bluse – tat nichts, um von der Figur abzulenken.

Sie war eine freundliche und liebe Kollegin und hatte sich in den ersten Tagen um Clarissa gekümmert, hatte sie den wichtigsten Mitgliedern der Fakultät vorgestellt, ihr Bücher geliehen und Clarissas Kurse sogar einigen ihrer Studenten empfohlen. Trotzdem glaubte Clarissa, dass Monica die körperbewusste Kleidung der neuen Kollegin insgeheim missbilligte, besonders bei einer Universitätsdozentin. Als zöge Clarissa die hehre Institution in den Dreck, weil sie einen engen Rock trug und mit ihren Studenten über Sex sprach.

Unsinn, dachte sie, als sie meinte, Monicas Ablehnung spüren zu können. Die größten Werke der Weltliteratur drehen sich um die Sexualität. Und was kann ich dafür, dass ich einen attraktiven Körper habe und gern hübsche Kleider trage? Unwillkürlich zog sie den Kragen ihrer Bluse enger um den Hals und starrte wieder auf das Blatt. Ha, dachte sie, es ist schließlich nicht so, dass ich mit einem Studenten schlafe. Ein kurzer Gewissensbiss brachte sie dazu, Nicks Essay über Donnes Gedicht auf den Kopf zu legen.

Sie lächelte Monica an. »Entschuldigen Sie«, sagte sie heiter, »das war ein bisschen ungehörig von mir.«

»Überhaupt nicht«, gab Monica lachend zurück, aber es klang zu gewollt. »Sie haben Recht; Warburton ist ein alter, schmutziger Mann. Und«, fügte sie streng hinzu, »er hat so gut wie nichts veröffentlicht in letzter Zeit. Ein Wunder, dass man ihm die Position überhaupt angeboten hat. Unser neuer Abteilungsleiter wird mehr Wert auf Forschung legen.«

Als Monica gegangen war, studierte Clarissa noch mal die neue Bekanntmachung der Verwaltung. Jede Art sexueller Belästigung innerhalb der heiligen Hallen war absolut tabu. Sie fühlte sich des Verbrechens schon überführt, als hätte man ihre Phantasien über Nick über die Lautsprecheranlage verbreitet. Sie packte ihre Sachen zusammen und bereitete sich darauf vor, nach Hause zu gehen.

Aber als sie draußen stand, war der kalte Wind stärker geworden und zurrte an ihren Haaren. Sie war zu Fuß und dachte mit Schaudern an die zwei Meilen, die sie dem Wetter ausgesetzt sein würde. Außerdem sah es nach Regen aus. Dass ihr Auto ausgerechnet an einem solchen Tag in der Werkstatt stand! Im nächsten Moment spürte sie die ersten Tropfen, und dann peitschte der Regen in ihr Gesicht und plättete ihre Haare. Clarissa begann zu laufen und versteckte ihre Bücher und Hefte unter ihrer Jacke. Blind zog sie die erste Tür auf, stemmte sich gegen den heftigen Wind und ließ die Tür hinter sich ins Schloss fallen. Keuchend blieb sie stehen und hielt sich am Metall der schweren Tür fest.

Ein Blick in den Raum, und sie erkannte erschrocken, wo sie blindlings Zuflucht gefunden hatte. Auch ohne die hohen und gefährlich aussehenden Geräte in Schwarz und Grau, ohne das Keuchen und Grunzen, das Stemmen und Rudern und auch ohne den typischen Geruch von Schweiß und Deo wusste sie, wo sie war: im Fitnessraum der Uni. Clarissa ging dreimal in der Woche in ihren Club, aber sie hatte noch nie Kraft an den schweren Maschinen tanken oder Gewichte heben wollen, und dies war das erste Mal, dass sie einen Fuß in diese Schwitzbude setzte. Sie selbst schwitzte lieber für sich allein, deshalb lag ihr Club auch ein paar Meilen vor der Stadt, wo sie sicher sein konnte, keinem Studenten über den Weg zu laufen.

Sie schaute hoch, und das pulsierende nackte Fleisch um sie herum bekräftigte ihren Entschluss, anonym zu trainieren und zu schwitzen. Die Frauen trugen knappe Tangas und Tops, die Männer enge Höschen. Clarissa fühlte, wie ihre Sinne attackiert wurden und war benommen von all den pumpenden Bizeps und bebenden Torsi, daher wollte sie so rasch wie möglich wieder weg, Regen oder nicht. Das war der Moment, in dem sie aus den Augenwinkeln rechts von sich eine Bewegung wahrnahm. Sie drehte sich unauffällig zur Seite, und da sah sie ihn.

Nick saß an der Brustpresse in einer Ecke, scheinbar ganz für sich allein, ohne sich um irgendjemanden zu kümmern. Mit hoher Konzentration schob er den Metallriegel vor und zurück, vor und zurück. Er trug ein enges ärmelloses weißes Shirt und enge schwarze Shorts, die sich um die prächtigen Beinmuskeln schmiegten.

Fransen seiner rötlich blonden Haare fielen ihm in die Stirn, sie waren dunkel vom Schweiß geworden. Sein zum Küssen einladender Mund war zu einer gepressten Linie gezwungen, und in die Stirn hatten sich tiefe Falten eingegraben, die Entschlossenheit verrieten.

Clarissa konnte seine glatte Haut beinahe auf der Zunge schmecken, sie konnte sich vorstellen, wie es sich anfühlte, wenn sie mit den Zähnen an seinen Brustwarzen nagte, die sie durch das Hemd deutlich erkennen konnte. Schmachtend wollte sie sich an seine Brust werfen, seine krausen Haare an ihrer Wange spüren.

Sie war gebannt von seiner Gestalt und von seinen Vor-und-Zurück-Bewegungen, und sie versuchte, das Gewicht zu schätzen, das er hin und her schob. Sie verengte die Augen und konnte es lesen: Fünfundachtzig Kilo, was sie gewaltig beeindruckte, sie selbst schaffte zwanzig. Zum zweiten Mal in weniger als einer Stunde fühlte sie, wie sie feucht wurde, und plötzlich sah sie wieder die Bewegungen von Nicks Arm, als er im Hörsaal masturbiert hatte. Sie starrte ihn jetzt offen an, wie er sie angestarrt hatte, als die Hand an seinem eisenharten Schaft auf und ab gefahren war.

Noch während sie an die Masturbationsszene dachte, sah sich Nick im Raum um, und als er in die Richtung schaute, wo sie stand, schien er für einen Augenblick im Rhythmus innezuhalten, und dann lächelte er. Das Lächeln währte nur einen Moment, aber trotzdem, es war ein erregend intimer Moment; sein geschwungener Mund deutete eine gewisse Komplizenschaft an, als wäre ihm bewusst, dass nur er und sie in diesem Raum existierten. Wie in Trance starrte sie ihn an, und sie hätte schwören können, dass seine Lippen das Wort »bald« flüsterten.

Sein Lächeln war jedoch so schnell verschwunden, wie es gekommen war, und er wandte sich wieder der Aufgabe zu, der er sich verpflichtet hatte. Clarissa hielt noch eine Weile den Blick auf ihn gerichtet, dann riss sie sich von ihm los, streckte sich und verlagerte das Gewicht ihrer Bücher auf den anderen Arm. Nick nahm die Hände vom Foltergerät, senkte ausgepumpt den Kopf und sah aus, als hätte er einen massiven Orgasmus erlebt. Sie drehte ihm den Rücken zu und ging hinaus in den Regen. Sie hoffte, er würde nicht das innere Feuer in ihr löschen.

Clarissa musste sich eingestehen, dass sie von einem jungen Studenten besessen war, eine strikt sexuelle Besessenheit, wie sie wusste. Sie glaubte nicht, dass sie sich je in ihn verlieben könnte; tatsächlich zweifelte sie, ob sie außer sich noch jemanden lieben konnte.

Aber die Gedanken an den Jungen verfolgten sie, drängten sich in ihr Gehirn, suchten sie in ihren privatesten

Momenten heim und störten sie in den unmöglichsten Situationen. Sie verzehrte sich nach ihm, sie wollte ihn sehen, wenn sie ihn nicht anfassen durfte, und sie verfluchte die Tatsache, dass ihr Kurs nur dreimal in der Woche stattfand.

Sie schwor sich, im Hörsaal seine Aufmerksamkeit auf sie und allein auf sie zu richten. Sie wählte ihre Kleidung ebenso sorgsam aus wie die Texte, die sie lasen; seidene Blusen und Röcke, die jede Kurve ihres Körpers umschmiegten. Sie kaufte die durchsichtigste, raffinierteste Wäsche, sinnlich und seiden und mit Spitze besetzt; sie suchte kräftige Farben sowie Pastelltöne aus, erwarb Stütz-BHs, Mieder, Negligés und Petticoats, und ein wenig schämte sie sich, dass sie sich solchen hoffnungslosen Gesten des Verlangens hingab. Sie machte sich nichts vor, was sie von Nick wollte, und hatte jenes Stadium überschritten, in dem sie an persönliche und berufliche Risiken dachte.

Clarissa wusste, um Ruhe in sich einkehren zu lassen, musste sie die Wonne kennen lernen, die er ihr verschaffen konnte; ihre Träume reichten nicht mehr aus. Er hatte sie in seiner Gewalt; wenn sie nur an seine Blicke dachte, wurde sie feucht zwischen den Schenkeln, und wenn sie ihn im Hörsaal sah, gab es einen Tumult in ihrem Bauch. Ihre Nippel spannten sich, und ihre inneren Lippen begannen zu blühen und anzuschwellen, auch wenn sie mitten in einem Vortrag über die Auswirkung der Französischen Revolution auf die romantische Dichtkunst steckte.

Ihre sexuelle Fixierung auf diesen Jungen beeinträchtigte aber nicht Clarissas Interesse an anderen Männern; es schien eher so, dass ihre Besessenheit die Welt um sie herum mit der subtilen Palette der erotischen Kunst färbte. Wie sie die Studenten ermunterte, sexuelle Symbole in ihrer Lektüre aufzustöbern, fand Clarissa plötzlich überall, wohin sie schaute, erotische Andeutungen und Bilder der weiblichen und männlichen Gier: Ihre Salz- und Pfefferstreuer kamen ihr nun wie Phallussymbole vor, die behaarten Wurzeln einer Möhre, die sie schälte, erinnerte sie an lange Schamhaare, und wenn sie jemanden Austern schlürfen oder auch nur eine Orange essen sah, verband sie damit erotische Ideen.

Selbst Menschen, die sie bisher nicht interessiert hatten, besaßen plötzlich eine sinnliche Ausstrahlung: Die dicken Finger des Briefträgers, als er ihr die Post brachte, ließen sie phantasieren, wie sie sich in ihr anfühlen würden. Der Mann im Pub um die Ecke trug einen Schnurrbart, aber erst jetzt glaubte sie zu erkennen, dass seine wulstigen Lippen unter dem Bart wie eine behaarte Vagina aussahen.

Die weißen Milchhügel, die sich morgens auf ihrem Cappuccino bildeten, erinnerten sie an eine reife geschwollene Brust, die darum bettelte, von ihr in den Mund genommen zu werden.

Entsetzt musste Clarissa feststellen, dass sich bei ihr sogar eine Faszination für das entwickelte, was sich unter den Kutten der Mönche verbarg, Mitglieder des theologischen Zentrums und mit der Uni verbunden. Das Geheimnis der frommen, zölibatären Asketen feuerte ihre Phantasien an, die sich meist um deren Verführung rankten.

Auch Worte regten Clarissas überhitzte Libido an. ›Offen‹ war so ein Wort, ›gespreizt‹, ›saftig‹ oder ›Puls‹ erfüllten sie mit all ihren unanständigen Implikationen, und manchmal kostete es sie erhebliche Mühe, die Fassung zu bewahren, wenn sie eine besonders explizite Stelle vorlas oder rezitierte. Selbst ihr Name nahm einen erotischen Klang an, Clarissa hörte sich an wie ›küssen‹, wie ›Klitoris‹.

Clarissas neu erwecktes Interesse an der Welt der Sinne – besonders Sehen, Riechen, Greifen – hatte sie inspiriert, ihr

Haus so zu dekorieren, dass die neue Definition ihrer Sexualität reflektiert wurde. Da sie und Graham nicht mehr zusammen waren, fühlte sie sich frei, ihr Wohnumfeld in eine intime Sphäre der sinnlichen Lust zu verwandeln. Sie begann damit, alles hinauszuwerfen, was sie an Graham erinnerte; sie gab ihm seine hoch geschätzte Videosammlung bedeutender Fußballspiele zurück, auch sein extra weites Rugbytrikot, das er in der Collegemannschaft und sie oft im Bett getragen hatte, sowie sein geliebtes Kaleidoskop, das er gern über dem Sims des offenen Kamins aufbewahrte.

Sie warf die Chilis in den Müll, mit denen sie immer seine Pizzas würzen musste, was sie hasste, weil sie derart scharfe Gerichte verabscheute. Seinen Orangensaft kippte sie in den Ausguss. Als sie seine letzten Socken, sein Aftershave und Eau de Cologne entsorgt und die Fotos von ihnen abgehängt hatte, war sie bereit, die Wände zu streichen und die Tagesdecke, die entsetzlich fusselte, durch eine neue zu ersetzen.

Nachdem sie ihr Haus von den zarten, damenhaften Drucken befreit hatte, begann sie, die Wände mit kräftigen, oft widersprüchlichen Farben zu bedecken, die Clarissa aber je nach Stimmung trösteten oder erregten. Die Namen der Farben hörten sich zum Hinknien schön an: Schokolade, Himbeer, Creme. Zum Schlecken schön. Sie überzog das Sofa im zitronengelben Wohnzimmer mit Samt in einem kräftigen Auberginenton und fügte einige weiche Kissen hinzu, die sich um ihren Körper schmiegten, wenn sie am Abend schmökerte. Sie riss alle Tapeten hinunter, denn sie konnte die Borden mit den kleinen Beeren und Blättern nicht mehr sehen. Anstreicher verwandelten die Wände von Wohn- und Esszimmer sowie der Küche in warme Töne in Melone, Vanille und Rosé.

Die von Graham geliebten Erinnerungsstücke waren weg, also konnte Clarissa die vernachlässigten Schätze ihrer Tante

Mildred wieder aus dem Verborgenen holen. Die Tante hatte sie bei ihren Reisen um die Welt gesammelt.

Clarissa staubte sie ab und stellte die unheimliche augenlose Maske aus bemaltem Porzellan auf, den tanzenden Buddha aus Thailand, eine wunderbar glatte Kopie von Rodins ›Der Kuss‹, in schwarzen Marmor gefasst, sowie den riesigen Clog aus Holland, den sie als Blumenbottich genutzt und mit würzigen Zitronengeranien bepflanzt hatte.

Bei ihrer Renovierung hielt Clarissa den Tag im Auge, an dem es ihr gelingen würde, Nick in ihr Haus zu locken. Sie zündete Kerzen an, die nach Zimt und Moschus dufteten. Sie ließ Dimmer einbauen, mit denen sie das Licht zu einer intimen Beleuchtung reduzieren konnte.

Natürlich fiel Graham der neue Wohnstil auf, als er vorbeischaute, um ihr die Cognacschwenker zurückzugeben, die sie ihm überlassen hatte, denn zuvor hatte sie einige seiner antiken Weinkristallgläser zerdeppert.

»Und was soll das alles?«, fragte er misstrauisch und sah auf die noch nicht ausgepackten Kartons im Wohnzimmer.

»Komm rein, Graham, es ist schön, dich zu sehen«, sagte sie freundlich und sah amüsiert zu, wie Graham seinen alten Collegeschal vom Hals löste.

Sie betrachtete ihn und fand, dass er immer noch gut aussah, auch wenn er sie sexuell nicht mehr ansprach. Es war sein aristokratisch gutes Aussehen gewesen, das sie auf ihn aufmerksam gemacht hatte. Obwohl Graham in der Wirtschaft arbeitete und industrielle Laser für die Lenkungssysteme von Raketen entwarf, sah er wie der typische Akademiker aus, und tatsächlich hatte er auch einige Freunde in der Physikabteilung der Uni.

Graham war knapp einsachtzig groß, weder schlank noch gedrungen, aber dank seiner Langstreckenläufe besaß er breite Schultern und muskulöse Schenkel. Er war blond und hatte eine helle Haut. Seine Augen waren blassblau, und obwohl er keine Brille trug, sah es oft so aus, als sollte er eine tragen. Auch jetzt kniff er die Augen zusammen, als er das Durcheinander in Clarissas Wohnzimmer betrachtete. Kleine Falten bildeten sich auf der Nase, als wollte er dem Grund für Clarissas Renovierungswut unbedingt auf die Spur kommen.

»He, du warst aber fleißig«, sagte er leicht gönnerhaft, ein Tonfall, der Clarissas Nerven klirren ließ. Aber sie sagte nichts, nahm die Cognacgläser an und reichte ihm eine Tasse Kaffee. Mit einem Schauder gab sie ihm auch die Miniatur der Sidewinder Rakete zurück, die sie vor ein paar Tagen hinter der Couch gefunden hatte. Nein, dachte sie, während sie ihn beim Nippen am Kaffee beobachtete, Graham ließ sie kalt.

Graham schien Clarissas kritische Gedanken über ihre nun beendete Beziehung zu ahnen und wandte den Blick von Tante Millies viktorianischer Porzellanpuppe, deren nackte Beine aus einem Karton lugten. Er rutsche ein wenig näher zu Clarissa und fragte wie nebenbei: »Du willst also renovieren?«

Clarissa wollte nicht in die Gründe einsteigen, die zu ihrer Begeisterung fürs Neue geführt hatten, deshalb zog sie nur die Puppe aus dem Karton, strich das Kleid glatt und sagte wieder: »Schön, dich zu sehen, Graham.«

Sie war dankbar, dass er den Wink verstand, aber bevor er ging, sagte er: »Weißt du, Clarissa, ich habe immer noch die Karten für *Madame Butterfly* und ...«

»Nein, danke«, unterbrach Clarissa ihn hastig und schob ihn beinahe aus der Tür. »Zuzusehen, wie eine liebeskranke Frau wegen eines Mannes Selbstmord begeht, ist nicht mein Ding. Ich muss mein Manuskript bald abliefern, es fehlt nur noch das Kapitel über Freuds Kastrationskomplex und die mittelalterlichen italienischen Eunuchen.«

Es war seltsam, dass zu einer Zeit, in der fast jeder Mann sexuelle Gedanken in ihr auslöste, bei Graham alles tot zu sein schien; nicht das geringste Interesse kitzelte sie. Mehr als seltsam, dachte sie.

Selbst Julian, deren Anmache sie bisher ständig zurückgewiesen hatte, hatte plötzlich so etwas wie eine unwiderstehliche Qualität erhalten. Obwohl Clarissa sich immer noch nicht vorstellen konnte, dass sie mal einem Interesse für eine Frau nachgeben würde, war es wenigstens in der Theorie eine verlockende Idee, die dahinschmelzende warme Vagina einer anderen Frau zu küssen. Sie war drauf und dran, das ihrer Freundin zu gestehen, als sie an einem Sonntagnachmittag den Pub besuchte.

»Was hast du gestern Abend gemacht, meine Liebe?«, fragte Julian fröhlich, während Clarissa gierig ihr Bier trank und gegen ihr Schmachten nach einer Zigarette kämpfte.

»Arbeit und noch mehr Arbeit«, antwortete sie düster. Sie wollte ihrer Freundin nichts vom selbst auferlegten Zölibat erzählen, weil sie sicher war, dass Julian das nicht verstehen würde. Trotz des erotischen Dunstes, durch den Clarissa die Welt nun betrachtete, hatte sie beschlossen, sich von keinen anderen Händen mehr anfassen zu lassen, bis sie Nicholas St. Clair in ihr Bett locken konnte.

Sie hatte diese angenehm romantische Vorstellung, dass sie rein und von anderen Männern unberührt sein würde, was die Intensität ihrer Begegnung mit Nick noch erhöhte. Ihr hypersensitives Verlangen konnte durch andere Männer nicht mehr gedämpft werden. Clarissa fühlte sich jetzt schon wie neugeboren und hatte Erinnerungen an andere Körper abgestreift. Es war, als bereitete sie sich auf ihr erstes sexuelles Erlebnis vor.

All das konnte sie Julian nicht erzählen, deshalb schob sie ihr das Glas über die Theke. Noch ein Bitter, bitte. Wie der kühle Trunk durch ihre Kehle floss, das hatte auch etwas Erotisches an sich, dachte sie, aber dabei mied sie den Blick der Freundin.

»Also gut, Rissa, wir vergessen deine langweilige Nacht, und stattdessen erzähle ich dir von meinem lustvollen Abend.« Julian sah Clarissa lüstern an, wobei der Diamant auf dem Nasenflügel glitzerte. Clarissa seufzte, gab nach und zündete sich eine Zigarette an.

»Bekenne deine Sünden, Jules«, sagte sie und bereitete sich auf eine der endlosen Berichte über Julians Lüste mit allen Geschlechtern vor.

Offenbar konnte Julian es gar nicht erwarten, ihr Erlebnis loszuwerden, sie beugte sich vor und nahm einen kräftigen Schluck aus ihrem Glas. Gewöhnlich war Clarissa nicht sehr beeindruckt von Julians sexuellen Heldentaten, und meistens war sie am Ende gelangweilt von den häufig übertriebenen Schilderungen der Orgasmen und Ejakulationen. Aber heute war diese eigene sexuelle Leere da, und Clarissa starrte erwartungsvoll auf Julians lebhafte dunkle Augen und ihre schimmernden Lippen.

»Es war ein kalter, stürmischer Abend«, begann Julian mit einem Zwinkern der großen Augen und füllte Clarissas Glas nach. Sie beugte sich noch weiter vor, und Clarissa sah mit einem Blick in die Bluse, dass die Freundin keinen BH trug. »Christie und ich hatten uns in *The Glory Box* auf einen Drink verabredet, denn vor genau einem Jahr hat der Club seine große Eröffnung gefeiert, und seither hat es nicht eine Razzia gegeben, also gab es einen echten Grund für unsere kleine Party. Ich wollte meine schrillsten Sachen anziehen, deshalb dauerte es ein bisschen länger mit mir, und als ich endlich im Club eintraf, saß mein Mädchen Christie im Love Chair, der gerade neu eingetroffen war. Also war Christie anderweitig beschäftigt.«

Julian stieß ein schmutziges Lachen aus, während Clarissa sich um ein gleichmütiges Gesicht bemühte. *The Glory Box* war ein sehr bekannter Sexclub, der ein paar Meilen außerhalb der Stadt existierte, und Julian war eins der ersten Mitglieder gewesen – man musste Mitglied sein, um überhaupt in den Club zu gelangen, und Mitglieder konnten auch einen Gast mitbringen. Julian hatte Clarissa schon oft eingeladen, doch bisher vergeblich. Vielleicht würde sie mal mitgehen, um sich umzusehen, dachte Clarissa.

Als hätte sie ihre Gedanken erraten, strich Julian ihr über die Hand und sagte: »Vielleicht lässt du dich mal von mir einladen.«

Clarissa reagierte nicht, und Julian setzte ihre Geschichte fort. »Ich konnte sehen, wie Christie mit der Hilfe eines Freundes den Stuhl ausprobierte. Du solltest dir dieses Ding mal ansehen, Ris!«, rief Julian begeistert. »Eine geile, geniale Erfindung. Arme und Beine kannst du frei bewegen, aber den Körper kann man in jeder Position halten, nach der dir gerade zumute ist.« Sie sah Clarissa an, als stellte sie sich gerade vor, wie sie die Freundin auf den Stuhl setzte.

»Christie lag also ausgestreckt da, die Beine gespreizt, die Hände über dem Kopf, und sie grinste und lachte den Kerl an, von dem ich nur den Rücken sehen konnte. Es sah so aus, als spielten sie miteinander. Ich ging näher und hatte jetzt eine bessere Sicht. Sie lachte, weil er sie mit einer Feder kitzelte, während er sich langsam aus seinem PVC-Anzug schälte.«

Das hörte sich in Clarissas Ohren nicht nach Spaß an, aber sie sagte nichts und gab Julian nur zu verstehen, dass sie weitererzählen sollte.

»Ich konnte jetzt den tollen Körper des Burschen sehen, der seine Klamotten ablegte. Ich huschte hinüber zur Bar, von wo ich eine bessere Sicht auf beide hatte. Ich bestellte einen Cocktail, nuckelte daran, lehnte mich zurück und genoss die Show.«

Clarissas Körper heizte sich allmählich auf, als sie sich das Mädchen Christie auf dem Stuhl vorstellte, vor ihr der nackte Mann, und seitlich die neugierige Julian.

»Wie sah der Typ aus?«, fragte Clarissa leise und konnte sich nicht verkneifen, noch hinzuzufügen: »Und welche Schuhe hatte er an?«

»Bitte!« Julian verdrehte die Augen. »Turnschuhe! Kannst du dir das vorstellen?« Sie sah der Freundin in die Augen und fuhr fort: »Aber er hatte wunderschöne lange schwarze Haare, die fast bis zum Hintern reichten, der übrigens auch wunderschön war, und dann hatte er auch noch einen großen, ja gewaltigen roten Schwanz.« Sie legte eine Pause ein, um Clarissas Reaktion abzuwarten. »Aber den habe ich erst später gesehen«, fügte sie dann hinzu. Sie griff nach Clarissas Glas und füllte es wieder.

»Der Mann fing wieder an, Christie mit der Feder zu streicheln, und ich hörte sie juchzen und kichern und betteln, und sie wand sich im Stuhl hin und her, als er sie zwischen den Schenkeln kitzelte, wimmerte sie. Der Mann hörte auf, beugte sich über sie und lächelte sie an. ›Du musst mich nett drum bitten‹, sagte er. Und weißt du, was er tat, als sie ihn darum bat?«

Julians Augen sahen die Freundin fröhlich an. Clarissas Mund war trocken geworden, als ob alle Feuchtigkeit ihres Körpers südlich in ihren Schoß floss. Sie veränderte den Sitz ihres Hockers, schluckte hart und krächzte: »Klar.«

»Nun, sobald Christie ›bitte‹ sagte, und ich glaube, das war wirklich alles, was sie herausbrachte, senkte der Kerl – ich habe nie seinen Namen erfahren, soll ich ihn einfach Joe nennen?« Sie wartete, bis Clarissa nickte, obwohl sie nicht so genau wusste, was oder wem sie zugestimmt hatte.

»Joe senkte also den Kopf, streckte die Zunge heraus und strich damit über Christies Nippel. Er neckte sie, heizte ihr prächtig ein und ließ sie zappeln, und in der Position konnte sie absolut nichts ausrichten. Ich habe noch nie gesehen, dass ein Mann so lange die Nippel leckt, dann schüttelte er die Haare nach vorn, band sie in der Hand zu einem Pinsel zusammen und strich damit über ihre Brüste. Ich schätze, es muss ihr gefallen haben, denn sie begann zu wimmern und wollte sich aufbäumen, aber er lachte nur, trat zurück und fiel zwischen ihren Schenkeln auf die Knie. Noch ein Bier?«

Clarissa blickte auf und schüttelte den Kopf. »Erzähle weiter«, hauchte sie und versuchte vergeblich, die Klitoris am Hocker zu reiben, ohne dass es Julian auffiel. Zu spät, denn Julian sah schon auf den Sitz, und Clarissa hörte verlegen auf.

Aber die feuchte Perle schrie nach Beachtung, nach Julians Schilderung höchst stimuliert. Clarissa war, als könnte sie die Berührung von Joes Haaren spüren, als säße sie selbst hilflos auf diesem Stuhl. Zweifellos bemerkte Julian, wie erregt Clarissa geworden war, aber sie sagte nichts und fuhr mit ihrer Story fort.

»Joe hockte auf dem Boden und ließ den Stuhl hinunter, bis Christie schöne rosige Pussy auf einer Höhe mit seinem Gesicht war. Er spreizte sie mit den Fingern, und ich sah zu, wie er seine lange Zunge ausstreckte und Christie leckte wie die Katze die Milch.«

Julian grinste schelmisch und sah Clarissa an, deren Wangen gerötet waren. Clarissa spürte die Nässe zwischen den Schenkeln und fürchtete, einen Fleck auf den Hocker zu hinterlassen. Julian ahnte die Erregung der Freundin, legte eine Hand auf ihre und führte sie zu ihrem Mund. Sie fuhr über die einzelnen Finger, spreizte sie und raunte: »Soll ich dir zeigen, was er getan hat?«

Clarissa keuchte und nickte, und Julians Zunge schnellte zwischen Clarissas Mittel- und Ringfinger und leckte an der empfindlichen Haut ganz unten. Clarissa hätte schwören können, dass sie Julians Zunge zwischen ihren Labien spürte und öffnete instinktiv die Schenkel, als wollte sie Julian den Zugang erleichtern.

Julian wusste, was Clarissa fühlte, sie schaute sie voller Sympathie an und berichtete weiter. »Da saß ich ganz allein auf dem Barhocker, sah den Kerl und Christies Winden und Schlängeln und hörte ihr Stöhnen, das immer lauter wurde, je wilder ihr Körper ins Zittern geriet. Der Mann richtete sich auf, wischte sich über den Mund, und dann sah ich sein Gerät. Er grätschte über den Stuhl und drang in sie ein. Stell dir vor, der Riesenschaft verschwand in seiner ganzen Länge in ihr. Ich schwöre, Clarissa, ich hätte wetten können, dass ich es war, den er durchbohrte.«

Ihre Augen trafen sich mit Clarissas, die wohl ähnliche Empfindungen erfuhr. Leise fuhr Julian fort: »Joe stieß in die beneidenswerte Christie hinein, und mir kam es so vor, als dauerte es Stunden. Sie grunzten und ächzten beide, die Körper bebten und wurden geschüttelt. Dann zog Joe sich aus ihr zurück, und ich sah, wie er sie aus dem Stuhl befreite. Christie kletterte umständlich heraus, streckte sich ein bisschen, als hätte sie sich wund gelegen, und dann, es ist fast nicht zu glauben, wechselten sie die Plätze, und sie fesselte ihn auf den Stuhl.«

Julian trank einen kräftigen Schluck Bier, blickte Clarissa in die Augen und kam überraschend zum Ende. »Aber das ist eine andere Geschichte.« Sie leerte ihr Glas und warf der Freundin einen mitfühlenden Blick zu. »Ist alles in Ordnung mit dir, Liebste?«

Clarissa war fast bleich geworden, so sehr rang sie mit

42

sich, die Hände bei sich zu halten und nicht vor Frust laut zu schreien.

Julian wusste Bescheid und fragte leise: »Soll ich mit dir zur Toilette gehen?«

Clarissa hatte das klare Bild vor sich, was dann geschehen würde. Sie sah Julians Mund um ihre Brustwarze und die Finger der Freundin, die in ihre Vagina drangen, während ihre eigenen Hände Julians Pussy streichelten.

Erschauernd stieg sie vom Hocker und murmelte: »Nein, danke, es geht schon.« Mit staksigen Schritten ging sie zur Toilette. In der Kabine riegelte sie die Tür ab und schob hastig Jeans und Slip hinunter. Es dauerte nur ein paar kurze Momente, bis sie sich zu einem grandiosen Orgasmus rieb, den sie mit geschlossenen Augen und durchgedrücktem Rücken erlebte.

Sie fühlte sich erleichtert, wusch die Hände, erneuerte das Make up und schlenderte langsam an die Bar zurück. Sie sah wie eine Frau aus, die nichts anderes als einen Drink wollte. Julian war beeindruckt von der raschen Verwandlung der Freundin und lachte.

»Sehr gut, Rissa«, kicherte sie und strich ihr über die Wange. »Kühl wie eine Eisprinzessin.«

Clarissa akzeptierte noch ein Bier und ließ sich wieder auf dem Hocker nieder. Sie überlegte, ob sie Julian auf ihr Angebot ansprechen sollte, verzichtete dann aber darauf und tat so, als wäre nichts geschehen. Da sie sich befriedigt hatte, hielt Sex mit Julian keine Attraktion mehr für sie. Außerdem musste sie an Nick denken. Sex mit einer Frau war Sex mit einer anderen Person, und Clarissa blieb bei ihrem Entschluss, auf Nick zu warten.

Sie nippte am Bier und fragte sich dumpf, wie lange sie noch warten musste.

# Drittes Kapitel

Wie es sich ergab, brauchte sie nicht mehr lange zu warten. Es begann mit einem Kuss, aber es war ein Kuss, an dem sie nicht beteiligt war.

Der Tag, an dem es passieren sollte, begann ganz normal. Unspektakulär. Graham rief an, während Clarissa auf einer ungebutterten Toastscheibe kaute (auf die Figur achten) und sich für die Arbeit anzog, während sie ein Gedicht aussuchte, das sie im Kurs vortragen wollte. Sie hielt das Telefon in einer Hand und versuchte, mit der anderen einen Strumpf am Bein hoch zu rollen. Sie hörte Graham nur mit einem Ohr zu, als er wieder mal versuchte, sich mit ihr zu verabreden. Diesmal lockte er sie mit Karten zu *La Bohème*, wieder eine Oper, in der eine unglückliche Frau stirbt. Clarissa lehnte natürlich ab.

Lass mich in Ruhe, dachte Clarissa, während sie verärgert bemerkte, dass ihr spitzer Nagel ein Loch in den Strumpf gestoßen hatte. Seufzend griff sie nach einem Band von Keats' gesammelten Werken.

Was sieht er überhaupt in mir? Wütend wischte sie ein paar Brotkrümel von der nackten Brust. Sie hatte Graham gegenüber ein schlechtes Gewissen, aber an diesem Morgen hatte sie keine Zeit, ihm zuzuhören, wie er ihre Beziehung wiederbeleben wollte. Sie war in Eile wie fast immer und zählte die Minuten, bis sie Nick wiedersehen würde.

Aber das alles erzählte sie Graham nicht, sie nickte nur ab und zu, stöberte durch den Wäscheschrank und sagte: »Ja, natürlich tue ich das noch.« Aber insgeheim fluchte sie über ihn.

Als es Clarissa endlich gelang, den Hörer aufzulegen, wenn auch nur auf Kosten einer Zusage, ihn im Lauf dieser Woche zu treffen, stieß sie nach dem Blick auf die Uhr einen lauten Schrei aus. Panikartig rannte sie ins Bad, um Make-up aufzulegen. Das Telefon klingelte wieder, und am liebsten hätte sie es ignoriert, denn es könnte Graham mit einem neuen Anschlag auf ihr Gewissen sein.

Es war der Teppichhändler, der ständig die Muster verlor, die sie sehen wollte, der Bestellungen verschlampte und das Verlegen verzögerte, sodass sie wochenlang auf blanken Holzdielen laufen musste, und zuletzt hatte sie auch noch herausgefunden, dass er zumindest zeitweise farbenblind war oder bald sein würde. Diesmal rief er an, um das dritte Mal den genauen Ton des Taubengraus festzulegen, das die alte schmutzige Rauchfarbe im Gästezimmer ersetzen sollte. Als Clarissa sich den unangenehmen Mann endlich vom Hals geschafft hatte, blieben ihr noch fünfundvierzig Minuten für Makep-up, Fahrt und letzte Vorbereitung im Hörsaal, wozu auch das Verteilen der Kopien des Gedichts gehörte, das sie ausgesucht hatte.

Oh, verdammt, fluchte sie, als sie ihr Auto, fast wie neu, geschickt durch das Gewirr von Einbahnstraßen durch die Stadt fuhr. Sieh mich an, ich bin verschwitzt und nervös, wie soll ich Nick beeindrucken, wenn ich so aussehe?

Aber auch wenn sie ›so aussah‹, war Clarissa immer noch eine sehr attraktive Frau, auch wenn der Lippenstift ein wenig verschmiert war. Auf dem Parkplatz legte sie letzte Hand an. Die Haare verdeckten noch mehr von ihrem Gesicht, die kleinen Locken rahmten es ein. Die Wangen waren wild gerötet von all den Aufregungen in letzter Minute. Ihr Herz raste, als sie gegen die Uhr lief.

Schließlich lief sie auf ihre Klasse zu, nachdem sie noch ein paar Bücher in der Bibliothek gesucht hatte, wobei sie sich keine Zeit nahm, die Bände wieder einzuordnen, die ihr auf den Boden gefallen waren.

Sie ärgerte sich darüber, dass die Absätze ihrer Wildlederschuhe an den scharfen Kanten der Pflastersteine hängen blieben, als sie über den Campus lief, außerdem wurden ihre Bewegungen durch den engen Rock, ebenfalls aus Wildleder, behindert, ganz abgesehen davon, dass er nach wenigen Schritten schon nach oben gerutscht war. Sie blieb kurz stehen, um ihn nach unten zu ziehen, und bei dieser Gelegenheit sah sie das schmusende Paar im Eingang des Gebäudes, in dem ihr Hörsaal lag.

Clarissa, in kauernder Haltung, um den Rocksaum nach unten zu ziehen, sah die vertrauten langen Beine, die in schwarzem Leder steckten. Plötzlich schien die Zeit keine Rolle mehr zu spielen, sie richtete sich auf und wollte zum Nebeneingang gehen, weil sie dort vielleicht nicht bemerkt würde.

Das Mädchen hatte die Arme unter Nicks schwarzer Lederjacke, und es sah so aus, als glitten die Hände hinunter zu seinem Po. Eifersüchtig sah Clarissa zu, wie das Mädchen die knackigen Backen knetete. Das Gesicht konnte Clarissa nicht sehen, die Hälfte wurde von Nicks Hand verdeckt, und dann hatte er auch noch seinen Mund auf die Lippen des Mädchens gedrückt. Die andere Hand lag in den Haaren des Mädchens, es waren die glänzendsten, blondesten Haare, die Clarissa je gesehen hatte.

Sie leuchteten fast weiß, fielen über Schulter und Rücken, ein Heiligenschein an diesem trüben Tag. Diese Haare hätte Clarissa überall wiedererkannt. Begierig schaute sie zu, wie das Paar sich umarmte, wie Münder und Körper sich aufeinander bewegten, und sie spürte einen glühenden Pfeil des Verlangens durch ihr Herz schießen, während ihre Labien in verzweifelter Harmonie mit der Leidenschaft da vor ihr zu zucken begannen.

Sie starrte auf Nicks Hände, die jetzt das Gesicht und die Haare des Mädchens fast brutal umschlossen. Clarissa waren die anmutigen, eleganten Hände bisher nicht aufgefallen, die Hände nicht und auch die langen, schönen Finger nicht. Sie war nicht bereit, ihr Zuschauen zu beenden, aber dann riss sie sich zusammen, denn beim Spannen entdeckt zu werden, wäre zu peinlich gewesen. Ihre Augen glänzten, die Wangen leuchteten rot, und die feuchten Rubinlippen öffneten sich in Sympathie mit ihrem unteren Mund, dessen Lippen sich ebenfalls geöffnet hatten.

Dankbar, nicht bemerkt worden zu sein, ging Clarissa in die entgegengesetzte Richtung, aber in dem Augenblick sah Nick hoch, und Clarissa blinzelte, als er sie mit starrenden, durchdringenden Blicken betrachtete.

Sein Mund drückte noch auf den Mund des Mädchens, doch sein Blick blieb auf Clarissa gerichtet, und sie hatte den Eindruck, als lächelte er in den Mund der Freundin hinein. In diesem Moment schoss ein Blitz durch Clarissa: Mein Gott, er hatte diese Szene gestellt! Er hatte sich mit dem Mädchen in den Eingang postiert, damit sie quasi über ihn stolpern musste. Sie war sicher, das Mädchen wusste nichts von der Inszenierung, sie musste glauben, seine Küsse galten allein ihr, und in diesem Moment empfand Clarissa ein wenig Mitleid mit ihr. Sie wusste, ja, sie wusste es einfach, dass das Mädchen ein Ersatz war, eine Platzhalterin für sie, Clarissa. Nick wollte, dass sie sah, wie er eine andere Frau küsste, wie er sie in den Armen hielt und erregte.

Als Clarissa das erkannte, traf sich ihr Blick wieder mit Nicks, und darin las sie, dass er wusste, dass sie begriffen hatte. Eine Welle der Gewissheit tobte in Clarissas Körper, sie packte ihre Bücher auf den anderen Arm und schritt am küssenden Paar vorbei, wobei sie Nick sogar berührte. Der kurze Kontakt ihres Beins mit seinem entzündete ihre Sinne und verursachte einen kurzen Schwindel. Sie hastete in den Hörsaal, suchte Nicks Arbeit im Stapel und schrieb darunter: »Unvollständig. Melden Sie sich bei mir.«

Als sie später die Arbeiten verteilte, er wieder der brave Student war und sie die strenge Englischdozentin, sah sie in sein Gesicht. Eine Spur von Lippenstift haftete ihm im Mundwinkel, und sie musste an sich halten, um es nicht mit dem Daumen abzuwischen. Sie lächelte, als sie vorbeiging, und das raschelnde Nylon ihres Strumpfs küsste eine kurze Weile sein Knie.

Der Rest der Vorlesung verflog für Clarissa wie ein Traum, der nur einmal zur Wirklichkeit wurde, als sie Nick unauffällig nicken sah, nachdem er ihre Bemerkung unten auf seiner Arbeit gesehen hatte. Das Nicken allein reichte aus, um Clarissas Labien anschwellen und den Slip feucht werden zu lassen. Den ganzen Tag unterrichtete sie, als hätte sie den Autopiloten eingeschaltet. Sie las romantische Lyrik, aber der Inhalt interessierte sie nicht. Sie konnte nur noch an das bevorstehende Treffen mit Nick denken, denn sie wusste mit absoluter Sicherheit, dass er an diesem Tag zu ihr kommen würde, am Nachmittag, in ihr Büro.

Sie ging im Geiste die Termine durch, die an ihrer Tür hingen, immer auf den letzten Stand gebracht, damit die Studenten stets wussten, wo sie zu erreichen war. Dann dachte sie an die Wäsche, die sie trug. Erleichtert erinnerte sie sich daran, dass sie am Morgen in rauchgraue Seide geschlüpft war, in edler Spitze eingefasst. Sie kreuzte die gebräunten Beine und zwang ihre Gedanken zurück zum Gedicht, das von ihren Studenten diskutiert wurde.

Nach dem Ende ihres Kurses zog sich der Tag endlos hin. Sie litt sich durch den Kurs über die viktorianische Literatur, durch eine Konferenz während der Mittagspause und durch ein tränenreiches Treffen mit zwei Studentinnen, die das Ziel eines anderen Kurses von ihr nicht erreichen würden.

Zum Tee musste sie sich ein paar Komplimente ihrer Kollegen anhören. Und dabei dachte sie die ganze Zeit an Nick. Als sie in ihrem Büro saß, huschten die Blicke zehn Mal in der Minute zur Tür. Wann kam er endlich? Zweifel schlichen sich ein, ob er sich überhaupt sehen lassen würde. Vielleicht hatte sie sich nur eingebildet, was sie in seinen Augen glaubte gesehen zu haben.

Gegen halb fünf am Nachmittag war sie bereit, nach Hause zu gehen. Der Himmel war fast schwarz, ihre Strapse juckten unangenehm, und sie befand sich in einem Zustand der sexuellen Frustration, dass sie sich eine heftige Runde mit ihrem Vibrator nach einem heißen Bad vorstellte, dazu kaltes Bier und eine schwachsinnige Comedy auf Video. Sie seufzte bedauernd und schämte sich, dass sie sich durch so eine unverblümte Einladung selbst gedemütigt hatte. Und das bei einem Studenten! Sie ärgerte sich, dass sie die Signale falsch gedeutet hatte, suchte ihre Bücher zusammen und stand auf, als jemand an die Tür klopfte. Sie gefror.

Da war er, stand in der offenen Tür und sah so dreist aus wie am ersten Tag des Kurses. Er blieb lässig stehen, bis sie ihn hereinwinkte, zu zittrig und schwach, um etwas sagen zu können. Wortlos sah sie zu, wie er die Tür hinter sich ins Schloss drückte und zum Schreibtisch schlenderte.

Die Brustwarzen wurden hart, ihr Bauch flatterte, ihr Herz raste. Wildes Verlangen pochte in ihr, während sie darauf wartete, dass er sprach. Mit einem Grinsen, das sein Unbehagen erkennen ließ, legte Nick seine Arbeit auf den Tisch und deutete mit einem langen, schlanken Finger auf ihren Kommentar.

»Unvollständig?«, fragte er und stand nahe genug, dass sie ihn hätte anfassen können.

Sie rief sich in Erinnerung, dass sie seine Dozentin war, trat einen Schritt zurück und bemühte sich um Haltung. »Ja, ja, sicher«, stammelte sie und überlegte krampfhaft eine Erklärung, warum sie ihn bestellt hatte. In ihren Phantasien war er in ihr Büro gestürmt, hatte sie von den Füßen geholt und an seinen Körper gedrückt. Ganz sicher hatte sie nicht erwartet, dass sie nun einen Vortrag über seinen Schreibstil halten musste.

Sie sah in seine Augen – noch nie war sie ihm so nahe gewesen, dass sie seine Haselnussfarbe erkennen konnte – und hoffte, dass die Nässe in ihr nicht an den Beinen hinunter lief. Es war ihr kaum bewusst, was sie sagte, aber sie zwang den Satz heraus: »Sie haben mich nicht fertig ... eh, das Essay ist nicht fertig, eh ...«

Er trat näher an sie heran. »Und auf welche Weise ist es nicht fertig?«

Oh, verdammt, ist er groß, dachte sie verwirrt und musste den Oberköper weit zurücknehmen, um ihn ansehen zu können. Der verschmierte Lippenstift war nicht mehr da, aber sie hob einen Finger an seinen Mund und murmelte: »Wie ich sehe, haben Sie schon die Spuren des Kusses abgewischt.«

Ohne den Blick von ihr zu wenden, legte Nick einen Daumen auf Clarissas Unterlippe und rieb ihren Lippenstift ab, dann strich er über die Oberlippe und befreite auch sie von der mit Bedacht aufgetragenen scharlachroten Farbe. Sie öffnete hilflos den Mund. Ihre Zunge stieß zwischen die Lippen und leckte seine Finger. Instinktiv zog er die Hand zurück und strich über ihre Locken. Nick nahm ihr Gesicht in beide Hände, und als sie sah, dass er sich zum Kuss zu ihr beugte, schloss sie die Augen und wartete auf die so lange ersehnte Umarmung.

Sie erwartete einen stürmischen Angriff und war völlig verdutzt, als seine Lippen sich sanft und zögernd auf ihre legten. Nick schmiegte einen Arm um Clarissas Taille, und mit der anderen Hand streichelte er ihre Wange. Fast hätte sie über die unerwartete Zärtlichkeit weinen müssen, so sehr war sie angerührt. Was für ein Unterschied zu seinem eher burschikosen Verhalten dem Mädchen gegenüber. Weil er ganz offensichtlich so zurückhaltend war, kämpfte Clarissa um die Kontrolle ihres eigenen wilden Verlangens nach ihm. Sie saugte seine Oberlippe ein, nahm die Unterlippe dazu und stieß mit der Zunge dazwischen. Sie schlang die Arme um seinen Hals und wuselte mit den Fingern durch seine Haare, während Nick sich mit ihrer Zunge duellierte. Sie klammerte sich an ihn, als er sie mühelos anhob und auf den Schreibtisch setzte.

Sie wimmerte vor Sehnsucht nach ihm und zerrte an der Lederjacke, bis sie auf den Boden fiel. Sie strich über seine Haut und erkundete seinen Körper. Endlich konnte sie ihn anfassen und abtasten, über die muskulösen Arme und den glatten Rücken streichen. Es war, wie sie es sich in ihren Träumen ausgemalt hatte. Sie strich über Muskeln und Sehnen und zerrte an seinen Hemdknöpfen. Sie presste den Schoß gegen Nicks und leckte an seinem Ohrläppchen und über seinen Hals.

»Du riechst so gut, Clarissa«, raunte er, und der Klang seiner Stimme und wie er ihren Namen aussprach, war wie ein Donnerschlag; sie hatte nicht damit gerechnet, dass sich die Vertrautheit so rasch einstellte. Ihr wurde klar, dass aus der Lehrerin die Schülerin geworden war.

Sie schloss die Augen und fühlte die Lust, die in ihr tobte. Blind presste sie den Mund auf seine Brust und atmete den Geruch von Leder und Männlichkeit ein, bevor sie einen Nippel liebevoll und tief in den Mund saugte.

Nicks Hände strichen über ihre Flanken und fuhren hoch zu ihrem festen Busen. Er saugte an ihren Nippeln und wischte mit der Zunge über die harten Hügel. Clarissa legte die Beine um Nicks Taille und zog ihn näher an sich heran. Sie spürte das Pochen in seiner Jeans.

Gewöhnlich war sie in solchen Situationen ganz kühl, aber diesmal stellte sie zu ihrer Überraschung fest, wie ungeschickt sich ihre Finger anstellten. Als sie endlich sein herrliches Glied befreit hatte, lehnte sie sich zurück, um es besser ansehen zu können, und erst jetzt fiel ihr auf, dass er keine Unterhose trug.

Nick fiel in ihr Lächeln ein und sah hinunter auf seinen lachsfarbenen Schaft, dessen Spitze noch unter der Vorhaut verborgen war. Der Schwanz fühlte sich heiß und gewaltig in ihrer Hand an.

Clarissa flüsterte in sein Ohr: »Lege die Hand auf meine. Zeige mir, wie du es am liebsten hast.«

Er legte die Hand auf ihre, und jetzt pulsierte der Schaft zwischen ihnen. Er zeigte ihr die Bewegungen, die er liebte, und sie hielt den Rhythmus bei. Sie erinnerte sich an die ruckartigen Bewegungen, die sie bei seinem Masturbieren in der Klasse gesehen hatte.

Zusammen rieben sie auf und ab, und sie spürte die stählerne Härte des Schafts und schob die Vorhaut vor und zurück, wobei sie den purpurnen Kopf behutsam drückte. Nick nahm seine Hand weg und knöpfte ihre Bluse auf, und Clarissa lehnte sich auf dem Schreibtisch zurück.

Nick schob Clarissas Bluse und BH-Träger von den Schultern dann bückte er sich über sie, knabberte im Tal ihrer Brüste und leckte über die erigierten Warzen. Clarissa ließ den Penis kurz los, strich über seinen Brustkorb und hob sich leicht an, als wollte sie ihm ihre Brüste verlockend darbieten.

Sie musste daran denken, welches Bild sie dem zufälligen Zuschauer boten: Sein Hemd flatterte aus der Hose, deren Stall weit offen stand. Der Penis ragte zuckend heraus. Auch sie war halb nackt bis zur Hüfte. Nick hockte zwischen ihren Schenkeln, beugte sich über sie und saugte an den rosigen Nippeln. Clarissa strich mit gespreizten Fingern durch seine Haare.

»Oh, ja«, keuchte sie. »Mehr, mehr.«

Sie ließ ihn noch eine Weile schlecken, dann schob sie ihn von sich, stieg vom Schreibtisch und kniete sich vor Nick nieder. Er hielt sich am Schreibtisch fest, während sie auf einer Höhe mit seinem Penis war, den Rücken zur Tür. Sie nahm den Schaft in die Hand und führte ihn in die Wärme ihres Mundes. Sie schloss die Lippen um seinen Stab und fragte sich, ob sie ihn ganz aufnehmen konnte.

Nick setzte die Füße weiter auseinander, damit sie den Hals nicht recken musste, und er legte die Hände um ihren Kopf, um ihr zu helfen, den richtigen Rhythmus zu finden, den er bevorzugte. Sie fuhr mit dem Mund an seiner Länge auf und ab, dann badete sie die Eichel in ihrem Speichel, den sie mit der Zunge verteilte.

Sie zog den Mund zurück und lächelte, als sie seinen lauten Aufschrei der Frustration hörte, aber wenig später stöhnte er auf, als sie seine Hoden tief in den Mund nahm. Sie saugte zuerst den einen, dann den anderen und fuhr mit einem streichelnden Finger in die Kerbe, denn aus Erfahrung wusste sie, dass die meisten Männer darauf wild reagieren. Nick war keine Ausnahme, und er schrie seine Lust heraus. Die Hoden hoben sich tiefer in ihren Mund, und Clarissa wusste, dass sein Orgasmus nicht mehr weit war. Sie wandte sich wieder dem Penis zu, aber Nick hob sie hoch, packte sie unter den Armen und setzte sie wieder auf den Schreibtisch.

Verwirrt blickte Clarissa in sein Gesicht. »Aber ich wollte dich ...«

»Ich weiß, was du wolltest«, sagte er fast ein wenig brüsk, fügte dann aber sanfter hinzu: »Ich will in dir sein, wenn ich das erste Mal bei dir komme.« Mit einer Bewegung seines Arms schob er die Sachen auf ihrem Schreibtisch beiseite, einige fielen auf den Boden, bevor er Clarissa behutsam auf den Rücken legte; ihr Kopf an einem Ende des Schreibtischs und die glühende Vagina am anderen Ende.

Nick schob ihren Rock hoch, bis er ein schmaler Streifen um die Hüften war, dann zog er ungeduldig an einer Seite des durchnässten Slips, der ihre saftige Spalte bedeckte. Mit den Händen streichelte er die Innenseiten ihrer Schenkel, wo die mit Spitze umsäumten Strümpfe endeten, ehe er ihre Beine spreizte, bis er auf die glänzenden rosigen Falten der Vulva schauen konnte.

Instinktiv wollte sie die Beine gegen die starrenden Augen schließen, aber Nick zog sie wieder auseinander. »Sei nicht so scheu, Clarissa. Ich will dich ansehen.«

Clarissa streifte ihre Schuhe ab und legte ihre Füße auf Nicks Schulter. Jetzt war sie völlig entblößt, gewärmt von seinen heißen Blicken. Er sah auf den nackten Streifen über den Strümpfen und raunte andächtig: »Himmel, du bist so schön, Clarissa.«

Im nächsten Moment musste sie an sich halten, um nicht laut aufzuschreien, als Nicks Mund die Lippen ihrer Vagina bedeckte. Die Zunge stieß so tief wie möglich in sie hinein und teilte die Labien. Er saugte ihr Gewebe ein, dann stieß die Zunge wieder zu, rasch hintereinander imitierte sie die Stöße eines Penis. Erst danach nahm er sich ihre pochende Klitoris vor und saugte sie sanft aber fest. Clarissa steckte sich eine Hand in den Mund, um den Orgasmus nicht laut herauszuschreien.

Keuchend ließ sie die Beine von seinen Schultern fallen und setzte sich aufrecht hin. Ihre Sinne kribbelten noch von der Intensität ihres Orgasmus. Nick erhob sich und sah sie an, als wollte er ihre Gedanken einschätzen, aber darüber ließ sie ihn nicht im Unklaren, als sie vom Schreibtisch glitt und Nick mit zu Boden zog, auf die Perserteppichimitation ihres Büros.

Er legte sich auf sie und stützte sich zwischen ihren Schenkeln ab, dann richtete er sich auf, sodass sie in sein Gesicht sehen konnte. »Ich habe noch nicht gehört, wie du meinen Namen aussprichst«, sagte er. »Ich will es hören.« Seine Stimme klang tief und heiser, voll und warm.

»Nick«, sagte Clarence leise.

»Sage mir, dass du mich haben willst«, drängte er. »Sage: ›Nick, ich will dich in mir spüren.‹«

»Ich will dich in mir spüren, Nick.«

Sie hielt sich an ihm fest und langte hinunter, um seinen Penis einzuführen. Langsam glitt er in ihre offene, warme Nässe, und Clarissa hielt den Atem an. Als er tief in ihr war, verharrte er einen Moment, und ihre Blicke trafen sich, ehe sie zu der Stelle sahen, an der sie verbunden waren. Es passte zwischen ihnen, das spürten sie. Die geschmeidige Vagina umschlang den pulsierenden, aber noch reglosen Penis, aber dann begann er quälend langsam, sich aus ihr zurückzuziehen, um dann ebenso langsam wieder in sie einzudringen.

Clarissa glaubte, vor Wonne ohnmächtig zu werden, als Nick Tempo aufnahm, und dann stießen sie gegeneinander und glichen instinktiv ihren Rhythmus an, als machten sie schon seit Jahren Liebe miteinander. Ihre Körper schlugen immer und immer wieder aufeinander, und Clarissa spürte, wie tief in ihrem Bauch der nächste Orgasmus entstand, und Tränen stiegen ihr in die Augen. Es schien, als wäre der ganze Körper ein Becken voller Flüssigkeit, als hätte ihre

Leidenschaft für Nick alle Fasern ihres Seins zum Schmelzen gebracht.

Sie sah in sein Gesicht und war verdutzt, auch in seinen Augen Feuchtigkeit zu sehen – jedenfalls hatte es den Anschein, bis er sein Gesicht senkte und sie hart, auch ein bisschen brutal, küsste, während er tief in sie hineinrammte. Während Clarissas Höhepunkt an Wucht gewann und wenig später explodierte, als wäre die Sonne aufgegangen, fühlte sie, dass Nick seine Kräfte bündelte und sich mit einem finalen Stoß in ihr ergoss. Sie spürte die Macht seines Höhepunkts, und dann sahen sie sich an, glücklich, still und zitternd.

Eine Weile lagen sie heftig atmend nebeneinander, ehe sie ihn sanft von sich schob und aufsitzen wollte, aber dann verzog sie das Gesicht wegen eines leichten Krampfs im Bein, und im nächsten Augenblick verzog sie das Gesicht noch mehr, als ihr das Ungeheuerliche bewusst wurde, was sie gerade getan hatte.

Sie sah ihn an. »Glaubst du, jemand hat uns gehört?«, flüsterte sie.

Er lachte und fuhr ihr durch die Haare. »Wäre das denn schlimm?«, fragte er fröhlich.

Sie packte ihn am Hemd und zog ihn in eine sitzende Position, dann fauchte sie: »Natürlich wäre das schlimm! Nie darf das jemand erfahren!« Sie starrte ihn an, bevor sie die Hände vors Gesicht schlug. »Oh, Gott, was habe ich getan? Wie kann ich dir im Hörsaal noch in die Augen sehen?«

Sanft zog er die Hände von ihrem Gesicht und küsste sie. »Oh, Clarissa«, raunte er in ihre Haare, »wir haben doch noch gar nichts getan.« Er grinste. »Wir haben noch nicht mal richtig begonnen.«

Sie ignorierte das Versprechen in seinen Worten, das ein neues Ziehen in ihren Lenden auslöste, zupfte wieder an seinem Hemd und sagte: »Beeile dich. Zieh dich an. Es ist spät, und wir müssen hier weg, bevor uns jemand erwischt.« Sie wies auf das Durcheinander auf dem Boden, das er mit seiner Handbewegung angerichtet hatte, als er die Platte leer gefegt hatte. »Hilf mir noch beim Aufräumen.«

Sie verließen das Gebäude gemeinsam, und dann gab es einen Moment der Verlegenheit, als Clarissa in plötzlicher Panik überlegte, ob sie ihm die Hand geben oder sonst etwas tun sollte, aber dann sagte sie spontan: »Komm mit, Nick, ich fahre dich nach Hause.«

Als er den langen Körper in das lächerlich kleine Innere ihres Autos gezwängt hatte, sagte Nick: »Das habe ich seit dem ersten Tag tun wollen.«

Sie sah ihn von der Seite an und unterdrückte ein Kichern. »Ja, ich weiß«, sagte sie und blickte auf seinen Schritt. Er sah sie an, und dann lachten sie beide und konnten nicht damit aufhören.


Sie hatten fast den Block erreicht, in dem Nick sich eine Wohnung mit einem Freund teilte, als Clarissa die Frage nicht länger aufschieben konnte. Sie wollte Gewissheit haben. »Nun, werden wir das wiederholen?«

Er sah gelangweilt aus dem Fenster und sagte: »Keine Ahnung, Dr. Cornwall. Ich schätze, das liegt bei Ihnen.«

»Was ist mit dem Mädchen, das ich heute Morgen bei dir gesehen habe?«

Jetzt sah er sie an, aber als er lächelte, war es ein hartes Lächeln, und Clarissa dachte wütend: Er will seine Macht ausspielen, die er über dich hat.

»Jessica?«, fragte er und sah Clarissa flüchtig an. »Lass dir wegen ihr keine grauen Haare wachsen.«

»Nun, ich bin nicht eifersüchtig oder so«, sagte sie steif,

»ich wäre nur dankbar, wenn du deinen kleinen Freundinnen gegenüber nicht damit prahlst, dass du gerade deine Englischprofessorin gebumst hast.«

Er sah sie an. »Halt an.«

»Was? Hier?«

»Halt an!«, wiederholte er scharf und tat fast so, als wollte er ins Lenkrad greifen. Sie stieß ihn zurück und fuhr zitternd bis zu einem Seitenstreifen, wo sie hart bremste, bis das Auto stand.

»Raus!«, fauchte er und riss seine Tür auf.

»Was?« Sie konnte nicht glauben, was sie hörte. Ein Student, der seine Lehrerin kommandierte!

»Steig aus«, sagte er scharf, dann zerrte er sie über die Gangschaltung auf seinen Sitz und zur offenen Beifahrertür.

»Schon gut«, blaffte sie wütend, zugleich völlig unsicher, was er vorhatte. »Ich kann allein aussteigen.«

Sie stolperte aus der Tür und sah sich um. Sie hatte keine Ahnung, was er wollte. Sie standen auf dem Seitenstreifen einer viel befahrenen Straße, die zur Autobahn führte. Es gab viele Geschäfte, Banken und Büros zu beiden Seiten der Fahrbahnen. Jetzt war es nach sechs, deshalb war niemand mehr zu sehen, aber auf der Straße herrschte noch viel Betrieb. Clarissa überlegte, dass sie keine Probleme haben würde, falls sie plötzlich Hilfe brauchen sollte.

Als könnte er ihre Gedanken lesen, sagte er: »Ich werde dir nicht weh tun.« Er beugte sich zu ihr, als wollte er sie küssen, aber dann flüsterte er nur: »Ich will dich nur noch einmal rannehmen.«

»Hier?«, fragte sie ungläubig, die Augen weit aufgerissen. »Oder wo?«

»Hier«, sagte er, »da drauf.« Er hob sie leicht an, setzte sie auf die Kühlerhaube ihres Autos, und dann langte er auch schon zwischen ihre Beine, um ihr den Slip auszuziehen. Sie spürte, wie er die zarte Spitze in die Hände nahm, und ihr stockte der Atem, als sie das Reißen des Stoffs hörte. Nick warf die Reste des teuren Slips weg, während sie an seine Lederjeans griff, ihre Finger schneller und sicherer als eben im Büro. Sie schlang die Hand um den erigierten Penis, und seine Finger drangen in ihre samtene Vulva ein. Er lächelte, als er sie offen und nass vorfand, sehr erregt vom Beweis ihres Verlangens nach ihm.

»Du bist schon bereit für mich«, grunzte er und wollte in sie eindringen, aber sie hielt ihn zurück.

»Warte«, rief sie, glitt von der Kühlerhaube, lief zur Beifahrerseite, holte etwas heraus und setzte sich wieder auf ihre Position. »Nicht ohne das hier«, sagte sie und hielt ihm ein ultradünnes Kondom hin.

Nick trat einen Schritt zurück, dann hob er die Schultern und sagte: »Ja, klar, wie du willst.« Dann grinste er sie an und fügte hinzu: »Aber du streifst es über.«

Geschickt riss sie die Schachtel auf und schüttelte die dünne Latexhülle heraus, die sie mit kundigen Fingern über Nicks zuckenden Penis rollte. »Gewöhnlich tue ich das viel langsamer und mit mehr Finesse«, murmelte sie heiser, den nassen, offenen Mund an seinem Hals, »aber ich hab's jetzt eilig, wie du siehst.«

Sein Penis sicher umschlossen, schlang Nick seine großen Hände um ihre Taille und zog Clarissa an sich. »Komm zu mir«, flüsterte er in ihr Ohr. »Ich will dich.«

Sie streckte die Hüften vor, und er glitt in sie hinein, füllte sie aus und dehnte sie. In der Dunkelheit blickte Clarissa zu ihm auf. Die Straßenlaternen beleuchteten eine Hälfte seines Gesichts, und sie fragte sich, was die Autofahrer von der Straße aus sahen. Nick stand mit dem Rücken zur Straße, und sein Körper verdeckte sie, aber sie konnte Scheinwerfer über seiner Schulter sehen und das Quietschen der Reifen hören, die über den Asphalt jagten.

Nicks Schaft in ihr blendete die Geräusche bald aus, er bewegte sich schnell und hart in ihr, hielt sie fest gepackt und grub die Finger ins Fleisch ihrer Hüften. Clarissa fühlte das kalte Blech unter dem nackten Po, und sie schwelgte in der Ungeheuerlichkeit ihres Tuns.

Es hatte was Betörendes und Aufregendes, sich halb nackt in der Öffentlichkeit darzubieten und zu wissen, dass jeder sehen konnte, was hier mit ihr passierte, wie lässig und rhythmisch sich Nicks halb nackter Po bewegte, wenn er zügig in sie hineinstieß. Jeder Passant konnte ihre Beine sehen, die sich um Nicks Hüfte schlangen. Ihr Rock war bis zur Taille gerutscht, und seine Stöße trieben sie auf dem Autolack immer weiter nach hinten.

Während der Sex im Büro ein fast zärtliches Lieben war, ging es jetzt um sexuelles Verlangen, um die Befriedigung des hungrigen Fleisches, und Clarissa schrie fast laut auf, als ihre inneren Wände zu zittern begannen und um Nicks Stab vibrierten. Er zog sie wieder näher an sich heran und blickte nach unten zur Wurzel des Penis, der ein und aus glitt und im Mondlicht nass glänzte. Er beugte sich wieder über sie und stützte sich mit den Händen auf der Haube ab.

Noch nie zuvor hatte sich Clarissa so herrlich zügellos, so wunderbar ungehemmt empfunden. Sie wollte, dass Fahrer in den Autos sie sahen, wollte ihre öffentliche Ekstase feiern mit allen, die dabei sein mochten.

Sie antwortete auf Nicks Stöße mit ihren eigenen, hielt dagegen und spürte die Härchen seines Skrotums, wenn es bei jedem kräftigen Stoß gegen ihre Oberschenkel schlug. Ihre Backen ruckten gegen das kalte Metall, als sie sich weiter für ihn öffnete, für seinen harten Fleischpfahl.

Bald, zu bald, fühlte sie den Beginn des Orgasmus, der in

ihr einsetzte, tief in ihrer Vagina, und die inneren Wände klebten an Nicks Schaft fest. Er beugte sich weiter zu ihr hinunter, sein Kopf lag zwischen Hals und Schulter, und sie spürte, wie sein Körper geschüttelt wurde, als er sich stumm in ihr verströmte.

Sie sah zu, wie Nick nach einer Weile aus ihr schlüpfte und das Kondom abstreifte, und ihr wurde klar, dass Nick Recht hatte: Dies war erst der Anfang. Sie hatte Geschmack gefunden an der Schwindel erregenden Sexualität, auch wenn es bedeutete, von ihm besessen zu sein. Und schon jetzt fragte sie sich, wie es möglich sein würde, je wieder von ihm loszukommen.

Selbst jetzt, als sie noch das Nachglühen ihres Orgasmus spürte, das durch ihre Adern rann, wollte sie schon wieder mehr von ihm, und die aufbrechende Gier nach diesem absurd jungen Mann ängstigte sie ein wenig, denn sie ahnte, welche Kraft die Leidenschaft hatte, die sie für ihn empfand, und die Risiken, die sie einging, wenn sie sich auf eine längere Beziehung mit ihm einließ.

Nick musste ihre brennenden Blicke gespürt haben, denn als er das Kondom weggeworfen hatte, fragte er sie: »An was denkst du, Ris?«

Sie sah ihn an und schüttelte kurz den Kopf, dann sagte sie: »Ich glaube, es gibt eine Menge, was du mir noch zeigen kannst.«

Er küsste sie auf den Mund, fuhr ihr durch die Haare, wie man es mit einem Kind tun würde, und sagte: »Wir werden sehen, Clarissa, wir werden sehen.«

## *Viertes Kapitel*

Und so begann es. Als sie Nick das nächste Mal im Hörsaal sah, war sie schrecklich nervös. Sie war nicht sicher, wie sie die uninteressierte Dozentin mimen sollte, denn die vergangenen zwei Nächte hatte sie schlaflos damit verbracht, die Lüste nachzuerleben, die er ihr beschert hatte. Sie wurde fast verrückt vor Sehnsucht nach dem nächsten Treffen, aber wie sollte sie ihm das signalisieren? Ganz sicher wollte sie der ganzen Klasse nicht ihre Besessenheit mitteilen, und sie wollte Nick auch nicht wissen lassen, in welchem Ausmaß sie nach ihm verlangte.

An diesem Tag zog sie sich mit Bedacht an; sie wollte weder zu distanziert noch zu vertraut wirken. Ihre engsten Kleider konnte er als Einladung missverstehen, aber sie wollte auch nicht in weiten Klamotten in den Hörsaal gehen. Also entschied sie sich für ein leichtes Schürzenkleid aus einem Wollstoff, der ihre Figur umhüllte und nicht an ihr klebte. Die Bluse schloss sie bis zum Hals, dazu trug sie eine einfache Perlenkette. Sie hoffte, die richtige Mischung aus attraktiv und professionell gewählt zu haben und schritt mit erhobenem Kopf in den Hörsaal.

Sie hätte sich nicht sorgen müssen. Nick nahm an der Vorlesung nicht teil. Frustriert und enttäuscht mühte sich Clarissa durch den Stoff des Tages und hörte mit einem Ohr auf die Geräusche von Schritten auf dem Flur. Immer wieder flog ihr Blick zur Tür und sie hoffte, seine lange schlaksige Gestalt da zu sehen. Aber er tauchte in der ganzen Stunde nicht auf, und als Clarissa ihre Studenten entließ, fühlte sie den bitteren Geschmack getäuschter Erwartungen im Mund.

Sie verfluchte sich selbst, dass sie ihn so ungeduldig herbeisehnte. Da sie nun Nicks Körper gekostet hatte, fühlte sie sich so stark wie zu keinem vorausgegangenen Liebhaber hingezogen. Sie wollte sich zur Ruhe zwingen und Distanz zu ihren Erinnerungen gewinnen, und als sie den leeren Hörsaal verließ und die Treppe zu ihrem Büro hinaufging, zwang sie sich zu der Erkenntnis, dass es ein Fehler gewesen war, sich mit ihm einzulassen. Sie versprach sich, ihn zu vergessen und wie jeden anderen Studenten auch zu behandeln.

Aber später an diesem Tag, als sie wieder zu einer der vielen Abteilungskonferenzen unterwegs war, sah sie ihn. Er lehnte lässig an einem Treppenpfosten, umringt von seinen lachenden Mitstudenten, darunter auch, bemerkte Clarissa unglücklich, das blonde Mädchen.

Er sei verdammt! Sie knirschte mit den Zähnen. Was nahm er sich heraus? Sie hatte den Eindruck, dass er nur deshalb nicht an ihrer Vorlesung teilgenommen hatte, um sie noch mehr zu foltern, als wüsste er, dass ihre Sehnsucht nach ihm größer wurde, je länger sie ihn nicht sah. Dornen der Erniedrigung prickelten ihren Körper, als sie über die Möglichkeit nachdachte, dass der Sex mit ihr für ihn nur eine amüsante Herausforderung gewesen war, eine Aufgabe, die er sich selbst gestellt hatte.

Entsetzt schoss ihr der Gedanke durch den Kopf, dass er bei seinen Freunden – darunter auch ihre eigenen Studenten – damit prahlte, die Englischdozentin gevögelt zu haben. Am liebsten wäre sie zu ihm gegangen und hätte ihn in ihr Büro bestellt; die Autorität dazu hatte sie. Aber diesen Gedanken verwarf sie sofort. Was würde geschehen, wenn er sie noch mehr demütigte und sich einfach weigerte? Also schritt sie weiter in die entgegengesetzte Richtung.

Er wartete bei ihrem Auto, als sie nach der Konferenz die Uni verließ. Er lehnte mit dem Rücken gegen das Fenster, die Hände tief in den Hosentaschen versenkt. Er lächelte sie an, als sie sich der Fahrerseite näherte und sich über seine Arroganz ärgerte.

Er tat so, als wäre sie eigens zum Auto gekommen, um ihn zu treffen und nach Hause zu fahren. Wut wallte in ihr auf, weil er genau wusste, wie sehr er sie verletzt hatte, dass er ihre Vorlesung nicht besuchte, weil es so aussah, als ginge er ihr aus dem Weg.

»Hey, Clarissa«, rief er freundlich. »Auf dem Heimweg?«

»Warum, zum Teufel, warst du heute nicht in der Vorlesung?«, fauchte sie ihn an. Sie konnte nicht so kühl bleiben wie er.

Er grinste und hob die Schultern. »Ach so, ja, ich hatte heute keine Zeit.«

Aufgebracht von der kurzen Antwort schloss Clarissa die Autotür auf und sah ihn noch mal an. Ja, er ist sexy, dachte sie und ignorierte die Gewalt ihres Verlangens, das sie dazu brachte, sich nach der Beifahrertür zu strecken und sie für ihn zu öffnen. »Du hast eine wichtige Lektion verpasst«, sagte sie wütend und hasste sich selbst, weil sie sich wie eine alte Grundschullehrerin anhörte. »Steig ein.«

Sie konnte es selbst kaum glauben, aber sie zerrte ihn fast in ihr Auto, schlug die Tür zu und startete den Motor. Sie ließ die Kupplung zu schnell los und würgte den Motor ab.

»Verdammt!«, rief sie, und er lachte laut und streichelte mit seinen schönen langen Fingern über die kleine blanke Hautstelle in den dünnen Handschuhen.

»He«, sagte er besänftigend, »alles ist gut.«

Sie blickte ihn an, konnte sich dann nicht länger zurückhalten und lehnte sich zu ihm, um ihn zu küssen. Ihre Lippen schlossen sich kurz, dann drang ihre Zunge in seinen Mund. Seine unrasierte Wange kratzte gegen ihre. Er griff mit einer Hand zwischen ihre Beine, aber dann realisierte sie gerade noch rechtzeitig, dass sie sich auf dem Parkplatz der Fakultät befanden; sie schob ihn von sich und startete den Motor. Diesmal war sie erfolgreich.

»Fahren wir zu dir nach Hause?«, fragte er und behielt die Hand unter ihrem Kleid.

»Wohin denn sonst?« Sie hielt die Luft an, als die Finger mit der Spitze ihres Höschens spielten und dann in die Löckchen ihrer Schamhaare griffen. »Bietest du mir an, zu dir zu gehen?«

Er lachte nur und fuhr fort, sie zu streicheln, und Clarissa hatte Mühe, sich auf Auto und Straße zu konzentrieren, als Nick die Falten ihrer Vagina öffnete und erst einen, dann zwei Finger in sie hineinschob. Sein Daumen rieb über ihre Klitoris. Clarissa konnte kaum noch ihre Fahrbahn erkennen und hob den Po an, sodass sie jetzt auf Nicks Hand ritt. Sie sah ihn lächeln, als amüsierte er sich über den schnellen Puls ihrer Vagina, deren Eingang sich weitete und seine Finger in Nässe tauchte. Er fand seine Manipulation nicht weniger erregend als sie, wie sie an der Schwellung in seiner Hose erkennen konnte.

Sie griff mit einer Hand hin und spürte das Zucken der Erektion, die unter ihren Fingern hüpfte. Sie zog die Hand wieder zurück, denn sie brauchte zwei Hände am Lenkrad. Als sie um eine scharfe Kurve bog und Nicks Finger kurz aus ihr glitten, gab es ihr einen Stich, als wäre ihr etwas Wichtiges abhanden gekommen. Aber er nahm rasch seine Position wieder ein. Sein kräftiges Reiben und Stoßen ließ sie aufschreien, teils aus Lust, teils aus Sorge um einen Unfall, denn das Auto begann zu rutschen, und sie drohte, die Kontrolle zu verlieren.

Nick sah ihr ins Gesicht und fuhr mit der anderen Hand in

Clarissas Bluse. Er drückte ihre Brust und fuhr mit der Handfläche über den Nippel, der sich schon versteift hatte, während seine Lippen über ihre Kehle huschten. Die warme Zunge glitt quälend langsam über ihre Haut, dann rutschte er auf seinem Sitz weiter nach vorn und drückte den Mund auf ihren Hals.

Diese intensive Lust erwies sich als zu viel für Clarissa, die Nick mit Gewalt von sich schob, bevor sie sich aus dem Sitz hob und seine Hand in seinen Schoß legte.

»Das reicht«, sagte sie spröde und versuchte, ihm die Tatsache zu verbergen, dass sie dicht vor einem Orgasmus gewesen war. Ihre leere Vagina schmerzte empfindlich. »Willst du es auf einen Unfall ankommen lassen?«

»*Safety first*«, verkündete er ernst, dann warf er den Kopf in den Nacken und lachte. Sie hoffte, dass er nicht über sie lachte.

Clarissa fuhr in ihre Einfahrt, und Nick stieß einen Pfiff der Bewunderung aus. »Hübsches Haus«, sagte er und besah sich die Beete mit Ringelblumen und Azaleen, die ihren Vorgarten einfassten.

Clarissa sagte nichts und ging voraus ins überladene aber aufgeräumte Wohnzimmer, froh, dass die Kartons endlich geleert waren. Sie wies auf das Auberginensofa. »Möchtest du was trinken?«, fragte sie.

Er nickte. »Ja, bitte«, sagte er, während er die vollen Bücherregale betrachtete, die Lampen mit den Schirmen von Tiffany, die gerahmten modernistischen Schwarzweißdrucke sowie ein paar Familienfotos, die liebevoll in einem Band an einer gelben Wand aufgereiht waren, direkt über Rechner und Bildschirm. Er interessierte sich für die aus Elfenbein geschnitzten Figuren ihres Schachbretts, nahm sie in die Hand und berührte sie neugierig, als hätte er solche Figuren noch nie gesehen.

Als Clarissa ihm ein schäumendes Glas Bier in die Hand drückte, stand er vor der Kopie eines Wasserspeiers aus Oxford, dann ging er weiter zu einer alten chinesischen Vase aus Porzellan. Er hob sie auf, und Clarissa drehte sich der Magen, wenn sie daran dachte, dass sie ihm aus den Händen fallen könnte. Dann drehte er sich um und sah sie an, eine Augenbraue fragend gehoben.

»Alles deins?«, fragte er und wies mit dem Kopf auf ihre Kuriositäten. »Hast du sie alle selbst gekauft?«

»Erbschaft«, sagte sie knapp und hoffte, das Thema wäre damit abgehakt. Sie hatte keinen Bedarf, mit Nick über ihre Familiengeschichte zu reden; sie fand, sie hatte schon genug mit ihm geteilt und wollte so viel Privatleben wie möglich für sich behalten. In ihr steckte die irrationale Furcht, sich ihm zu sehr zu öffnen. Sie erwartete von ihrer Affäre nicht mehr als ein Geben und Nehmen von Lust, und dabei sollte es auch bleiben.

Das Telefon klingelte, und Nick und Clarissa zuckten zusammen. Sie sahen sich an, aber das schrille Läuten blieb.

»Willst du nicht den Hörer aufnehmen?«, fragte Nick und beobachtete sie.

»Der Anrufbeantworter kann das erledigen«, antwortete sie nervös und hoffte, dass es niemand von der Uni war, der gerade anrief.

Als sich der Anrufbeantworter einschaltete, musste sie zu ihrem Entsetzen feststellen, dass es Grahams Stimme war, die laut durch das Zimmer scholl. Er hörte sich wie unter Stress an, und sein Akzent klang ein bisschen aufgesetzt.

»Ah, ja, Graham hier«, sagte er in seiner übertriebenen korrekten Aussprache. Nicks schleppender Tonfall aus den Midlands war ihr jedenfalls lieber.

»Ich rufe an, um dich an unsere Pläne für morgen Abend

zu erinnern«, fuhr Graham fort. Verdammt! Sie hatte ihre Zusage vergessen, sich mit ihm zu treffen. »Bitte halte dich bereit, denn diese Karten sind sonst kaum greifbar, und es ist auch schon lange her, dass wir zusammen aus waren.«

Er hört sich so an, als wartete er auf meine direkte Antwort auf den Anruf, dachte Clarissa, als wüsste er, dass ich direkt daneben stehe und keine Lust habe, den Hörer in die Hand zu nehmen.

Nick sah Clarissa amüsiert an, und sie war erleichtert, als Graham endlich auflegte. Sie nahm sich vor, ihm morgen zu sagen, dass was Wichtiges dazwischen gekommen war und sie leider die Verabredung absagen müsste.

»Ehemann? Freund?«, fragte Nick und sah sie über die Ränder seiner Brille an.

»Weder noch«, gab sie abrupt zurück, dann wich sie von Nicks Seite und setzte sich in eine Ecke, als sei ihr seine Anwesenheit in ihrem Haus unangenehm.

Offenbar spürte er ihr Unbehagen, deshalb legte er die Maske, die er in die Hand genommen hatte, auf den geschnitzten niedrigen Tisch. »Mache ich dich nervös, weil ich hier bin?«, fragte er leise. »Bin ich in deine Privatsphäre eingebrochen?«

Sie starrte ihn entgeistert an. Es war entnervend, dass er so viel über sie wusste. Als sie ihr Bier abstellte, zu ihm ging und sich an ihn rieb, hoffte sie auf den Überraschungseffekt. Sie schlang die Arme um seinen Nacken und raunte: »Brich ruhig ein.«

Er küsste sie, hob sie auf seine Arme und fragte: »Wo ist das Schlafzimmer?«

»Hierher«, sagte sie dumpf, weil er wieder den Mund auf ihren drückte. Sie zeigte mit dem Arm zum Flur, der zur Treppe führte. Trotz ihres wachsenden Begehrens behielt sie noch so viel Distanz, dass sie beeindruckt war von Nicks

Fähigkeit, sie zu küssen und gleichzeitig die enge gewundene Treppe mit ihr auf den Armen zu schaffen und ins überraschend geräumige Schlafzimmer zu tragen. Er legte sie auf das breite Bett mit der ägyptischen Decke und trat dann zurück, um das Zimmer zu betrachten.

Clarissa gratulierte sich, dass sie sich endlich von den mädchenhaften Laura Ashley Designs getrennt hatte, als Nick die gedämpfte Malve und die Erdbeertöne ihrer Wände ansah und sich dann dem verzierten Messingbett zuwandte. Gerahmte Drucke von vaginal aussehenden Blüten und von erotisch verrenkten tanzenden Körpern hingen an den Wänden. Gewölbte Messinglampen standen im Zimmer verteilt. Clarissa setzte sich auf, nahm die Perlenkette ab und sah zu, wie Nick sich an die Frisierkommode setzte und mit den Fingern über die kristallenen Flakons ihrer Parfums, Öle und Lotions strich. Ein Atomizer in einer besonders originellen Form mit einem schwarzen Ballon hatte es ihm angetan, er drückte auf den Ballon und verbreitete eine Wolke aus Blumenduft.

Clarissa war verwirrt von Nicks Faszination ihres kleinen persönlichen Umfelds. Sie hatte nicht damit gerechnet, dass er sich für die Dekoration ihres Wohnzimmers interessierte. Es kam ihr so vor, als wollte er seinen Claim abstecken und durchpflügte die Winkel ihres Hauses, wie er die Falten und Öffnungen ihres Körpers erforscht hatte. Wenn Wissen Macht war, dann wollte Nick offenbar alles über Clarissa lernen, um die Kontrolle zu erweitern, die er bereits über ihren Körper hatte.

Als er sich endlich neben sie aufs Bett legte und mit den Händen über ihren Körper strich, wie er eben die Flakons berührt hatte, wollte Clarissa etwas für das Gleichgewicht der Kräfte zwischen ihnen unternehmen. Sie rollte sich auf ihn und leckte ihn genüsslich mit dem Mund ab, sie begann mit den Lippen, stieß die Zunge in seine Ohren, dann küsste sie die Stelle, wo der Kopf in den Hals übergeht, drehte das Kinn zur Seite, um mehr Platz zu haben. Sie rutschte an ihm hinunter und leckte über seinen Brustkorb, wobei sie sein Hemd weiter öffnete.

Nicks Hände strichen über ihren Rücken und drückten ihre Backen fest, die unter seinem Griff leicht zu rotieren begannen. Er wollte in die Kerbe greifen, aber sie hielt ihn auf.

»Eh-eh«, sagte sie, den Mund an seinem Nippel, »fass mich noch nicht an.«

Er sagte nichts mehr, verschränkte die Hände hinter dem Kopf und sah zu, wie Clarissas Zunge über seine steifen braunen Nippel streichelte, während eine Hand über die Beule in seiner Hose strich. Sie schlang die Hand um seine Erektion und fuhr in einem langsamen, steten Rhythmus auf und ab. Sie hatte mit der linken Hand die restlichen Knöpfe seines Hemds geöffnet und befahl: »Zieh es aus.«

Nick sah sie an und grinste, er sagte immer noch nichts, zog sein Hemd aus und ließ es auf den Boden fallen. »Jetzt du«, sagte er und langte nach den Trägern ihres Kleids, aber sie schlug seine Hand weg. »Ich habe dir doch gesagt: nicht anfassen.« Sie sah ihn nachdenklich an, dann hob sie ihr Kleid, um über seine Hüften grätschen zu können und löste seinen Gurt. Sie schob ihn durch die Schlaufen seiner Jeans und sagte: »Ich sehe, dass wir etwas tun müssen, damit du lernst, deine Hände bei dir zu halten.«

Er sah sie fragend an, aber sie befahl: »Lege dich auf die Seite.« Sie hob sich leicht an, damit er die Hüfte bewegen konnte. »Hände jetzt auf den Rücken«, sagte sie. Sie drückte die Gelenke zusammen und fesselte sie mit dem Ledergurt. Sie zog ihn fest an.

»Zu fest?«, fragte sie. Es war nicht das erste Mal, dass sie es getan hatte, aber noch nie hatte es ihr so einen Kick gegeben. Er durchflutete ihren ganzen Körper. Sie hatte den Mann in ihrer Gewalt, dem sie fast hörig war.

Nick zuckte die Achseln. Es war ihm anzusehen, dass er bemüht war, seine Erregung nicht zu zeigen, als wäre es eine Schwäche, sie zuzugeben. »Schon okay«, sagte er.

Clarissa betrachtete ihn kurz und bewunderte still die Muskeln, die sich unter der Haut seiner Arme abzeichneten. Sie waren jetzt angespannt und gedehnt durch den Einsatz des Gurts. Sie fuhr zuerst mit den Fingern und dann mit dem Mund über den Arm, der ihr am nächsten war, dann strich sie mit der Zunge über die empfindliche Falte des Ellbogens. Sie leckte die Innenseite des Handgelenks, bevor sie ihn wieder auf den Rücken legte und die Senke seines Nabels mit der Zunge erforschte. Clarissa leckte hin und her und genoss den männlichen Geruch. Sie musste still vor sich hin lächeln, als sie ein beifälliges Stöhnen hörte. Kurz presste sie eine Wange auf den Magen, ehe sie ein letztes Mal den salzigen Geschmacks des Nabels aufleckte.

Sie setzte sich wieder auf die Fersen und befreite Nick mit einiger Mühe von seinen Stiefeln, wobei sie darauf achtete, dass die schmutzigen Sohlen nicht mit ihrer Bluse in Berührung kamen. Sie zog seine Socken aus und zögerte, als sie überlegte, seine Zehen zu lutschen. Sie entschied sich dagegen. Das würde sie tun, nachdem er gebadet hatte – vielleicht sogar mit ihr.

Stattdessen beugte sie sich über den Hosenstall seiner Jeans und fletschte knurrend die Zähne. Sie ging noch weiter hinunter, öffnete den obersten Knopf, fuhr mit einer Hand unter den Stoff und zog den Reißverschluss mit den Zähnen auf, ein Kunststück, an dem sie lange geübt hatte.

Nick trug wieder keine Unterhose, und sie fragte sich, ob er heute verführen oder verführt werden wollte. Vielleicht trug er auch nie Wäsche, damit sein Penis nach Belieben frei schwingen konnte. Und wenn er hart wurde, konnte er den Mädchen deutlicher seine Bereitschaft signalisieren. Sie hätte ihn gern gefragt, aber er hatte die Augen geschlossen, und sie wollte die bebende Erwartung, die sie auf seinem Gesicht lesen konnte, nicht stören. Sie streifte die Jeans an seinen Schenkeln entlang.

Endlich lag er nackt auf dem Bett, und Clarissa saß voll bekleidet neben ihm. Sie nutzte die Gelegenheit, die Länge seines schönen Körpers zu betrachten. Der Penis zuckte ab und zu, als wollte er ihre Aufmerksamkeit auf sich lenken. Clarissa genoss den Anblick des langen, dicken Schafts mit der geschwollenen pflaumenartigen Spitze. Sie stellte sich den Geschmack schon auf der Zunge vor. Sie legte eine Hand um seinen Penis, fühlte seinen Puls, der sich unter den Fingern beschleunigte, und lächelte auf Nick hinab. Ihr eigener Körper spannte sich vor Erregung an.

»Liegst du bequem?«, fragte sie lächelnd, und es erfüllte sie mit großer Genugtuung, dass er das Gesicht verzog, weil sie die Erlösung seiner Lust verzögerte. Auf der Penisspitze bildete sich schon ein dicker Sehnsuchtstropfen. Clarissa war gewillt, diesen Jungen verrückt vor Begierde zu machen. Sie beugte sich über ihn und fing den milchigen Tropfen mit der Zunge auf. Sie schluckte ihn und kniete sich zwischen seine schlanken, muskulösen Schenkel. »Mm«, schnurrte sie, sah zu ihm hoch, »mal sehen, ob da noch mehr ist, wo der her kam.«

Dann begann sie mit der ernsthaften Arbeit, sie fing den Schaft mit den Lippen ein und zog ihn tief in ihren Mund. Ihre Zunge glitt unter die Vorhaut und umkreiste den harten Stab. Sie konzentrierte sich auf die Zunge, ließ sie sanft und leckend gleiten und wischen und nahm immer wieder so viel von der Länge auf, wie sie im Mund unterbringen konnte. Zuerst ließ sie die Eichel gegen das Innere ihrer Wange stoßen, dann saugte sie mehr ein und zeigte ihr den Weg in den Schlund.

Ihr Kopf ging auf und ab, sie bedeckte die Zähne mit den Lippen und ließ zu, dass Nick von unten zustieß, denn er hielt sich an den Rhythmus ihres Mundes. Sie hob den Kopf, sah in Nicks vor Lust verzerrtes Gesicht und flüsterte ihm zu: »Bleibe still liegen. Spreize deine Beine.«

Gehorsam öffnete er die Schenkel, und sie nahm seine Hoden in den Mund. Der weiche Beutel erinnerte sie an das Fell von Maulwürfen, so sinnlich und delikat fühlte er sich an. Clarissa saugte die Testikel behutsam in den Mund und fühlte seinen Puls im Takt ihrer Bewegungen. Sie hob seinen Penis hoch und leckte über die Naht, eine der sensibelsten Stellen des Körpers.

Sie spürte, wie Nick an seiner Fessel zerrte und ahnte, dass seine Zeit nahe war, deshalb rollte sie ihn erneut auf die Seite, spreizte seine Backen und stieß mit einem Finger, den sie vorher vor seinen Augen im Mund eingespeichelt hatte, in seinen Anus.

Nick schrie dumpf vor Lust auf, als sie ihren Finger vorsichtig kreisen ließ, während sie den Mann wieder auf den Rücken legte und ihren Mund über seinen pochenden Schaft stülpte.

Sie spürte, wie der Penis immer mehr pulsierte, er zuckte tief in ihrem Mund, und sie wusste, dass der Höhepunkt nur noch ein paar Zungenschnellen entfernt war. Sie bemerkte die kurze Reglosigkeit bei Nick, bevor das Sperma hinauskatapultiert wurde, es schoss in ihren Mund, und er krümmte den Rücken und spannte den ganzen Körper an. Ein kurzer Laut der Ekstase kam über seine Lippen.

Clarissa lag still da, schluckte und wartete die letzten Tropfen ab, und als sie sicher war, dass sie alles aufgefangen hatte, wischte sie sich ein paar Spuren vom Kinn ab, denn die ersten Schübe hatte sie nicht völlig unterbringen können. Nach einer Weile beugte sie sich über ihn und befreite ihn von der Fessel.

»Wow«, stieß Nick aus, »wo hast du das denn gelernt?« Er spannte die Muskeln der Handgelenke an, bis das Blut wieder floss.

Clarissa lächelte und strich ihre Kleider glatt, dann strich sie Nicks Haare von den Augen zurück. »Jahrelang Praxis«, antwortete sie kehlig, lehnte sich an ihn und gab ihm einen Kuss. Sie wollte sehen, ob er zurückwich. Viele Männer mögen den eigenen Geschmack nicht auf der Zunge, aber Nick erwiderte den Kuss mit aller Kraft und glitt mit der Zunge durch ihren Mund, als wollte er die Reste aus dem Innern ihrer Mundhöhle holen. Clarissa freute sich, dass es ihr gelungen war, ihn so überzeugend zu befriedigen, als ob es um einen Wettstreit ging, wer erotische Dominanz über wen ausüben konnte.

Als hätte er ihre Gedanken erraten – Mist, darin ist er wirklich große Klasse, dachte Clarissa ärgerlich –, stieß Nick sie zurück aufs Bett und sagte: »Und nun, meine Liebe, bist du dran.«

Sie wollte sich nicht so leicht unterkriegen lassen, obwohl alles in ihr nach Erleichterung schrie. Sie richtete sich wieder auf und sprang vom Bett.

»Lass uns zuerst was essen«, schlug sie fröhlich vor, aber als sie seinen dumpfen Ausdruck sah, fügte sie hinzu: »Na ja, vielleicht auch nicht.« Sie war zwar dagegen, ihr Privatleben vor Nick offen zu legen, aber Essen gehörte nicht zu den Tabus. Doch Nick war gar nicht daran interessiert, ihm ging es eben nur um Sex – das ist das Einzige, was er mit mir teilen möchte.

Sein abweisender Blick schwand plötzlich und wurde von

einem listigen Ausdruck ersetzt. »Natürlich, Clarissa«, sagte er grinsend. »Ich esse gern mit dir. Was gibt's denn?«

Zum Glück hatte sie erst gestern Abend für die ganze Woche eingekauft. Sie wartete, bis Nick sich angezogen hatte, dann führte sie ihn in die Küche und ließ ihn Gemüse schnipseln, eine Salatsauce komponieren und Obst schälen, während sie Hähnchenstücke und Safranreis in die Pfanne warf und einen Schuss Cognac in den Obstsalat gab.

Clarissa war verwundert, wie reibungslos sie gemeinsam in der Küche arbeiten konnten, sie fühlte sich wohl neben ihm.

Sie wollte ihm zeigen, wie er den Tisch decken sollte, aber mit einem anzüglichen Grinsen sagte er: »Essen wir im Schlafzimmer.« Er suchte ein Tablett, und sie folgte ihm mit einer Flasche Champagner. Sie setzten sich aufs Bett und fütterten sich gegenseitig.

»Das macht Spaß«, rief Clarissa glücklich und fuhr mit der Serviette über Nicks Kinn, um einen Saucenrest zu entfernen. Dann legte sie hastig eine Hand über den Mund. »Ich benehme mich wirklich wie eine Lehrerin«, sagte sie mehr zu sich als zu Nick.

Nick lachte. »Erzähl mir von dir, Clarissa«, sagte er und ignorierte ihre Bemerkung. Er schenkte Champagner nach. »Wie bist du Lehrerin geworden?«

Clarissa starrte ihn einen Moment an, überrascht, dass er daran interessiert war, dann entschied sie, dass seine Frage nichts anderes beabsichtigte, als sie dazu zu verleiten, etwas über sich selbst zu enthüllen, was er später gegen sie ausspielen konnte. Sie war immer noch nicht in der Lage, überzeugend zu analysieren, warum sie ihn so sehr begehrte. Deshalb wollte sie so lange wie möglich eine bestimmte emotionale Distanz zwischen ihnen bewahren.

Clarissa bezweifelte, dass sie für Nick mehr als ein flüchtiges Abenteuer, eine amüsante sexuelle Abwechslung war, die durch das Verbotene ihres Handelns einen größeren Kick erhielt. Sie vermutete, dass ihre Leidenschaft für ihn viel höher schlug als seine für sie, und solange sie das dachte, wollte sie keine Vertraulichkeiten mit ihm teilen oder etwas tun, woraus er schließen konnte, dass dies für sie mehr als eine flüchtige Affäre war.

Statt auf seine Frage zu antworten, stellte sie das Tablett auf den Boden, nahm einen Schluck Champagner, behielt ihn im Mund und drückte ihre Lippen auf Nicks. Sie ließ die perlende Flüssigkeit von ihrem in seinen Mund laufen, dann küsste sie seinen Hals, während er schluckte.

Seine Hände waren überall, unter ihrem Kleid, auf ihren Brüsten. Sie legten sich um ihre Taille und schoben sich die Schenkel hoch. Clarissa gab den Wellen der Lust nach, die ihren Körper durchflossen. Sie lechzte danach, seine Haut auf ihrer zu spüren. Sie griff an die Knöpfe seines Hemds und riss es ihm vom Körper, aber dann hielt er ihre Hände fest.

»Eh-eh«, sagte er und ahmte ihre Zurückweisung nach. »Nicht anfassen, erinnerst du dich?«

Clarissa legte sich zurück und schloss die Augen, während Nick die Träger ihres Kleids mit einer knappen Bewegung seiner schlanken Finger abstreifte. Er öffnete die Knöpfe auf der Taille, und erst jetzt konnte er ihr das Kleid über den Kopf ziehen.

Er nahm sich die Knöpfe der Bluse vor, sie waren klein und saßen fest, deshalb traute er sich nicht, sie mit den Zähnen zu öffnen. Clarissa wollte ihm sagen, vorsichtig mit der Bluse umzugehen, denn sie war aus teurer italienischer Seide, aber sie war so fasziniert von seinen Fingern auf ihrem Körper, dass sie kaum atmen konnte und sprechen erst recht nicht.

Sie lag nur in BH, Slip, Strumpfhalter und Strümpfen da, und erwartete zitternd seine Berührungen. Er aber setzte sich zurück, saß stumm da und bewunderte sie. Seine Blicke streichelten die schwellenden Hügel ihrer Brüste, die Ebene ihres Bauchs, die gewölbten Kurven ihrer Hüften. Sie hielt die Luft an in Erwartung seiner Lippen und Finger, aber er hielt sich immer noch zurück, lächelte sie an und spürte ihre wachsende Frustration, während er überlegte, was er mit ihr tun sollte.

Clarissa kam sich ein wenig albern vor. Sie richtete sich auf und sah, wie er an seinem Champagnerglas nippte. Ihr war, als wollte er sie ignorieren, aber mit leichter Hand legte er sie zurück auf den Rücken. Er spritzte Champagner über ihre Brüste, und sie schrie überrascht auf. Die kühle Flut wurde rasch durch seine Wärme ersetzt, denn Nicks Zunge tauchte in die Pfütze um den Nabel und strich über die Nässe zwischen ihren Brüsten.

Grinsend öffnete er ihren cremefarbenen BH mit so geschickten Fingern, als hätten ihn die Verkäuferinnen in der Dessous-Boutique angelernt.

Nick tunkte seinen Finger ins Glas und malte mit dem Champagner verwegene Kreise auf ihre steifen, rosigen Nippel. Die delikaten Alkoholtropfen kitzelten ihre Brüste und erhöhten ihre Empfindlichkeit. Nick beugte sich über sie und leckte die Nippel ab und saugte den prickelnden Wein auf. Er beschäftigte sich noch eine Weile mit ihren Brüsten, beträufelte sie zwischendurch immer wieder mit Champagner und saugte die Nässe auf, die sich bis zum Nabel ausbreitete.

Im Zimmer gab es außer Nicks leckenden Lippen keine anderen Geräusche; Clarissa traute sich nicht, laut zu seufzen, weil sie die Spannung des Augenblicks nicht stören wollte.

Sie lechzte danach, dass Nick mehr mit ihr anstellte, aber sie wollte auch nicht auf sein Lecken und Saugen verzichten. Jetzt knüpfte er ihre Strapse auf und rollte ihre blauen Strümpfe langsam die Schenkel hinunter. Er ließ die Strümpfe vor ihren Augen tanzen, und Clarissa konnte ihr Parfum auf dem seidigen Gewebe riechen.

»Sehen wir mal«, sagte er und zog jede Silbe in die Länge. »Sollen wir die Strümpfe einsetzen, um dich zu fesseln, wie du mich mit meinem Gurt gefesselt hast?«

Er strich mit dem hauchzarten Stoff über ihren Bauch. Spielerisch griff er ihre Handgelenke und schlang das Nylon herum, aber dann zog er die Strümpfe wieder weg wie ein Zauberer sein magisches Tuch.

»Oder vielleicht binden wir deine Füße zusammen.« Er sah auf das Fußende ihres Betts, als suchte er nach einer geeigneten Stelle. »Nein?«, fragte er und sah ihr ins Gesicht. »Vielleicht heben wir das für ein anderes Mal auf.«

Obwohl Clarissa nichts dagegen einzuwenden hatte, gefesselt zu werden, und tatsächlich hatten schon mehr als ein Liebhaber ihre Strümpfe zu diesem Zweck benutzt, behagte ihr die Vorstellung, hilflos vor Nick zu liegen und auf seine Aktion zu warten, ganz und gar nicht.

Mit großer Erleichterung und einem Schwall innerer Flüssigkeit hob sie den Po, als Nick ihr den Slip abstreifte. Offenbar hatte er sich gegen das Fesseln entschieden, aber wohl nur an diesem Abend. Er ließ sich auf dem Boden neben ihrem Bett nieder, umschlang ihre Waden, spreizte sie und sah die Vagina, die sich auf der Höhe seines Munds öffnete.

»Schließe deine Augen«, befahl er gegen die Sanftheit ihrer Innenschenkel. »Es soll eine Überraschung werden.« Er schob die Beine sanft auseinander, und Clarissa schloss die Augen und wartete ab, was als Nächstes geschah. Sie erwartete die Hitze und Kraft seiner Zunge und schrie auf, als sie etwas Kaltes und Nasses spürte, das in ihre Vagina drang.

»Was, zum Teufel, ist das?«, fragte sie grollend, richtete sich auf und stieß fast gegen Nicks Kopf, aber er zog ihn schnell genug zurück.

»Geduld«, flüsterte er. »Warte.« Er drückte sie wieder auf den Rücken, schob wieder einen kalten, nassen Gegenstand in sie hinein und presste den Mund auf ihre Vagina. Er saugte heraus, was er hineingedrückt hatte und erhob sich dann, und sie konnte sein Gesicht sehen. Er hielt eine kleine Melonenscheibe vom Rest des Obstsalats zwischen den Zähnen.

»Ah, das war es!«, rief sie, erregt von der Frucht und von Nicks feuchtem Mund. Sie erschauerte, als er nacheinander Melone, Ananas und Grapefruitscheibe in sie eintunkte. Ihre inneren Muskeln umspielten die weichen Stücke, die sie mit ihren Säften tränkte. Clarissa wusste nicht, ob die Säfte, die ihre Schenkel hinunter liefen, von ihr stammten, vom Obst oder von Nicks Speichel.

Der Druck seines Munds auf der glitschigen Vagina trieb sie dem Orgasmus entgegen. Sie raunte: »Küss mich da, ja, genau da will ich dich spüren.«

Nick rutschte vor, legte die Zunge vor ihr Lustzentrum und leckte über den knospenden Hügel. Er hielt das durch, bis sie zum Orgasmus kam und kräftig geschüttelt wurde. Clarissa griff verzweifelt in Nicks Schritt und zerrte wild an seinem Hosenstall. Lachend hielt Nick sie mit einer Hand zurück, während er mit der anderen in seine Gesäßtasche griff.

»He«, sagte er, »du gehst aber ran! Beruhige dich. Alles zu seiner Zeit. Schau mal, was ich mitgebracht habe.«

Clarissa starrte verblüfft auf das glänzende rote Kondom,

das er triumphierend in die Luft hielt. Ihre Lippen wölbten sich zu einem freudigen Lächeln.

»Mach schon«, raunte sie. »Lass mich zusehen, wie du es überstreifst.«

Nicks Finger fummelten an den Knöpfen seines Hemds, das er dann von den Schultern gleiten ließ. Hastig zog er die Jeans aus. Sein Penis sprang heraus, er wies den Weg voraus zu Clarissa auf dem Bett, als wollte er nach ihrem Körper langen.

Sie sah zu, wie er den Schaft in die Hand nahm und mit der anderen Hand das aufgerollte Kondom aufsetzte. Er drückte die Luft aus der Spitze und rollte das Gummi über den rosigen, geschwollenen Stamm, bis er eng umschlossen war. Clarissa fand es hoch erotisch, ihm zuzusehen, wie er mit seinem Schwanz umging, aber jetzt griff sie nach dem Geliebten und zog ihn auf ihr Bett.

»Das ist das erste Mal, dass wir beide völlig nackt sind«, murmelte Nick, dann presste er seinen Körper enger gegen ihren. »Ich will dich hautnah spüren.«

Sie war überwältigt von seiner Zärtlichkeit, genau wie in ihrem Büro, als er sie das erste Mal geküsst hatte, und sie spürte, wie Tränen in ihre Augen traten. Was für ein Gefühl, Nicks nackten Körper neben sich zu spüren. Sie küsste ihn auf den Mund und schmeckte das fruchtige Aroma, das noch an ihm haftete. Sie rieb sich gegen ihn, und als Nicks Hände über ihre Seiten strichen, konnte sie die Sanftheit ihrer Haut spüren, als erführe sie sie durch die eigenen Hände.

Beunruhigt durch die intime Nähe schob sie ihn von sich und rollte ihn auf den Rücken, sie schlang die Beine um seine Hüften und hob sich über seinen Penis.

Sie beugte sich ein wenig vor und führte den pulsierenden Schaft in die enge Tiefe ihrer schlüpfrigen Vagina. Als er tief in ihr drinnen war, hielt sie einen Moment inne, und ihre

Augen trafen sich fragend, als wollten sie wissen, was der andere wollte.

Sie begann sich langsam zu bewegen und schwang sich auf dem harten Schaft auf und ab, während er die Hüften rotierte und mit kräftigen Stößen dagegenhielt. Bei jedem Einfahren achtete Clarissa darauf, dass die Eichel gegen ihre Klitoris rieb. Lange und langsam ritt sie auf ihm, und er hielt ihre Backen in beiden Händen fest, während ihre Brüste über seinen Oberkörper strichen, wenn sie sich nach vorn beugte, um ihn zu küssen.

Sie bewegten sich schweigend, sahen sich in die Augen und lauschten jeweils auf die Laute, das Zischen und Stöhnen und Keuchen des anderen. Das Bett quietschte leise, als ihr Tempo anstieg; der Rhythmus erhöhte sich und intensivierte ihre Lust, bis Nick von unten mit kraftvollen Stößen in Clarissa eindrang. Sie krümmte den Rücken und schloss die Augen. Ihre Knie rutschten über die schwere Baumwolle der Bettdecke, und ihre Hände glitten unter Nicks Schulter.

Als ihr Orgasmus einsetzte, hörte sie Nicks Stimme durch das Pochen in ihren Ohren dringen. »Öffne deine Augen, ich möchte, dass du mich ansiehst, Clarissa.«

Sie sah ihn an. Auf den Wangen zeichnete sich eine helle Röte ab, und die sinnlichen Lippen waren leicht geöffnet. Sie wollte ihn nicht anschauen, denn sie wusste, dass er ihre intensive Emotion sehen würde, die in ihr wühlte. Sie schrie ihre Lust hinaus und fühlte dann auch Nicks ekstatisches Zucken. Sein Körper bebte zusammen mit ihrem, als er noch einmal tief in sie hineinstieß, erschauerte und still verharrte.

Er blieb nicht lange still liegen, dann wandte er den Kopf und zog sich aus ihr zurück und verschwand mit seinen Kleidern, die er rasch vom Boden aufhob, im Bad. Als er weg war, zog Clarissa sich schnell an, Leggings und Pulli, und wartete nervös.

Sie wusste nicht, wie sie sich verhalten sollte, wenn er aus dem Bad zurückkam. Sie fühlte sich nackt und entblößt, nicht wegen des Sex, sondern wegen der Emotionen, die er in ihr ausgelöst und die er ganz gewiss in ihrem Gesicht gelesen hatte. Sie wollte nicht, dass Nick dachte, dies wäre mehr gewesen als ein sehr angenehmer Abend, denn schließlich musste sie auch in Zukunft seine Essays und seine anderen Aufgaben bewerten. Deshalb rang sie um ein kühles professionelles Verhalten.

Als Nick aus dem Bad trat, angezogen und offenbar bereit, sofort zu gehen, zögerte sie kurz, dann zwang sie sich zu einem unbeschwerten Abschiedssatz. »Ich schätze, ich werde dich in der nächsten Vorlesung sehen.«

Er lächelte versonnen und gab zurück: »Ja, das nehme ich an.«

Sie folgte ihm die Treppe hinunter und blieb an der Tür stehen, die er öffnete. Sie fühlte sich verlegen und alles andere als behaglich. Seltsam, solches Empfinden kannte sie bei ihren früheren Liebhabern nicht. »Also, wir sehen uns in der Vorlesung.«

Er nickte, lächelte und ging.

# Fünftes Kapitel

Nicks abrupter Abgang setzte das Muster für ihre Begegnungen der nächsten Wochen. Clarissa wusste nie, wann er sich mit ihr treffen würde; sein Verlangen nach ihr schien sprunghaft und unberechenbar. Mehrere Tage sah sie ihn gar nicht oder nur im Hörsaal, aber auch dort tauchte er nicht immer auf, als ob ihre Vorlesungen ihn nicht mehr interessierten.

Wenn er sich sehen ließ, lehnte er sich oft nur auf seinem Stuhl in der letzten Reihe zurück, die Augen zu, als schliefe er oder wie in tiefer Konzentration – Clarissa war sich nicht sicher. Selten blickte er in ihre Richtung, und ihre Blicke trafen sich nie. Nichts mehr von der durchdringenden Intensität des ersten Tages, als er ihren Körper angestarrt und dabei masturbiert hatte.

Trotz des scheinbaren Desinteresses an den Vorlesungen verbesserten sich die Leistungen seiner schriftlichen Arbeiten ein wenig. Er hatte einen anschaulichen Schreibstil, und seine Aufsätze schrieb er voller Leidenschaft, ob es um die lyrische Erotik Byrons ging oder um die fast obszönen Beschreibungen des weiblichen Körpers in den Gedichten von Baudelaire.

Aber es fiel Clarissa zunehmend schwer, Nicks Arbeiten objektiv zu lesen; jeder Satz kam ihr wie eine Anspielung auf sie vor, auf ihren Körper, ihre Sexualität, ihre Leidenschaft für ihn. Nicks Aufsätze zu lesen wurde zu einer intimen Handlung für sie, und sie wusste nie, ob sie sich nur in die Idee verrannte, dass er über sie schrieb und nicht über das

Gedicht. Wie auch immer – je mehr sie von ihm las, desto mehr wurde sie von seinen Arbeiten erregt.

Was er über erotische Literatur schrieb, schien auch stets auf ihre sexuelle Beziehung zu passen. Sie musste sich daran erinnern, dass sie seine Arbeiten zu bewerten hatte, und es kostete sie enorme Überwindung, in die neutrale Rolle der Lehrerin zurückzufinden. Sie benotete ihn meist mit gut, nicht mit sehr gut, denn wenn sie auch hingerissen war von seinen Ausführungen, so waren da noch einige Mängel im Ausdruck, und in den Analysen gab es einige technische Schwächen.

Falls Nick wirklich beabsichtigte, durch seine Arbeiten eine persönliche und unprofessionelle Reaktion bei ihr hervorzurufen, dann verhielt er sich sehr kühl und beinahe gleichgültig, wenn sie sich mal zufällig begegneten. Wenn sie vorbeiging, während er mit einem Freund redete, nahm er sie nicht zur Kenntnis. Dieses Verhalten irritierte Clarissa besonders, wenn sie ihn am Abend zuvor ganz für sich allein gehabt hatte, den Geschmack seines Samens noch frisch im Mund und die Labien noch ein wenig wund von Zunge, Lippen und Fingern. In solchen Momenten empfand sie eine fast unerträgliche Spannung zwischen seiner öffentlichen Gleichgültigkeit und ihren privaten Wonnen.

Ihre Wonnen waren nicht immer ganz privat. Manchmal stürmte sie auf dem Flur an ihm vorbei, ihre Körper nur eine Handbreit voneinander entfernt, aber die Augen starr geradeaus gerichtet, als hätten sie sich noch nicht gesehen. Minuten später war sie im Büro, benotete Arbeiten oder sprach mit einem Kollegen am Telefon, wenn Nick lässig durch die Tür schlüpfte, sie von innen abschloss, vor Clarissa auf die Knie fiel und das Gesicht zwischen ihre Brüste presste.

Clarissa versuchte, die höchst riskanten Überraschungen in ihrem Büro zu entschärfen. Sie ließ ihn warten, bis sie ihre Arbeiten erledigt hatte, und danach gingen sie getrennt aus dem Haus. Aber Nick schien eine fast übertriebene Lust dabei zu finden, Clarissa in ihrem Büro zu verführen, als gäbe ihm der verbotene Aspekt ihrer Beziehung den größten Kick.

Bei diesen Begegnungen, wenn er sie bei der Arbeit heimsuchte, die Augen heiß vor Begierde, der Schwanz drauf und dran, den Hosenstall zu sprengen, fragte sie sich, ob er sich überhaupt mit ihr abgeben würde, wenn sie eine gleichaltrige Studentin wäre.

Oft schien es Clarissa, als spielte Nick nur mit ihr. Er ließ drei oder vier Tage ohne Kontakt verstreichen, besuchte auch nicht ihren Kurs, aber dann schneite er in ihr Büro oder klopfte an ihre Haustür. Wenn sie ihn einließ – und sie ließ ihn immer ein –, fiel er über sie her und erdrückte sie mit einer wilden Umarmung, mit der das Zittern in ihrem Bauch begann und das Rasen des Blutes in ihren Adern. Nick nahm Besitz von ihrem Körper, er beanspruchte ihn mit Augen, Händen, Mund und Penis, und umgekehrt verzehrte sie ihn in diesen wenigen Stunden, und selbst wenn der Dekan der Universität neben ihrem Bett gestanden hätte, wäre sie nicht bereit gewesen, auf Nick zu verzichten. Sie genoss ihn mit Haut und Haaren.

Kopfüber stürzte sich Clarissa in diese Affäre und ließ alle professionellen und persönlichen Ziele fahren, nur um sich dem Sex mit Nick hinzugeben. Der Abgabetermin für die letzte Fassung ihres Manuskripts näherte sich rasend schnell, auf ihrem Schreibtisch stapelten sich die Arbeiten ihrer Studenten, und Konferenzprotokolle und Anfragen der Verwaltung nach statistischen Angaben flogen gleich in den Papierkorb. Alles, was ihr Zeit mit Nick stahl, betrachtete sie als überflüssigen Ballast.

Dabei verbrachten sie gar nicht so viel Zeit miteinander. Bei ihren so verschiedenen Positionen war es Clarissa nie geheuer, Nick anzusprechen, deshalb musste sie immer darauf warten, dass er sich meldete. Ihre gehobene Stellung fesselte sie und begrenzte ihre Bewegungsfreiheit. Wenn er zu ihr kam, schien er stets nur wenig Zeit zu haben; nie blieb er über Nacht bei ihr, und er verabschiedete sich kurz nach dem letzten Stoß in Bett, Küche oder Bad.

Sie hatte keine Ahnung, was er tat, wenn er nicht bei ihr war oder wohin er ging, und sie wusste auch nicht, was er dachte. Clarissa war noch nie in seiner Wohnung gewesen, und es nagte an ihr, dass er sie irgendwie gelockt hatte, ihm mehr und mehr aus ihrem Privatleben zu erzählen, während er nichts von sich selbst verriet. Nick wusste, wo sie geboren und aufgewachsen war, wie sie die Uni abgeschlossen hatte, an welchem Abend sie einkaufte und sogar, wie viel sie ihrer Putzfrau zahlte. Nachher wusste Clarissa nie, wie es ihm gelungen war, ihr diese intimen Informationen zu entlocken, und dann ärgerte sie sich, weil sie sich ihm gegenüber so weit geöffnet hatte, sexuell und emotional.

Sie wusste so gut wie nichts über ihn. Er stammte aus Derbyshire und teilte sich die Wohnung mit einem alten Schulfreund, der in der Offiziersausbildung steckte, und seine Lieblingsrockband waren die Stone Temple Pilots. Das war ungefähr alles, was sie wusste. Er blieb ein Geheimnis für sie, dabei hätte sie gern was über seine Vergangenheit erfahren, wann war sein erstes Mal und mit wem? Ziemlich früh, schätzte sie. Mit wie vielen Frauen hatte er geschlafen? Mit wem hatte er den ungewöhnlichsten Sex erlebt, und hatte er sexuelle Phantasien?

Sie war zu verlegen, ihn nach solchen Dingen zu fragen, aber es nagte an ihr, dass er offenbar eine sexuelle Erziehung genossen hatte, von der sie nichts wusste. Sie verzehrte sich vor Eifersucht auf die unbekannte Lehrmeisterin und auf die vielen namenlosen Frauen, die seinen Körper genossen hatten, wie sie ihn jetzt genoss. Natürlich vermied sie, ihn das spüren oder gar wissen zu lassen, aber sie war sicher, dass er etwas ahnte.

Eines Abends kurz vor den Osterferien, kühner als sonst nach einer ausgelassenen sexuellen Balgerei unter dem Tisch im Wohnzimmer – sie konnte nicht mehr sagen, wie sie dahin gekommen waren –, kuschelte sich Clarissa an ihn und fragte schnurrend: »Nick, warum bist du so geheimnisvoll, wenn es um deine Vergangenheit geht?«

Er hob eine Augenbraue, eine vertraut gewordene Geste, die gönnerhafte Laune signalisierte, und fragte: »Was willst du denn wissen?« Er senkte den Mund auf einen Nippel und saugte ihn tief ein.

»Ich weiß nicht«, hauchte Clarissa. Sie konnte sich nicht auf ihre Gedanken konzentrieren, weil er jetzt mehr von ihrer Brust in den Mund nahm. »Warum hast du mich nie in deine Wohnung eingeladen?«

Nick öffnete den Mund und gab ihre Brust frei. Er sah sie einen Moment lang dumpf an, ehe er wieder eine kecke Miene aufsetzte. »Also gut, Clarissa, wann willst du *Chez Nick* besuchen?«

Sie rollte von ihm weg und setzte sich auf, wobei sie darauf achten musste, mit dem Kopf nicht gegen die untere Tischplatte zu stoßen. »Meinst du das ernst?«, fragte sie mit fast kindlicher Freude. »Ich kann dich wirklich in deiner Wohnung besuchen? Du zeigst mir, wie du wohnst?«

Er schien verdutzt und gerührt von ihrem Eifer, und nach kurzem Überlegen sagte er: »Natürlich. Wie wäre es mit Donnerstag? Sagen wir um acht?« Er grinste über ihren freudigen Gesichtsausdruck und fügte hinzu: »Ich lade dich zum Essen ein. Bring eine Flasche Wein mit.«

Er zog sie an sich, und sie juchzte vor Vergnügen, lehnte sich über ihn und nahm seinen pulsierenden Schwanz in den offenen hungrigen Mund.

An diesem Donnerstag zog sich Clarissa besonders sorgfältig zu ihrer Verabredung an. Wenigstens wusste sie so viel von Nick, dass sie seine Vorliebe in Wäsche ahnte. Sie hüllte die frisch gewachsten Beine in mitternachtsschwarze Strümpfe ein und zwängte sich in ein mit Spitze besetztes Korsett in einem sanften Rot, das einen ganz süßen Kontrast zu den schwarzen Beinen bildete und einen leicht rosigen Schimmer über ihre cremig weiße Haut legte.

Darüber trug sie ein ärmelloses, hoch geschlossenes Kleid aus Lycra, auffälligstes Merkmal: der tief ausgeschnittene Rücken. Die kräftige Malvenfarbe des Kleids kontrastierte wiederum mit dem zarten Rot des Korsetts und mit ihrer wilden Mähne. Es war so eng geschnitten, dass sie den Po einige Male hin und her schwenken musste, bis der Stoff sich an ihre Kurven geschmiegt hatte und alle kleinen Falten verschwunden waren.

Sie trat in die schwarzen Schuhe mit den hohen Absätzen und betrachtete sich ein letztes Mal im Spiegel. Sie lächelte sich zu und wusste sehr wohl, dass sie das Bild einer elegant gekleideten Verführerin sah. Nick wird nicht geglaubt haben, mich jemals so zu sehen, dachte sie. Er wird sich bestimmt nicht in Schale geworfen haben, Jeans und Drei-Tage-Bart. Sie setzte sich ins Auto und fühlte, wie das Kleid bis zu den Knien hoch rutschte.

Unterwegs auf der kurzen Strecke zu Nicks Wohnung zog Clarissa das Kleid noch höher und spreizte die Beine weit, als sie vor einer Ampel halten musste. Sie hakte ein Bein auf die Kurbel des Fensterhebers.

Es war ihr bewusst, dass ein Fahrer rechts von ihr den Saum der Strümpfe und auch das knappe V des Korsetts über ihrem Delta sehen konnte, und Clarissa spürte, wie sie feucht wurde, und ihre Nippel härteten sich hinter der Enge des Mieders. Der kleine Knopf der Klitoris versteifte sich in Erwartung von Nicks kundigen Streicheleien. Sie drehte die Lautstärke der Stone Temple Pilots auf, die sie gekauft hatte, um sich Nick näher zu fühlen, und trat aufs Gaspedal.

Sie stand vor der Wohnungstür, strich nervös ihr Kleid glatt und zog es brav hinunter. In einer Hand hielt sie die kühle Flasche mit dem Chardonnay, mit der freien Hand klopfte sie an die Tür. Keine Reaktion. Aber selbst durch das dicke Holz der Tür hörte sie die tiefen lauten Bässe. Wieder klopfte sie, dann klatschte sie mit der flachen Hand gegen die Tür.

Sie kämpfte gegen Wut und Angst an. Hatte er sich einen Spaß erlaubt? Aber sie sagte sich, dass er sie über der lauten Musik nicht hören konnte. Sie legte die Hand auf den Knopf aus Messing und drückte die Tür auf.

Clarissa trat vorsichtig ein und erkundete rasch die Lage. Das Zimmer, in dem sie stand, war lang und schmal und sehr unaufgeräumt; überall Bücher, Zeitungen, CDs und Kassetten, dazu zahlreiche Verpackungen von Fast Food Lieferanten. Kein Wunder, dass er mich nicht einladen wollte, dachte Clarissa. Der Junge lebt wie im Schweinestall. Über das pulsierende Blut in ihrem Kopf hörte sie den leicht zu identifizierenden Bass von The Doors. Bist du nicht ein bisschen jung, diesen Song zu kennen?

Obwohl die Instinkte ihr dringend davon abrieten, dem brüllenden Klang zu folgen, ging Clarissa tapfer über den Linoleumboden und drückte die Weinflasche an sich, als sich ihr Magen drehte. Sie ging am winzigen Bad vorbei, dann an der erstaunlich sauberen Küche. Wahrscheinlich ist sie noch nie benutzt worden, urteilte sie höhnisch. Es folgte ein Schlafzimmer, in dem sich niemand aufhielt, und dann hielt sie vorm letzten Zimmer auf der rechten Seite an.

Sie sagte sich, dass sie den Weg bis hierhin auf sich genommen hatte, nun sollte sie wenigstens mal um die Ecke blinzeln. Sie steckte den Kopf durch die Tür. Das Geräusch in ihrem Kopf war so laut wie die Musik vom Tonband. Mutig richtete sie sich auf und trat ins Zimmer hinein. Dort stockte ihr voller Entsetzen der Atem. Die Szene, die sie sah, griff ihre Augen an.

Das Mädchen war nackt und lag gespreizt auf dem schmalen Bett. Die weißblonden Haare hingen an der Seite hinunter, der Mund war geknebelt, die Augen waren mit einem Tuch verbunden und Arme und Beine an die Bettpfosten gefesselt.

Es war verrückt, aber Clarissas Blicke wurden magisch von den schmalen dunkelroten Stoffstreifen angezogen, die als Fesseln dienten. Es waren die schmucken Bänder, mit denen man Weihnachtsgeschenke verpackt. Was für eine seltsame Zweckentfremdung, dachte Clarissa, hob den Blick und sah in Nicks grausam lächelndes Gesicht.

Er stand, ebenfalls nackt, vor dem Bett, die Füße weit auseinander. Er beugte sich vor und stieß rhythmisch in das Mädchen hinein. Ein zusammengerolltes Kissen lag unter ihren Hüften, um die Vagina auf eine Höhe mit Nick zu bringen.

Clarissas Entsetzen wurde verstärkt durch einen Spiegel, der strategisch hinter Nicks Rücken platziert war und die schwankenden Hüften des Mädchens sowie Nicks Penis zeigte, wie er ein und aus fuhr.

Von ihrem Platz in der Tür konnte Clarissa erkennen, dass Nick den Spiegel absichtlich so hingehängt hatte, damit sie einen ungehinderten Blick auf die Vereinigung der beiden Körper haben konnte.

Sie starrte fasziniert auf die geschwollenen rubinroten Lippen, die sich um das dicke Glied schlangen, das sie mit jedem Stoß teilte. Clarissa studierte die goldenen Härchen, die sich in Nicks rötlichbraunem Busch verfingen, und ihren unteren Mund, der sich gierig um den pulsierenden Schaft öffnete.

Während Clarissa gebannt zuschaute, halb schockiert, halb schrecklich erregt, traf sich ihr Blick mit Nicks. Er entfernte den Knebel aus dem Mund des Mädchens, aber die Augen ließ er verbunden. Das Mädchen zerrte an den Fesseln, und als sie vom Knebel befreit war, rief sie so laut, dass Clarissa es trotz der dröhnenden Musik hören konnte: »Ja, Nick, oh, ja, es fühlt sich so gut an! Herrlich, wie du es mir besorgst!«

Clarissa hatte noch nie gesehen, wie zwei Menschen Sex miteinander haben, und jetzt stand sie gerade mal fünf Meter vom kopulierenden Paar entfernt, nahe genug, um den sehr starken Geruch ihrer Körper wahrzunehmen. Benommen sah sie auf die fliegenden blonden Haare, die fast bis auf den Boden reichten.

Jessica hob den Kopf, so weit es die Fesseln zuließen. Clarissa labte sich am überraschend erotischen Anblick der bebenden Brüste des Mädchens. Sie waren von dunkelbraunen Warzen gekrönt. Clarissa hatte gedacht, eine natürliche Blondine – die hellen Schamhaare wiesen sie als solche aus – müsste pinkfarbene Nippel haben wie sie. Die Brüste selbst waren offenbar schwerer als ihre eigenen, aber das war bei der liegenden Jessica nicht so genau zu sehen. Noch nie hatte der Körper einer anderen Frau sie derart erregt, stellte Clarissa verwundert fest. Sie wäre am liebsten ans Bett getreten, um die Brüste zu streicheln und ihre Fülle zu schmecken.

Nick sah die neue Blickrichtung von Clarissas Augen und grinste sie an. Er bückte sich über Jessicas Brüste und nahm sie tief in den Mund. Er ließ sie wieder frei und lutschte laut an der Warze. Es schien, als wollte er Clarissa einladen, es ihm nachzutun, als küsste er sie an ihrer statt, als wäre dieses ganze Szenario nur ein Test für sie, Clarissa. Eine Mutprobe.

Clarissa vergaß für den Moment ihre wütende, verletzte Eifersucht, denn sie fand den Anblick von Nicks Mund auf dem Nippel des Mädchens sowie den gezielt zustoßenden Penis mächtig stimulierend, und ohne es bewusst zu tun, glitten ihre Hände zwischen die Schenkel und rieben im Rhythmus mit Nicks Schaft, der sich wiederum von der Musik leiten ließ. Clarissa hob das Kleid bis zu den Hüften hoch und spreizte die Schenkel, riss die Druckknöpfe des Korsetts auf und stieß die Finger in die heiße bebende Vagina.

Nick pumpte weiter, beugte sich vor und stützte sich auf die Hände auf, während sein Blick sich auf Clarissas Gesicht fixierte und ihre Reaktion abschätzte. Seine eigene Lust war in diesem Dreier, der gewiss kein richtiger Dreier war, recht unerheblich, was bei ihm ungewöhnlich war, aber man hatte das Gefühl, dass Nick sich intensiver mit Clarissa abgab als mit seiner eigenen Erleichterung und auch mehr als mit der Befriedigung seines Mädchens.

Clarissa erinnerte sich an den Morgen, als sie Nick und Jessica vor dem Eingang der Uni knutschend gesehen hatte, und sie ahnte, dass auch diese Szene unter Nicks geschickten Manipulationen ablief. Was sie und vielleicht auch er nicht einkalkuliert hatte, war die Macht, mit der Clarissa für Jessica empfand.

Als Clarissa und Nick spürten, dass Jessica kurz vor dem Höhepunkt stand, zog er sich rasch aus ihr zurück, kniete sich und schob seine Zunge dahin, wo bisher der rote Schaft gesteckt und gewirkt hatte. Von ihrem Platz hatte Clarissa einen ungetrübten Blick auf die Vereinigung von Nicks Mund mit der klaffenden Spalt des Mädchens. Clarissa hatte noch nie gesehen, wie sich blühende Vaginalfalten unter dem Druck einer Zunge bewegten und wallten und wogten. Clarissas Zunge ahmte Nicks nach, als ob sie die Möse in Besitz nehmen und den Mund auf die vom Moschus durchdrungene Nässe pressen wollte.

Es war ganz seltsam, aber sie fühlte, als wäre sie Nick, oder als erlebte sie das, was er erlebte. Gleichzeitig konnte sie aus Erfahrung das fühlen, was Jessica fühlte. Nicks Blicke verstärkten ihr Empfinden, und als er sah, dass Clarissa ihn anstarrte, schloss er den Mund um Jessicas Klitoris, und dies war der Augenblick, in dem Clarissas eigener tumultartiger Orgasmus einsetzte.


Erstaunt und ein wenig beschämt von der heftigen Reaktion auf die unanständige Szene schwor sich Clarissa auf dem Heimweg, diese gefährliche Affäre zu beenden und einen Mann zu finden, der sich eher in ihrem Alter befand und der sie nicht mit einem Trick in ein so verdorbenes Szenario lockte. Sie vernachlässigte jetzt schon viele ihrer beruflichen Pflichten; versäumte Abteilungsbesprechungen, überflog die Arbeiten der Studenten nur flüchtig, statt sie mit kritischem Auge zu bewerten, und schlimmer noch, sie vertrödelte ihre Zeit, statt sich um die letzte Fassung ihres Manuskripts zu kümmern, damit es veröffentlicht werden konnte.

Als sie mit einem weiten Schwung des Lenkrads in ihre Einfahrt bog, hatte sie damit begonnen, ihre Abschiedsrede zu formulieren und Nick das Ende ihrer Beziehung schonend beizubringen.

Sie gratulierte sich zu ihren stahlharten Nerven und der Fähigkeit, Nicks Bemühen um eine Fortsetzung der Affäre zu widerstehen (jedenfalls bildete sie sich das ein), betrat das Haus und ging direkt auf ihren Computer zu. Sie legte den Schalter um und rief ihre Datei ›rude.doc‹ auf, wie sie ihre Arbeit über die erotische Literatur getauft hatte. Clarissa empfand das vertraute Summen als angenehm, das einsetzte, wenn ihr Mac das Dokument suchte.

Sie zog bequeme Jeans an, braute sich eine Tasse Kaffee und setzte sich an ihren Schreibtisch, entschlossen, das Bild des Nicholas St. Clair aus dem Kopf zu verbannen und sich auf ihre Analyse der Sexualität in *The Awakening* von Kate Chopin zu konzentrieren.

Natürlich half die zweistündige Beschäftigung mit der unterdrückten Befreiung einer Frau in die ungehemmte Welt der Sinnlichkeit nicht, sich von der Szene abzulenken, die sie eben erst erlebt hatte und an der sie in gewisser Weise auch beteiligt gewesen war. Sie war benommen, als sie begriff, wie sehr die Bilder in ihrem Kopf sich auf ihren Schreibstil ausgewirkt hatten; sie schrieb prägnanter und mit einer fast schmeckbaren Intimität.

Sie las, was sie geschrieben hatte und erhielt bestätigt, dass dies nichts mehr mit der akademischen Distanz zu tun hatte; der Text war voller Wärme und Glut, war vital und – es gab kein anderes Wort dafür – voller Sex. Eifrig blätterte sie zurück. Vielleicht konnte sie den bestehenden Text auch so lebendig gestalten, dass man die Erotik mit jedem Satz einatmete. Mit einem neuen Eifer für ihre Arbeit, die sie in letzter Zeit so vernachlässigt hatte, weil sie zu sehr mit Nick beschäftigt gewesen war, beschloss sie, die Nacht durchzuarbeiten, was sie seit ihren Studententagen nicht mehr getan hatte.

Als sie am nächsten Tag zur Universität fuhr, müde und mit trüben Augen, zwang sich Clarissa zu der Einsicht, dass genau ihre Leidenschaft für Nick verantwortlich war für den wiedergefundenen Enthusiasmus für ihre Arbeit. Wenn ihre Schreibe die Seiten zum Knistern brachte, dann nur deshalb, weil ihr ganzer Körper für Nicks Berührungen entflammt war. Er trieb in sie hinein und brachte ihr Orgasmen, die sie versengten.

Trotzdem, beharrte sie, musste sie ihm so schnell wie es ging mitteilen, sicher noch an diesem Tag und so liebevoll wie möglich, dass zwar alles sehr schön gewesen war, auch die Szene mit ihr als Voyeurin in seinem Schlafzimmer, dass es nun aber genug war, und natürlich würde sie darauf achten, dass er ihren Kurs mit hohen Noten abschloss.

Aber diese Chance erhielt sie nie. Nick schwänzte wieder den Kurs. Ob er wieder mit Jessica vögelte?, fragte sie sich eifersüchtig. Er lauerte ihr nicht auf dem Parkplatz auf, suchte sie nicht im Büro heim und klopfte auch nicht gegen Mitternacht an ihre Haustür. Clarissa rechnete fest damit, ihn am Wochenende zu sehen, wenn auch nur, um sie voller Hohn daran zu erinnern, wie sie sich als Voyeurin in seinem Schlafzimmer befriedigt hatte.

Trotz ihrer Verärgerung darüber, dass er sie manipuliert hatte und trotz der Eifersuchtsstiche, die ihr jedes Mal durch den Bauch schossen, wenn sie an die Bilder von Jessica und ihm dachte, wusste Clarissa, dass er etwas in ihr geöffnet hatte, von dem sie gar nicht gewusst hatte, dass es in ihrem Innern überhaupt existierte. Sie wurde feucht, wenn sie an ihn und Jessica auch nur dachte.

Als Nick sich am nächsten Montag im Kurs sehen ließ, fiel es Clarissa schwerer als sonst, ihn zu ignorieren und seinen Blicken auszuweichen, während sie in der Stunde durch einen besonders verzwickten und expliziten Text von

Freud führte. Als sie zögernd bei der Diskussion über die Masturbation der Fallgeschichte Dora ankam, was Clarissa eigentlich vermeiden wollte, musste sie der Klasse für einen Moment den Rücken zukehren und um Fassung ringen. Sie wandte sich dann den Studenten wieder zu, das Gesicht noch gerötet vom inneren Tumult, und zwang sich, Nicks spöttischem Blick zu begegnen. Sein höhnisches Grinsen veranlasste sie, die Klasse zwanzig Minuten früher in die Pause zu schicken.

Als Nick zusammen mit den anderen Studenten an ihrem Pult vorbeiging, tat Clarissa etwas, was sie sich nie zugetraut hätte. Sie rief Nick zu: »Entschuldigung, kann ich Sie einen Moment sprechen?« Mit einem arroganten Grinsen, das eine kalte Wut in ihr erzeugte und wohl bedeuten sollte, er hätte nichts anderes von ihr erwartet, ließ er sich beiseite ziehen. Sie zischte ihm zu: »Ich muss dich sehen.«

Er hob eine Augenbraue und grinste noch breiter. Was für ein eingebildeter Arsch, dachte sie.

»Heute Abend?«, fragte er.

»Neun Uhr«, sagte sie und sah ihm nach, wie er hinausschlenderte. Sie sah ihm hinterher und bewunderte wider ihren Willen die Symmetrie seiner Schultern und den muskulösen Hintern. Oh, Mann, dachte sie, ich würde ihn sofort in meinem Bett haben wollen, aber dann wandte sie ihre volle Konzentration auf den trockenen alten Thomas Cadyll zur Vorbereitung auf den Kurs der viktorianischen Literatur.


Als sie an diesem Abend aufstand, um aufs Nicks Klopfen an ihre Tür zu reagieren, begann Clarissa zu zweifeln, ob sie tatsächlich die Kraft hatte, die Affäre zu beenden. Sie zwang sich einzugestehen, dass sie nie zuvor eine solche sexuelle

Intensität erlebt hatte, und warum sollte sie auf diese so unvergleichlichen Freuden verzichten? Aber dann erinnerte sie sich, dass es gerade diese Lüste waren, die sie in Gefahr brachten, ihre Kontrolle an diesen charismatischen Jungen zu verlieren. Sie schwang die schwere Eichentür auf und ließ Nick eintreten.

»Hi, Clarissa«, sagte er, blieb kurz stehen und sah sich um. »Was läuft denn ab?«

Clarissa hielt den Atem an und widerstand dem Drang, ihn anzufassen. Er trug verwaschene Jeans zu einem weiten Seidenhemd, und seine Männlichkeit und die omnipotente Sexualität wirkten nach wie vor überwältigend auf sie. Nach einem tiefen Durchatmen wich sie einen Schritt zurück und fragte, ohne ihn anzusehen: »Kaffee?«

Mit einem amüsierten Lächeln nahm er die Tasse aus ihren Händen. Es war, als könnte er ihr Unbehagen fühlen. Er setzte sich aufs Sofa und kam gleich zur Sache. »Warum wolltest du mich sehen?«

Obwohl sie in den vergangenen Tagen ihre Rede mehrere Male geprobt hatte, fand sie es unmöglich, die einzelnen Worte über die gelähmten Lippen zu bringen. »Ich finde, es wäre besser, wenn wir uns nicht mehr sehen«, brachte sie dann heraus.

Nick starrte sie an, nur einen Moment lang überrascht, stand auf, stellte die Tasse auf den Tisch und sagte: »Okay, Mrs. Cornwall.« Er ging zur Tür. »Wir sehen uns mal irgendwann.«

Sie war wie vom Donner gerührt, dass er sie so leicht aufgeben konnte. Er schien sogar ein wenig amüsiert zu sein, dass sie die Affäre beendete. Clarissa reagierte nur aus dem Bauch heraus und fauchte, was ihr als Erstes in den Sinn kam: »Das war's dann? Du gehst einfach?«

Er sah sie an, ein aufreizend kühles Lächeln hob seine

Mundwinkel. »Das willst du doch, oder?«, fragte er. »Willst du nicht, dass ich gehe? Ich dachte, du hättest gesagt, es wäre vorbei.«

Sie hasste sich selbst für ihre Schwäche, aber sie konnte nichts dagegen tun – sie zupfte an seinem Arm, der die Tür aufhielt und fragte leise: »Willst du denn nicht mal darüber sprechen?« Sie verabscheute die kindliche Verzweiflung, die sie in ihrer Stimme hörte.

Er wartete einen Moment, dann fragte er sanft: »Hat das was mit dem Abend neulich zu tun? Bist du verärgert wegen dieser Sache mit Jessica?«

Ich hasse es, wenn er meine Fragen nicht beantwortet, dachte Clarissa wütend, aber sie sagte nur: »Nein, natürlich nicht. Das ist doch lächerlich. Ich finde nur, dass diese ... diese« – ihr fiel kein anderes Wort ein – »diese Affäre ihre Zeit gehabt hat. Wir sind beide besser dran, wenn wir zu der normalen Beziehung Student–Dozentin zurückfinden. Es war alles sehr nett« – Himmel, ich höre mich an, als bedankte ich mich für eine Tasse Tee, dachte sie verzweifelt – »und ich werde mich immer gern an dich erinnern, aber jetzt sollten wir es beenden.«

So, jetzt war es heraus. Nervös sah sie ihn an, um seine Reaktion abzuschätzen.

Nick tat, wovon Nick am meisten verstand: Er nahm sie in die Arme und presste seinen Körper gegen ihren. Was sie gesagt hatte, ignorierte er völlig, stattdessen fuhr er mit den großen schönen Händen über ihre Kurven und beugte den Kopf, um ihren vollen willigen Mund zu küssen.

Unfähig zu widerstehen, genauer: unwillig zu widerstehen gab Clarissa sich ihrer Leidenschaft für ihn hin und zerrte zügellos an seinen Kleidern, riss sein Hemd auf und zwang seine Jeans über die Hüften, während er ihren Rock hob und ihren Slip nach unten schob.

Mit einem Ruck befreite er sich von den Jeans, holte ein Kondom aus der Tasche und streifte es über. Er knickte in den Knien leicht ein, schlang ihre Beine um seine Hüften und senkte sie langsam auf seinen steifen Penis.

Sie konnte sich nicht bewegen, weil sie sonst das Gleichgewicht verloren hätte, wodurch sie beide auf dem Fußboden gelandet wären, deshalb konnte sie sich nur an ihn klammern und genießen, wie er sie anhob und behutsam sinken ließ. Leicht anheben, wieder langsam sinken lassen. Auf und ab.

Seine Kraft und seine Kontrolle waren beeindruckend, und selbst durch den Nebel der Begierde registrierte sie voller Wonne, dass noch kein anderer Mann in der Lage gewesen war, sie in einer solchen Position so kräftig zu penetrieren.

Aber als Clarissa zum Orgasmus unterwegs war, hob Nick sie plötzlich von seinem Schaft, drehte sie in einer fließenden Bewegung um und legte sie mit dem Gesicht aufs Sofa. Ihr Kopf lag in den Kissen, und aufreizend reckte der Po in die Höhe. Sie fühlte, wie Nick ihre Beine spreizte und unter ihren Körper schob, wie er ihre Hüften packte und ohne Vorwarnung die Penisspitze gegen die hintere Öffnung stieß.

Anale Lust war nicht neu für Clarissa, und ab und zu war ihr auch danach, aber in dieser Situation war sie nicht darauf vorbereitet gewesen. Nicks Schaft glitt langsam hinein, und sie hielt den Atem an und konzentrierte sich darauf, ihre Muskeln zu entspannen.

Der Penis blieb regungslos in ihr, und sie spürte, wie sich die dünnen Wände um ihn schmiegten. Als Nick sich nach einer Weile zu bewegen begann, geschah es mit sanfter Behutsamkeit. Clarissa wollte ihm sagen, dass es nicht nötig war, aber dann steigerte Nick von sich aus Rhythmus und

Tempo, und Clarissa schrie ihre Lust in die Kissen, als er kräftig in sie hineinpumpte.

Sie kniff ihre runden Backen fest um seinen pulsierenden Schwanz, wölbte den Rücken und schwang sanft hin und her. Es war, als könnte sie Nicks Penis tief in ihrem Bauch spüren. Während er zustieß, griff seine Hand zu ihrer leeren Vagina und trieb zwei Finger hinein. Clarissa fühlte sich völlig ausgefüllt und genoss, wie die beiden Penetrationen in absoluter Harmonie von ihr Besitz nahmen. All ihre Nerven konzentrierten sich auf ihren Unterleib, und als sie glaubte, es nicht länger ertragen zu können, rieb Nicks Daumen über ihre Klitoris, und sie kam und kam und kam und wurde von heftigen Erschütterungen geschüttelt, anal, vaginal und klitoral.

Noch während Clarissa ihre Ekstase ins Kissen schrie, zog sich Nick aus ihr zurück und drehte sie rasch auf den Rücken. Sie riss die Augen weit auf und fand den Weg in die Wirklichkeit zurück. Er stand über ihr, den Penis in der Hand, und während sie zuschaute, rieb er den zuckenden Schaft.

Er sah die großen Augen und den geöffneten Mund und fragte heiser, die Stimme erregt: »Du schaust gern zu, nicht wahr, Clarissa? Du hast auch deinen Spaß gehabt, als du mir und Jessica zugesehen hast. Du hättest bleiben sollen, dann hättest du mitmachen können.«

Als ob das Bild des Dreiers genau die Stimulans brachte, die er brauchte, beugte er sich über Clarissa, zog das Gummi ab und rieb die Eichel über ihren Bauch, bis es aus ihm herausschoss. Die dicke cremige Flüssigkeit bildete in der kleinen Senke des Nabels einen milchigen Tümpel.

Nick keuchte auf, als er die letzten Tropfen vergoss, dann beugte er sich über sie und flüsterte ihr ins Ohr: »Bald werde ich dir auch mal zusehen. Am liebsten, wie du es mit einem anderen Mann treibst. Ich will sehen, wie du es ihm besorgst wie sonst mir.«

Clarissa blickte sprachlos hoch zu ihm und starrte in die haselnussbraunen Augen, die ihren so ähnlich waren, und sie konnte nur nicken; Zustimmung und Erwartung in einem.

# Sechstes Kapitel

Ein paar Tage später saß Clarissa im *King's Head* über ihr Glas gebeugt und starrte misstrauisch auf das Gebräu, das Julian ihr vorgesetzt hatte. Tequila, Triple Sec und eine milchige Flüssigkeit, von der sie schwor, das es sich um den Saft von Kakteen handelte. Nervös nippte sie am Getränk, spülte die Mundhöhle damit aus und nahm dann einen längeren Schluck, während Julian gespannt zusah. Scharf und bitter, stellte Clarissa fest, mit einem Nachgeschmack, der sie an Limonen erinnerte. Genau, was ihr fehlte, fand sie und trank ihr Glas leer.

Julian schenkte nach und fragte in die Stille hinein: »Wie geht's mit deinem jungen Hengst?«

Clarissa wusste, dass ihre Freundin ein wenig verärgert war, weil sie Nick nicht mit in den Pub gebracht hatte, um ihn ihr vorzustellen. Sie hatte versucht zu erklären, dass es sich nicht um eine Beziehung handelte, die von Dauer sein konnte, sie verlebten keine gemeinsame Freizeit, es ging nur um Sex, und außerdem musste die Affäre geheim bleiben. Doch Julian schmollte gelegentlich und erinnerte Clarissa, wie oft sie ihr Freundinnen im Pub vorgestellt hatte. Und nun weigerte sich Clarissa, mehr zu enthüllen als den Fakt, dass sie sich mit jemandem traf. Es fiel ihr schon schwer, zuzugeben, dass es sich um einen Studenten handelte. Mehr hatte sie bisher nicht preisgegeben, und sie fühlte sich durch Julians Drängen, Einzelheiten ihres Sexlebens zu erzählen, ein wenig verärgert, auch wenn sie sich gleichzeitig schuldig fühlte, so ungewöhnlich geheimnisvoll zu tun. Sonst platzte sie in den Pub und rückte mit allen saftigen Details heraus, wenn sie einen Fremden für die Nacht aufgelesen hatte, wobei sie nie die anatomischen Einzelheiten so explizit darbot wie Julian.

Aber nicht nur das Heimliche an ihrer Beziehung zu Nick hielt sie davon ab, viele Informationen über ihn zu liefern; vielmehr hatte sie auch das Gefühl, dass ihr Verhältnis noch auf zu wackligen Füßen stand, um darüber zu reden. Heute aber, gestärkt (oder geschwächt?) vom exotischen Drink, der lindgrün in ihrem Glas schimmerte, fühlte sie das Bedürfnis, sich zu öffnen, deshalb nahm sie Julians Frage an, obwohl sie noch nicht wusste, wie viel sie zu enthüllen bereit war.

»Da du gerade von ihm sprichst«, begann sie leise, brach ihre wochenlange Abstinenz und schüttelte eine Zigarette aus der Schachtel, »ich brauche ein freundliches Ohr.«

Julian hob die Schultern, als wollte sie nicht zu erpicht auf Heimlichkeiten scheinen, lehnte sich vor und bot Clarissa Feuer an. »Dann rede«, sagte sie und warf ihr Bartuch kess über eine Schulter.

Plötzlich fühlte sich Clarissa wieder unbehaglich bei dem Gedanken, das auszusprechen, was sie so lange für sich behalten hatte, deshalb konzentrierten sich ihre Augen auf die Glut der Zigarette. »Ich weiß nicht, was ich davon halten soll, und ich weiß nicht, wie weit ich mit ihm gehen will.« Sie sah in Julians Augen, und plötzlich sprudelte es aus ihrem Mund. »Ich mag ihn wie verrückt, aber ich fürchte mich vor dem, was er aus mir macht.«

»Lass uns am Anfang beginnen«, sagte Julian, steckte das hautenge weiße Top unter den Gurt ihrer ebenso hautengen schwarzen Jeans und fragte: »Wer ist er, wie heißt er, wie hat das alles angefangen, und wie dick ist sein Schwanz?«

Clarissa musste lachen und erzählte Julian alles; sie fing mit dem ersten Tag im Kurs an und endete mit dem Abend, an dem sie Nick mit Jessica zugeschaut hatte. Sie schluckte den Rest ihres dritten Cocktails und drückte ihre fünfte Zigarette im Aschenbecher aus, bevor sie fortfuhr: »Weißt du, das war ein ganz verrücktes Erlebnis, denn während ich ihnen zugesehen habe, fühlte ich mich in beide hinein – ich konnte nachempfinden, was Jessica fühlen musste, weil ich eben auch einen Orgasmus hatte, aber ich stellte mir auch vor, wie es sein musste, Nick zu sein und die Dinge mit ihr zu treiben, die er tat. Ich fühlte, als wäre ich beide zugleich, und ich war so angemacht, dass ich vergaß, eifersüchtig zu sein – das kam erst später.«

Sie blickte auf und zuckte zusammen, als sie die wilde Intensität in Julians Augen sah. Die Freundin lehnte sich über die Theke, griff ihre Hände und raunte leise: »Du gibst also endlich zu, dass eine Frau dich angemacht hat?«

Clarissa war betrunken, aber nicht so betrunken. »Nun«, sagte sie und versuchte, ihre Hände möglichst unauffällig zurückzuziehen, damit Julian sich nicht wieder beleidigt fühlte, »ich bin nicht sicher, ob es Jessicas Körper war, der mich angemacht hat, oder ob es eher an dem lag, was Nick mit ihr anstellte.« Sie versuchte, Julians enttäuschten Blick zu ignorieren und fügte hinzu: »Ich bin nicht an Eifersucht gewohnt; meistens ist es mir egal, was meine Liebhaber tun, wenn sie nicht bei mir sind. Aber ich sage dir, Jules, wenn ich später daran dachte, mit welcher Begeisterung er dieses Mädchen gevögelt hat, spürte ich einen glühend heißen Stich ins Herz.« Sie schloss die Augen, und wieder sah sie die Szene vor sich, wie er Jessicas Körper mit Penis und Zunge verwöhnte. Es war wie eine Folter für sie.

»Ich weiß, was du meinst«, sagte Julian mit einem Seufzer und streckte ihren hageren Körper. Sie warf mit einer kurzen Bewegung die schwarzen Haare aus der Stirn. »Ich vergesse nie Harveys Schrei, als er bei Claires Blowjob kam. Er sagt, dass sie es besser kann als ich. Sonst macht mir das nichts aus, aber ich saß auf – wau! Nun sieh dir mal diese Stiefel an!« Sie stieß einen lauten Pfiff aus, als zwei texanische Schlangenhautstiefel mit silbernen Spitzen und metallenen Sporen an den Absätzen vorbeischritten.

Clarissa sah grinsend zu, wie Julians Blicke nordwärts wanderten, die langen schlanken Beine hoch und über den leichten Bauchansatz. Am dichten braunen Schnurrbart blieb Julians Blick nur ganz kurz haften, ehe er zurück zu den Stiefeln kehrte, die mit roten und goldenen Mustern verziert waren.

Widerwillig sah sie wieder zu Clarissa, die nachdenklich ergänzte: »Das ist auch so ein Ding. Er will zusehen, wie ich es mit einem anderen Mann treibe.« Sie blickte auf Julians gehobene Augenbrauen und fragte irritiert: »Was ist denn? Was machst du für ein Gesicht?«

»Willst du mir sagen, du warst noch nie bei einem Dreier dabei?«, fragte die Freundin überrascht.

»Julian, du weißt genau, dass das nicht mein Ding ist«, fauchte Clarissa. »Warum stellst du mir so eine überflüssige Frage?«

»Nun, ich habe vermutet, dass es einige Dinge gibt, die du für dich behältst«, antwortete Julian gereizt. »Du solltest es mal versuchen, vielleicht gefällt es dir.«

Clarissa schüttelte den Kopf. »Das bezweifle ich«, sagte sie mit weniger Sicherheit, als sie wollte. Sie hielt ihr Glas in der ausgestreckten Hand, damit Julian es füllen konnte, und fuhr fort: »Aber es könnte es wert sein, wenn Nick dadurch wenigstens ein bisschen eifersüchtig würde. Es scheint ihn absolut nicht zu interessieren, was ich tue, wenn ich nicht bei ihm bin – er fragt nicht nach Graham, und ich könnte wahrscheinlich mit der ganzen Fußballmannschaft der Uni schlafen, das wäre ihm egal, während ich . . .«

Sie brach abrupt ab, als sie wieder das Bild von Nicks Backen vor sich sah, die sich zusammenzogen, um tiefer in Jessica hineinstoßen zu können. Sie schüttelte ärgerlich den Kopf. »Ehrlich, Jules, ich weiß nie, was er denkt.« Laut schlürfte sie ihren Drink. »Er kommt nur dann zu mir, wann es ihm passt oder wenn er nichts anderes zu tun hat. Ich glaube nicht einmal, dass er an mich denkt, wenn wir nicht zusammen sind – außer natürlich, wenn er Arbeiten für den Kurs schreiben muss«, fügte sie düster hinzu. »Ich sage dir, Jules, der Junge ist mir ein Rätsel. Er ist so ganz anders – verstehst du, was ich meine?« Sie seufzte. »Ich glaube, genau das ist es, was mich zu ihm treibt.« Sie nahm wieder einen tiefen Schluck. »Bist du sicher, dass das Kaktusmilch ist?«

Julian zeigte ihr die Flasche. Auf dem Etikett war ein Kaktus in der untergehenden Sonne abgebildet. Clarissa war zufrieden und setzte ihre Geständnisse fort. »Ich muss dir noch was sagen, Jules.« Sie nahm einen tiefen Zug aus der Zigarette. »Im Hörsaal macht er mich so nervös, dass ich die besten Vorlesungen meines Lebens gebe. Obwohl seine Augen fast immer geschlossen sind, wenn ich zu ihm schaue, oder wenn er in eine andere Richtung sieht, weiß ich, dass er mich anstarrt, sobald ich ihm den Rücken zuwende oder woanders hinschaue. Er scheint mich nie direkt anzusehen, aber ich fühle seine Blicke auf meinem Arsch, auf Beinen und Brust. Himmel, ich hoffe nur, er hält meine Beine nicht für zu kurz oder zu dick.«

Sie senkte verzagt den Blick und sah deshalb nicht, dass Julian heftig widersprechen wollte. Als sie den Kopf hob, strahlte sie wieder. »Ich gebe mir alle Mühe, vor Nick zu glänzen. Ich will ihn mit meinem Grips ebenso anmachen wie mit meiner Schönheit« – sie lachte –, »deshalb sind die Vorlesungen spannend und unterhaltsam.« Sie lächelte vor sich hin und leerte ihr Glas in einem Zug. Sie leckte sich die Lippen. »Mann, ist das Zeug scharf.«

Julian lachte und tätschelte Clarissas Hand. »Nicht so scharf wie deine Vorlesungen«, antwortete sie kichernd und lief zu den Schlangenhautstiefeln. Sie bediente ihn mit einem Shandy. Selbst seine Getränkewahl – ›Memmengesöff‹ sagte sie – konnte ihre Begeisterung für ihn nicht dämpfen, denn Clarissa beobachtete glucksend, dass ihre Freundin vor ihm stand, den Rücken durchdrückte und blinzelte, wodurch ihre schönen Wimpern zur Geltung kamen. Durch das dünne Top waren die kleinen Brüste (sie trug keinen BH) deutlich zu sehen.

Sie kam zu Clarissa zurück, die Wangen gerötet, und fragte neugierig: »Wie kommst du denn mit deiner Arbeit an dem schmutzigen Buch voran?«

»Es ist kein schmutziges Buch«, schnaufte Clarissa und fügte protzig hinzu: »Es ist eine postmoderne Analyse der Repräsentationen der Erotik, und es befindet sich gerade auf dem Weg zu meinem Lektor. Und hör auf, so spöttisch über meine Arbeit zu reden, Jules. Ich brauche das Buch und die Veröffentlichung, sonst habe ich im nächsten Jahr keinen Job mehr.« Sie drückte die nächste Zigarette aus und verzog das Gesicht. »Igitt, sind diese Dinger widerlich. Ich schwöre, ich rauche nie wieder.«

Sie stieß den Aschenbecher von sich und prahlte: »Mein Manuskript ist ein Höhepunkt in meiner Laufbahn. Es ist das beste Buch, das je über das Thema geschrieben wurde« – wenn sie getrunken hatte, neigte sie zu Übertreibungen –, »und auch das habe ich Nick zu verdanken. Es ist viel leichter, über Sex zu schreiben, wenn du guten Sex hast. Ich bin mir sicher, dass das Buch meiner Karriere sehr nützlich ist.«

Sie blinzelte Julian an, nahm sie aber nur verschwommen wahr.

»Wenn ich alles richtig begriffen habe«, fasste Julian in einem Satz zusammen, »dann ist der Junge großartig im Bett, er macht eine bessere Lehrerin aus dir und auch noch eine erfolgreiche Autorin. He, wo liegt das Problem?«

Clarissa stand schwankend auf und winkte ihr mit einer Hand zu. Es hatte keinen Sinn, der Freundin von Nicks Furcht erregendem Einfluss auf sie zu erzählen. Also sagte sie nur: »Bah, ich fühle mich ja so betrunken. Ich glaube, ich sollte mich hinlegen.«

Julian nickte seufzend, als hätte sie nichts anderes erwartet. Sie führte Clarissa zu einer Hintertür und drückte ihr den Ersatzschlüssel zu ihrer Wohnung in die Hand. Das war schon öfter geschehen. Clarissa traf absolut nüchtern im Pub ein, trank hastig, was immer Julian ihr vorsetzte und schlief dann auf Julians breitem Wasserbett ihren Rausch aus, zu betrunken, um sich Gedanken über die Flecken in den schwarz-weiß karierten Laken zu machen.

Wenn Julian den Pub geschlossen hatte, ging sie in ihre Wohnung, rüttelte Clarissa wach und reichte ihr ein Eis<wasser mit zwei Aspirin, bevor sie sich aufs Sofa legte und dort einschlief.

Ganz egal, wie hoch ihr sexuelles Interesse an Clarissa war, sie fühlte sich zu sehr als Lady, um die Trunkenheit der Freundin auszunutzen, und wenn Clarissa am Morgen wach wurde, war sie stets ein wenig verlegen und scheu und ganz gerührt von Julians Rücksicht.

Heute Abend schien es genauso abzulaufen, aber als sie zur Tür stolperte, sah sie noch, wie Julian sich verführerisch vor dem Schnurrbart-Stiefelmann aufbaute, und durch den Tequila-Nebel fragte sie sich, ob ihre Freundin die Wohnung in dieser Nacht überhaupt benötigte.

Tatsächlich, als Clarissa am Morgen aufwachte, ein wenig seekrank von Julians wogender Matratze, ganz zu schweigen von ihrem Kater, verriet ihr das leere Sofa, dass Julian in der Nacht zum Zug gekommen war. Lächelnd und mit sachtem Kopfschütteln streifte Clarissa ihr Nachthemd ab, das Julian ihr wie gewöhnlich geborgt hatte.

Dann fiel ihr Blick auf die Uhr, und sie stieß einen Schrei aus. Halb zehn! Ihr blieben nur eineinhalb Stunden, um nach Hause zu fahren, zu duschen und sich im Hörsaal kühl und gelassen zu präsentieren. Die Spuren der vergangenen Nacht mussten getilgt werden. In den letzten Wochen brauchte sie fast eine Stunde, um sich für Nicks Kurs anzuziehen, wozu Frisur und Make-up gehörten. Jetzt sammelte sie hastig ihre Kleider ein und rannte zur Tür, wo sie beinahe mit einer fröhlich pfeifenden Julian zusammengestoßen wäre.

»Hi, Riss, wie fühlst du dich?«, rief sie, als Clarissa an ihr vorbeihetzte.

»Ich will nicht unhöflich sein, aber ich muss rennen«, rief sie über die Schulter. »Wie war der Schnurrbart?«

Julian grinste lüstern. »Lecker«, erwiderte sie und fuhr mit der Zunge über ihre Lippen. Clarissa lachte und lief weiter. Die Uhr tickte unerbittlich.

Als sie unterwegs zur Uni war, reflektierte sie wieder über die glühend heiße Eifersucht, die sich wie eine schmerzende Spirale durch ihren Leib bohrte, sobald sie sich Bilder in Erinnerung rief, wie Nick es Jessica besorgte. Sie zwang ihre Gedanken in eine andere Richtung. Wenn sie nachher den Hörsaal betrat, würde sie wieder das süße Kribbeln spüren, wenn sie Nick auf seinem Platz sitzen sah, die langen Beine ausgestreckt, den Kopf an die Wand gelehnt.

Obwohl sie verzweifelt bemüht war, ihn nicht anzusehen und so zu tun, als wäre er gar nicht da, warf sie immer mal wieder kurze flüchtige Blicke in seine Richtung. An Tagen, die er schwänzte, sackte ihr Magen vor Enttäuschung durch.

Sie konnte den Kurs nicht schnell genug beenden, weil sie sehen wollte, ob er auf sie wartete.

Aber an den Tagen, an denen er anwesend war, schritt sie mit mächtigen Schritten durch den Hörsaal, und die Analyse des Textes schien ihr nur so zuzufliegen. Sie hatte nicht übertrieben, als sie Julian gesagt hatte, dies wären die besten Vorlesungen ihrer Karriere: Ihre Gedanken über erotische Literatur sprudelten nur so aus ihr heraus, und wenn sie auf Nicks Mund schaute, auf Hände oder Körper, begannen die Säfte in ihrem Schoß zu fließen, mitten im Hörsaal.

Als sie jetzt an ihn dachte, spürte sie das vertraute Ziehen in ihrem Innern, ihr Blut schoss wie Feuer durch ihre Adern, wenn sie nur daran dachte, dass sie ihn in weniger als fünf Minuten sehen würde. Es ist seltsam, dachte Clarissa, ich kenne seinen Körper auf die intimste Art, und doch werde ich noch nervös, wenn ich ihn sehe, als wäre ich neunzehn wie er. Sie hoffte inständig, dass dies nicht wieder ein Tag war, an dem er schwänzte; seit dem Abend, an dem sie mit ihm hatte Schluss machen wollen, hatte sie nicht wieder mit ihm gesprochen, und sie sehnte sich verzweifelt nach ihm, auch wenn es im lauten, überfüllten Hörsaal war.

Sie war dankbar, dass er sie nicht enttäuschte. Clarissa fühlte instinktiv seine Anwesenheit, noch bevor sie ihn gesehen hatte. Er war da, saß in der Ecke, die mit engem Leder bedeckten Beine weit von sich gestreckt. Diesmal sah er ihr direkt in die Augen, was er sonst vermied, als wollte er jeden intimen Kontakt mit ihr leugnen. Er sah sie an, und sie entdeckte etwas in seinen Augen, was Clarissa nicht deuten konnte. Lust? Sehnsucht? Oder Wut? Clarissa sah ihn an, nickte ihm kaum merklich zu und wandte dann den Blick ab. Sie war sicher, ihm mitgeteilt zu haben, dass er nach dieser Vorlesung in ihr Büro kommen sollte.

Tatsächlich klopfte es leise an ihre Tür, als sie später in

ihrem Büro saß. Clarissa wollte ihn begrüßen, als er eintrat und die Tür hinter sich schloss, aber ihr freundliches Lächeln schwand, als er sich über sie bückte, ihre Hüften packte und sie aus dem Sessel hob, sodass sie sich an Nick festhalten musste.

Ihre Beine schlangen sich um seine Taille, um Halt zu finden, und er trug sie durchs Zimmer und stieß sie gegen die Wand. Sein Mund presste sich auf ihre Kehle, und die Zunge leckte über die cremige Haut, während seine Finger über ihren Schritt strichen – unter einem Rock, der an diesem Tag zu kurz für Strümpfe war.

»Nick«, keuchte Clarissa, den Blick auf die Tür in seinem Rücken gerichtet, »Nick, was machst du?«

»Ich küsse dich«, raunte er ihr ins Ohr, sein Mund nass und warm an ihrem Hals. »Soll ich dich auch vögeln?«

So verzweifelt ihr Begehren auch war, ebenso verzweifelt musste sie ihren Job behalten. Es kostete sie gewaltige Mühe und Überwindung, ihn von sich zu schieben, dann rutschte sie an der Wand entlang, bis Clarissa wieder auf eigenen Füßen stand.

»Puh«, keuchte sie, strich sich durchs Haar und glättete den Rock. »Heute bist du aber leidenschaftlich.«

Plötzlich grinste er kühl, alle Anzeichen von Hitze und Begierde waren verflogen. Er trat einen Schritt zurück und fragte wie nebenbei: »Nun, Clarissa, wo warst du vergangene Nacht?«

Ah, das war es also! Clarissa erlaubte sich ein leises inneres Lächeln. Es hatte ihn gestört, dass sie nicht zu Hause gewesen war. Sie bedachte ihn mit einem ebenso kühlen Blick und antwortete: »Bei Julian. Warum?«

Er hob die Schultern, dann betrachtete er die Bücher auf den Regalen. »Kein Warum. Ich war nur an deiner Tür, das ist schon alles.«

Sie konnte ihren distanzierten Blick nicht länger halten und sagte triumphierend: »Und da hast du gedacht, ich wäre bei einem anderen Mann?«

Er blickte sie unter halb gesenkten Lidern an, die runden Brauen fast zusammen, und fragte heiser: »Und? Warst du?«

Sie lachte, entzückt von seinem Unbehagen. »Nick, Nick, natürlich nicht«, gurrte sie. »Ich habe mich bei meiner Julian betrunken und ihr von dir erzählt.« Sie lächelte ihn offen an, als wollte sie ihm anbieten, Einzelheiten der Unterhaltung preiszugeben, dann zog sie seinen Kopf herab und küsste die schön geschwungenen Lippen. Im nächsten Moment klopfte es laut an die Tür, und Clarissa erstarrte eine Sekunde, dann schoss sie hinter ihren Schreibtisch und wies Nick an, sich davor zu stellen.

»Clarissa? Sind Sie da?« Es war die hohe, leicht schrille Stimme von Monica Talbot, und Clarissa knurrte verärgert und verdrehte die Augen himmelwärts.

»Kommen Sie herein, Monica«, sagte sie und gab Nick mit einem Wink zu verstehen, dass er gehen sollte. »Heute Abend«, sagte sie lautlos, als er rückwärts zur Tür ging. Er blinzelte ihr kurz zu, dann drehte er sich um und lächelte Monica Talbot charmant an, die ein leises Entsetzen kaum unterdrücken konnte, als sie Nick sah; es sah fast so aus, als musterte sie ihn hungrig, und ihr Blick tastete bewundernd den langen Körper ab.

Clarissa musste ein Grinsen verstecken, als sie sah, dass die andere Frau ihren Liebhaber so offen abschätzte, und beinahe hätte sie losgeprustet, als sie zusah, wie Monica sich umdrehte, um Nicks knackigen Hintern zu sehen. Nick ging durch die Tür, und seine Schuhe nagelten eine Tätowierung auf den Boden.

Als Monica sich schließlich wieder Clarissa zuwandte,

waren ihre Wangen leicht gerötet, und wenn Clarissa sich nicht völlig täuschte, lauerte da Lust in den Augen hinter den leicht trüben Brillengläsern.

»Monica, was kann ich für Sie tun?«, fragte Clarissa gut gelaunt und hoffte, dass ihr Lippenstift nicht verschmiert war.

Monica starrte sie einen Moment an, wies mit dem Kopf zur Tür und fragte: »Ein Student von Ihnen?«

Clarissas Lächeln wurde heller. Gott, wenn du wüsstest, dachte sie, aber dann sagte sie so professionell, wie sie es schaffte: »Ja, einer von vielen. Was bringt Sie in mein Büro?«

Nick war offenbar vergessen, als sie den Papierstapel, den sie im Arm hielt, auf den Schreibtisch legte und Clarissa das oberste Blatt reichte. Es war ein Brief des Vize-dekans, der das Personal darüber informierte, dass ein neuer Leiter der Abteilung ernannt worden war: Professor Malcolm Anderson würde den Posten am Ersten des folgenden Monats besetzen und alle zu einem Kennenlernen einladen. Ein offizielles Essen würde während der Oster-ferien stattfinden, dazu lud die Verwaltung ein. Über den unglücklichen Ex-Professor Warburton wurde kein Wort mehr verloren.

»Oh, Gott, was soll das denn?«, stöhnte Clarissa, ergriff den Rundbrief und schwenkte ihn durch die Luft. Sie starrte Monica verdattert an. »Was ist er für ein Typ? Ich habe noch nie von ihm gehört.« Sie las noch einmal den Namen und sah wieder Monica an. »Was ist sein Spezialgebiet? Und muss man zu diesem blöden Essen gehen?«

»Ich fürchte ja«, verkündete Monica steif und griff an ihren Dutt. »Ich glaube, Professor Andersons Spezialgebiete sind Milton und die Lyrik der Renaissance.«

Clarissa stöhnte. Sie hasste die Lyrik der Renaissance.

»Ich glaube, er ist gerade aus Neuseeland eingetroffen, das ist vielleicht der Grund, warum Ihnen der Name nicht auf Anhieb vertraut ist.« Sie blickte auf Clarissa hinunter, die sich wieder in den Rundbrief vertieft hatte, und lächelte ein wenig mitfühlend zum gesenkten Rotschopf. »Diese Essen sind gar nicht so übel; man kann sich einen vegetarischen Teller bestellen, wenn man möchte, und es fließt eine Menge Wein, und nach den Reden gibt es Port und Käse ...«

»Reden!«, kreischte Clarissa entsetzt. »Ich nehme an, die Tischordnung sieht eine bunte Reihe vor, was? Wetten dass ich eingequetscht werde zwischen dem Vikar und einem Sportfanatiker, und ich muss mir den ganzen Abend Pläne zur Kirchensanierung und Kricketergebnisse anhören. Igitt.« Sie schnaufte verächtlich. »Warum müssen sie mir mit dieser Einladung die Osterferien verderben?«, fügte sie hinzu und redete sich immer tiefer in Wut. »Und warum können sie keine Frau ernennen, zum Teufel? Bastarde.« Sie sah Monica finster an. »Man sollte sie alle auf den Mond schießen.«

»He, ho«, gab Monica von sich und schüttelte den Kopf. »Ihr amerikanisches Temperament kommt durch, Clarissa.« Mit dem überlegenen Ausdruck einer, die alles weiß, fügte sie hinzu: »Ich nehme an, die Verwaltung hat den Termin für das Essen in die Ferien gelegt, damit Professor Anderson Zeit zum Eingewöhnen hat, bevor die Hektik beginnt.« Sie tat so, als wollte sie gehen, aber dann blieb sie stehen. »Nun, Clarissa, am Ende des Semesters steht Ihre Verlängerung an, deshalb sollten Sie sich wenigstens den Anschein geben, als wären Sie auch am Innenleben der Abteilung interessiert, verstehen Sie?«

Clarissa wusste, dass es ein gut gemeinter Rat war, und Monica hatte auch Recht. Trotzdem gefiel es ihr nicht, dass sie an ihre professionellen Pflichten erinnert werden musste.

Jetzt wandte Monica sich um, aber bevor sie eine Hand auf den Türknopf legen konnte, sagte Clarissa. »Noch eine Sache, Monica.« Die Frau drehte sich wieder um und blickte in Clarissas Gesicht. Clarissa zögerte einen Moment, dann fragte sie so lässig wie möglich: »Weiß man, was aus dem guten Warburton geworden ist?«

Unter dem Blick der Verachtung und des Ekels, der das sonst so friedliche Gesicht Monicas verzerrte, hätte Clarissa fast zu zittern begonnen. »Oh, ich habe gehört, dass er eine neue Anstellung gefunden hat«, sagte sie und machte eine wegwerfende Handbewegung. »Ich glaube, er hat sich der Hilfe eines Mannes bedient, der ihm noch einen Gefallen schuldete und der Rektor an einer anderen Universität ist. So wäscht eine Hand die andere.«

Monica schniefte angewidert, vor allem wohl auch, weil die Uni, die ihm Zuflucht geboten hatte, mehr Prestige hatte als diese. »Warum fragen Sie?«, wollte Monica wissen. »Ich dachte, Sie hätten sich gefreut, ihn gehen zu sehen.«

»Das kann man ruhig laut sagen«, antwortete sie rasch und konnte sich nicht verbeißen hinzuzufügen: »Und wie Sie schon sagten, Monica, seine Veröffentlichungen waren ohne Belang. Außerdem ist es unerträglich, dass Mitglieder der Fakultät die Beziehungen zu Studenten ausnutzen.«

Monica lächelte aus der selbstgefälligen Höhe der pursten Reinheit. »Ja, es ist Warburtons eigene Schuld, dass er auf diese skandalöse Weise ausscheiden musste, nicht wahr? Es stand ihm einfach nicht zu, diese Art von Beziehung zu einer Studentin zu unterhalten. Einfach unmöglich«, erklärte sie mit Autorität und murmelte etwas von »verdienter Strafe«, als sie aus dem Zimmer rauschte.

Oh, Monica, was weißt du schon von Leidenschaft und Verlangen, du dumme Kuh, klagte Clarissa verbittert, aber dann musste sie kichern, als sie sich in Erinnerung rief, wie

115

die Lust in Monicas Augen geblitzt hatte, als sie Nicks Körper von oben bis unten taxiert hatte. Tut mir Leid, meine Liebe, aber ich glaube, du bist nicht sein Typ.

Sie wandte sich dem Essay zu, das sie zur Benotung zu lesen begonnen hatte, aber die Konzentration fiel ihr schwer. Sie starrte einen imaginären Punkt an der Wand an, und dann lief ein Schauer über ihren Rücken. Ich habe noch nie einen Mann getroffen, der mehr mein Typ war als Nick, dachte sie. Entschlossen schloss sie die Tür zu diesen Gedanken und konzentrierte sich auf die viktorianische Sozialreform.

Als Clarissa später zum Parkplatz ging und sich gratulierte, weil sie sich durch zwölf extrem langweilige Essays gequält hatte, sah sie verdutzt Nicks schlanke Gestalt neben ihrem Auto stehen. Sie versuchte, den Adrenalinstoß zu ignorieren, der bei seinem Anblick durch ihren Leib schoss. Vielleicht will er die Verabredung für heute Abend absagen, dachte sie nervös. Oder vielleicht dauert es ihm zu lange, fiel ihr dann voller Hoffnung ein. Ihre Schritte wurden schneller, sie wollte ihn rasch in die Sicherheit ihres Autos zerren.

Er hielt sie am Handgelenk fest. »Ich komme jetzt nicht mit«, sagte er und sah sie mit den haselnussbraunen Augen an. »Ich wollte dich fragen, ob du Lust hast, heute Abend zu mir zu kommen.«

Er sah, wie sie sich versteifte. Sie wich unwillkürlich einen Schritt zurück. Er hob seine Hände, um seine Unschuld zu beteuern. »Keine Jessica, versprochen.« Clarissa verzog das Gesicht, als sie den Namen hörte, und Nick reagierte mit ungewohnter Sanftheit. »Diesmal ist alles okay, Clarissa. Sag ja«, drängte er sie und zeigte ein Lächeln, das ihr Herz fast zum Stillstand brachte. »Ich räume sogar die Wohnung für dich auf.«

Die unerwartete Freundlichkeit gab den Ausschlag. Für einen Moment schmolz sie in seine Arme, dann nickte sie. »Gut. Neun Uhr. Ich bringe den Wein.« Sie trat zurück und sah Nick prüfend an. »Keine Tricks, okay? Versprochen?«

Er nickte. »Keine Trick. Versprochen.« Er sah ihr nach, als sie ins Auto stieg, den Motor startete und wegfuhr.

# Siebtes Kapitel

Clarissa traf pünktlich vor Nicks Wohnung ein. Sie war noch voller Unbehagen, denn die Bilder vom letzten Besuch bei ihm schwirrten noch durch ihre Gedanken. Diesmal wollte sie kühlen Kopf behalten. Sie hatte sich lässig aber elegant angezogen, schwarze Leggings aus Samt und eine fließende tunikalange weiße Bluse mit Knautscheffekt. Die flammend roten Locken hatte sie zu einem dicken Zopf gebunden, und sie hatte nur ganz wenig Make-up aufgetragen.

Sie konnte nicht glauben, dass Nick ihr denselben Trick noch einmal vorspielte. Sie wollte glauben, dass er es dieses Mal ehrlich meinte, denn ihr Verlangen nach ihm brannte so ungezügelt wie nie zuvor. Clarissa wusste, dass sie ihm mehr und mehr verfiel, und seine Auswirkung auf ihr sonst so geordnetes Leben bereitete ihr Sorgen. In letzter Zeit stellte sie fest, dass andere Männer sie nicht mehr interessierten. Sie nahm die bewundernden Blicke von Fremden nicht mehr zur Kenntnis. Nicholas St. Clair hatte alle anderen Männer in den Schatten gerückt.

Selbst Graham musste ihre ständigen Ausflüchte bemerkt haben, denn er hatte offenbar seine Versuche aufgegeben, die Beziehung wiederzubeleben; in letzter Zeit war er sogar ein wenig distanziert gewesen, er rief nur noch selten an und wenn, hatte sie eher das Gefühl, dass er es aus Gewohnheit tat. Aber er legte großen Wert darauf, dass sie ihn mit seinem Boss und einigen leitenden Angestellten seiner Firma zum Grand National begleitete, das während der Osterferien stattfand, die nächste Woche begannen.

Clarissa hatte absolut keine Lust, denn sie hielt nichts von Wetten, und Pferde langweilten sie, aber sie hatte zugesagt, hauptsächlich, damit er sie in Ruhe ließ, obwohl sie mit Grauen an diesen Tag dachte. Das Grauen resultierte auch aus der Tatsache, dass sie keine Ahnung hatte, was sie tragen sollte – einen Hut jedenfalls nicht. Sie hatte versucht, ihre Zusage zurückzuziehen, weil der Termin auf den Tag des Fakultätsessens fiel, aber er ließ nicht locker und wies darauf hin, dass sie nach dem Rennen genügend Zeit hatte, sich auf das Abendessen vorzubereiten. Clarissa war nicht überzeugt und sah sich schon an ihrem Tisch, wie sie nach Pferd stank, aber da es für Graham so wichtig schien, hatte sie sich damit abgefunden.

Nun, das würde erst in ein paar Wochen stattfinden, und heute Abend wollte sie beileibe nicht an Graham denken. Sie stand vor Nicks Tür und klopfte, die Finger der anderen Hand um den schlanken Hals der Weinflasche. Diesmal war es ein Bordeaux, kein Chardonnay wie beim ersten Besuch – sie war ein bisschen abergläubisch. Aber trotz ihrer Nerven fühlte Clarissa, dass ihre Labien schon geschwollen waren, weil sie an Nicks warmen muskulösen Körper dachte.

Auf ihr Klopfen öffnete der junge Mann persönlich, und Clarissa bemerkte sofort, dass er geduscht und sich für sie umgezogen hatte, und sogar den Abendschatten seines Barts hatte er rasiert.

»Willkommen«, sagte er lächelnd, zog sie an sich und gab ihr einen Kuss auf den Kopf. Er stöberte mit der Nase in den gut riechenden Haaren, dann löste er sich von ihr, trat einen Schritt zurück und betrachtete bewundernd ihre Figur. Er strich mit den Fingern über die seidigen Rüschen, die ihre Brüste bedeckten und fuhr mit dem Handrücken über den weichen Samt der Leggings.

»Du siehst gut aus«, sagte er, und Clarissa errötete. Er langte nach ihrer Hand und schob die Finger zwischen ihre. »Komm, ich habe das Essen fertig.« Er führte sie ins lange, schmale Wohnzimmer, das tatsächlich aufgeräumt war und – Clarissa schnüffelte und hätte beinahe gelacht – es duftete sogar nach einem Potpourri von Lufterfrischern. Ein kleiner Tisch war für zwei gedeckt; angeschlagenes Porzellan, süße Weinkelche und echte Stoffservietten aus Leinen.

Clarissa wandte sich seufzend Nick zu; die grünen Augen leuchteten, und ihr Herz schlug schneller durch diese simple, süße Geste. »Oh, Nick«, murmelte sie und fuhr mit einem Finger über seine Wange. »Du hast dich aber angestrengt. Und du hast auch selbst gekocht?«

Er stand verlegen da und sagte grinsend: »Ich habe nicht wirklich selbst gekocht, es war fast alles vorbereitet, aber ich hoffe, dir gefällt meine Auswahl.« Er wollte sie in die Küche führen, blieb aber stehen, als sie an seiner Hand zog. Er sah auf sie hinab, runzelte die Stirn und warf mit einem kurzen Ruck des Kopfs die rötlichbraunen Haare aus dem Gesicht. »Ist etwas nicht in Ordnung?«

»Ich möchte nur sagen, wie glücklich du mich machst«, erwiderte Clarissa und strahlte in Nicks Gesicht. Dies war ganz sicher ein anderer Nick als der, an den sie sich gewöhnt hatte. Obwohl er stets feurig und heiß war, wenn sie sich liebten, hatte er sich danach nie lieb oder still verhalten, und oft hatte er rasch seine Kleider aufgehoben, sich angezogen und war dann gegangen.

Um ehrlich zu sein, manchmal war Clarissa ganz froh, dass er weg war, denn auch sie fühlte sich hinterher oft ein wenig unbehaglich und verunsichert, und wie oft hatte sie sich schon die Frage gestellt, was sie mit einem so jungen Mann wollte, und sie wollte auch nicht, dass die Nachbarn ihn sahen. Aber jetzt war sie tief gerührt von der Mühe, die er sich gemacht hatte, um sie zu beeindrucken, auch wenn sie im Hinterkopf ein bisschen misstrauisch war, was seine plötzliche Häuslichkeit anging.

Als könnte er ihre Gedanken ahnen, drückte er lachend ihre Hand und sagte entschuldigend: »Nun, ich fühle mich noch ein wenig schuldig wegen der Dinge, die passiert sind, als du das letzte Mal hier warst, obwohl ich dir nie wehtun wollte«, fügte er noch hinzu. »Ich hatte wirklich gedacht, es wäre ein Kick für dich, Clarissa.« Er blickte ihr ernst ins Gesicht. »Ich weiß nun, dass es dich gestört hat, und ich verspreche, dass ich dich nie wieder in eine solche Lage bringen werde, wenn du es nicht wirklich willst.« Er packte eine ihrer Backen und drückte sie. »Aber, Ris, du weißt, es hat dir ein bisschen gefallen, als du mich mit ihr im Bett gesehen hast, nicht wahr?« Sie schwieg verlegen, er sah ihr neckend in die Augen und drängte: »Gib doch zu, dass es dich ein winziges Bisschen angetörnt hat. Du weißt, dass ich es nur für dich getan habe? Weil ich dich erregen wollte.«

Clarissa gab nach, sah ihn aus den Augenwinkeln an und gestand: »Ja, Nick, es hat mich auf eine Art angemacht, aber können wir die Sache jetzt vergessen? Ich möchte was essen und trinken und dass wir uns auf uns beide konzentrieren.«

Aber obwohl Nick bereit schien, das Thema zu vergessen und sich auf den heutigen Abend zu beschränken, blieb er auf dem Weg in die Küche stehen, drehte sich zu ihr um und sagte: »Siehst du, Clarissa, ich glaube, ich weiß besser als du, was du magst.«

Während des Essens – der Hauptgang bestand aus Pasta und Garnelen – fragte Clarissa: »Wo ist dein Mitbewohner, Nick? Es ist fast zehn Uhr. Übernachtet er woanders?«

Nick hob die breiten Schultern, langte nach dem Wein und

antwortete: »Kann schon sein. Ich weiß fast nie, was er macht, und umgekehrt ist das auch so. Noch etwas Wein?«

Sie sah ihn an, während er sich zu ihr beugte und ihr Glas bis zum Rand füllte. Seine Augen verengten sich vor lauter Konzentration beim Einschenken. Ihr Blick fiel auf die Hand, die die Flasche hielt. Die langen schlanken Finger, die blassgoldenen Härchen auf dem Handrücken. Clarissa wurde ganz schwach und sehr, sehr warm. Zögernd streckte sie den frisch manikürten Zeigefinger aus und fuhr damit an seinen Knöcheln entlang, dann über den Handrücken und in den Arm hinein. Sie streichelte die dünnen Härchen.

Nick hob den Blick und lehnte sich über den Tisch, bis ihre Gesichter nur ein paar Zentimeter voneinander entfernt waren. Er sagte nichts, hob nur seine Brauen und sah still zu, wie sie die Flasche aus seiner Hand nahm und auf den Tisch stellte, ohne den Blick von ihm zu wenden.

»Willst du mich, Nick?«, fragte Clarissa leise.

»Du weißt, dass ich dich will.« Seine Stimme klang kaum lauter als ein Flüstern.

»Dann sage es, Nick«, forderte Clarissa ihn auf, leise aber entschlossen.

»Ich will dich haben, Clarissa«, sagte er, die Stimme tief und verführerisch.

»Küss mich, Nick«, hauchte sie und schloss die Augen in stiller Erwartung. Ihr Inneres rief nach seinen Berührungen. Nick legte eine Hand in ihren Nacken und drückte seinen Mund auf ihren. Sie küssten sich über den Essensresten und strichen sich gegenseitig übers Gesicht, während die Zungen jeweils die Lippen des Partners erforschten. Sie rieben die Wangen aneinander. Nick atmete leise, während Clarissa wimmerte und keuchte und seufzte.

Ja, das war der Mann, den sie haben wollte, den sie haben musste, das war der Mann, dessen Körper dafür entworfen schien, ihren Körper in Ekstase zu versetzen. Dies mochte nicht Liebe sein, aber es war viel mehr als nur Lust, es war Leidenschaft, Erfüllung, es war, was die Franzosen *jouissance* nennen, dieser sinnliche Begriff für das Überschreiten erotischer Grenzen.

Clarissa stand vom Tisch auf, streifte ihre Schuhe ab und ging um den Tisch herum zu Nick. Sie kniete sich vor ihn hin und öffnete mit geschickten Fingern die Knöpfe seines Hosenstalls.

»Das ist später dran«, murmelte er heiser in ihr Haar, er hob sie auf die Füße und zog sie auf das verschlissene und abgenutzte Sofa zu. Er platzierte sie so, dass sie seine Hüften mit den Beinen umschlang. »Ich bin dir was schuldig für das, was das letzte Mal hier abgelaufen ist«, sagte er, und es klang gedämpft, weil er sein Gesicht in die Rüschen über der Brust vergrub.

Er knöpfte hastig ihre Bluse auf, hakte geschickt den Vorderverschluss des fast durchsichtigen BHs auf und hielt inne, um ihre nackten, bebenden Brüste zu betrachten. Er nagte an den rosigen Spitzen und fuhr mit der Zunge über die cremigen Hügel des Busens.

Clarissa strich mit gespreizten Fingern durch Nicks Haar und wuselte durch die dicken, seidigen Strähnen. Sie drückte den Rücken durch, um mehr von ihren Brüsten in Nicks offenen Mund zu schieben. Er blieb mit Zunge und Lippen aktiv, und gleichzeitig gelang es seinen kräftigen Händen, Clarissas Leggings und Slip nach unten zu schieben.

Clarissa war jetzt völlig nackt und allein von Nicks Mund dem Orgasmus schon sehr nahe, aber er veränderte plötzlich ihre Position, hob sie vom Sitz und setzte sie auf den Sofarücken. Sie konnte sich mit Schultern und Po an der Wand abstützten, und ihre Füße hatten festen Halt auf den Kissen.

In dieser Position konnte sie die Beine spreizen und Nick ungehindert Zugang zu den samtenen Geheimnissen ihres rubinroten Schoßes gestatten, wo warm die würzigen Säfte flossen. Sie seufzte, legte den Kopf an die Wand und hielt die Luft an, als Nicks heiße, kräftige Zunge in ihre süße Nässe tunkte, und ihr Höhepunkt setzte sofort ein, als sie seinen Mund auf ihrem Geschlecht spürte.

Nick begann ihre Klitoris zu necken, und Clarissa wäre fast vom Sofa gesprungen. Er schob seine Hände unter ihre Backen und zog sie näher an seinen Mund, während er mit einem Finger über den runzligen Anus strich. Clarissa war von den heißen Sensationen, die sich in ihrem Körper abspielten, dem Aufschrei der Erlösung so nahe, dass sie fast nicht gehört hätte, wie eine Tür leise geöffnet und wieder geschlossen wurde.

Jetzt schrie sie tatsächlich laut auf, als eine große, dunkle Gestalt direkt vor ihren Augen vorbei ging. Das Gesicht war von einer Baseballkappe, tief in die Stirn gezogen, mehr als halb verdeckt; der Körper war unter einer schweren grünen Ölhaut und der bauschigen Khakihose nicht mal zu erahnen. Clarissa hing zwischen Orgasmus und Spanner fest. Als sie zu zittern begann, wusste sie nicht, ob es Lust war oder die Erkenntnis, dass sich eine fremde Person im Raum aufhielt. Sie konnte nur hilflos bleiben, wo sie war, ihr Körper nackt und entblößt vor den Augen des Fremden. Nick lag noch vor ihr, den Kopf zwischen ihren Schenkeln.

Der Mann oder Junge, denn er war etwa in Nicks Alter, schien alles andere als überrascht zu sein, eine nackte Frau auf dem Sofarücken vorzufinden, und Clarissa begriff, dass er Lawrence Hoffman sein musste, Nicks Mitbewohner. Wenn die Situation nicht so bizarr gewesen wäre, hätte sie die Hand ausgestreckt und sich vorgestellt.

Aber nachdem sie wusste, wer der junge Mann war und

verdaut hatte, dass er und Nick so gelassen auf die Situation reagierten, war ihr klar, dass dies wieder einer von Nicks Tricks war. Er hatte sie erneut in seine Wohnung gelockt und mit dem Freund abgesprochen, dass er nach einer gewissen Zeit auftauchte, wenn er ihnen zusehen wollte.

Sie begriff, dass es wieder an ihr lag, wie sich der Abend entwickelte. Die Frage war, wie sollte sie sich entscheiden? Sollte sie Nick von sich stoßen, nach ihren Kleidern greifen und in selbstgerechtem Zorn fliehen? Oder sollte sie auf die gerade erst beginnende Erregung reagieren, auf die Schauer, die ihr bei der Vorstellung über den Rücken liefen, aktiver Teil einer voyeuristischen Schau zu sein?

Clarissa zögerte nur kurz. Sie blickte auf Nick hinunter, der den Kopf gehoben hatte und mit den Augen auf Larry wies, ehe er mit tiefer, heiserer Stimme fragte: »Soll ich nun weitermachen?«

Clarissa nickte nur und spreizte die Beine noch weiter, um die Aufgabe für Nick zu erleichtern. Sie kam sich lüstern und zügellos vor und sexuell erregter als je zuvor in ihrem Leben. Als sie Nicks Zungenspitze spürte, die sich in sie hinein-bohrte, starrte Clarissa trotzig auf den Jungen, der Kappe und Mantel ausgezogen hatte und still am Tisch saß. Er hielt sich am Wein schadlos und beobachtete die zwei auf dem Sofa.

Was dachte sie sich dabei, fragte sich Clarissa. Sie ließ zu, dass ein junger Mann ihr dabei zuschaute, wie sie sich von dessen Freund auf die intimste Weise küssen ließ.

Aber sie empfand überhaupt keine Verlegenheit, es war eher ein Gefühl, neue Höhen zu entdecken, das eigene Selbstbewusstsein auszuloten und die volle Macht ihrer noch unerforschten Sexualität zu verstehen. Unter Larrys Blicken fühlte sie sich nicht als Sexualobjekt, im Gegenteil, sie lud seine Blicke ein, und ihr war, als ob sie Larry

benutzte, um die maximale Lust an dieser Szene auszu-
kosten.

Nick schien in diesem Stadium irrelevant zu sein, und so
schob sie ihn von sich, ohne dass ihr richtig bewusst wurde,
was sie tat, und gab ihm zu verstehen, dass er hinüber zu seinem Freund gehen sollte. Nick setzte sich an den Tisch, die
Beine weit ausgestreckt, ein Arm über seinem Stuhl, der
andere locker auf seinem Knie. Er hätte nie gedacht, dass sie
es tun würde, aber sie winkte Lawrence zu sich, und er ging
brav hin und ließ sich vor ihr auf die Knie nieder.

Auf dem Sofarücken kam sie sich wie eine Königin auf
dem Thron vor, wie sie da auf den knienden Jungen schaute
und die Schenkel noch etwas mehr spreizte. »Sieh mich an«,
flüsterte sie und dann: »Leck mich.«

Lawrence hatte die Zunge schon ausgestreckt, aber es war
Nicks Gesichtsausdruck, der sie faszinierte. Sie sahen sich in
die Augen, als Lawrence die Zunge langsam kreisen ließ. Sie
schob sich ein bisschen weiter vor und presste den Schoß
gegen seinen hungrigen Mund, wobei sie Nick beobachtete,
wie er die Szene gebannt verfolgte. Es war ihr wichtig, dass
Nick zusah, sonst wäre Larrys Einsatz bedeutungslos für sie
gewesen.

In Nicks Augen spiegelte sich Clarissas Lust wider. Ohne
aktiv zu sein, verhalf Nick ihr zu einem durchschüttelnden
Orgasmus. Clarissa heulte und kreischte und konnte nicht
glauben, wie lange das Zucken und Beben anhielt. Ihr Schoß
ruckte immer noch gegen Lawrences Mund.

Als es schließlich vorbei war, zog sich Lawrence rasch
zurück und wandte Clarissa und Nick den Rücken zu, als
schämte er sich. Einen Moment lang war es still im Zimmer.

»Nun«, sagte Clarissa und versuchte, trotz der verruchten
Szene, die gerade stattgefunden hatte, eine Haltung von

Würde und Anstand zu bewahren. »Ich sollte mich anziehen und gehen«, murmelte sie, aber dann setzte plötzlich wieder ein Zittern ein, das sie sich nicht erklären konnte. Hände und Beine zuckten so sehr, dass es ihr nicht gelang, ihre Wäsche anzuziehen. Die Muskeln wollten ihr einfach nicht gehorchen.

»Lass mich helfen«, bot Nick an, die Stimme seltsam gedämpft, und in wenigen Augenblicken hatte er ihr den Slip angezogen, gekonnt und straff an der richtigen Stelle zwischen den klammen, klebrigen Schenkeln. Er zog ihr die Bluse an und knöpfte sie zu. Clarissa schüttelte sich, und Nick schlang seine langen Arme um sie, eine rührende Geste des Beschützens. Er legte ihren Kopf an seine Schulter und strich ihr über die krausen Haare.

Sie schmiegte sich an ihn und fühlte sich ihm näher als je zuvor. Ihr Zittern beruhigte sich; sie hielt ihn noch eine Weile umklammert, ehe sie ihn mit einem nervösen Lachen von sich schob und sich auf wacklige Beine stellte.

»Ich glaube, ich könnte noch ein Glas Wein vertragen«, sagte sie in dem tapferen Versuch, eine Atmosphäre der Normalität im Zimmer wiederherzustellen. Nick setzte sich an den Tisch.

»Ich glaube, ich leiste dir Gesellschaft«, sagte Lawrence hastig. Er stürmte völlig unerwartet aus der Küche, wo er sich offenbar versteckt hatte. Er hielt einen Korkenzieher in der Hand, ein sauberes Glas und eine neue Flasche Wein.

Zu dritt saßen sie eine Weile in verlegenem Schweigen da und nippten nervös an ihrem Glas. Jeder mied den Blick des anderen. Clarissa schien ihre Sinne wieder beisammen zu haben, und weil sie genug von der Peinlichkeit hatte, wandte sie sich an Lawrence.

»Ich nehme an, du weißt inzwischen, dass ich Clarissa

bin«, sagte sie heiter und streckte ihre Hand aus, die Larry zögernd drückte. Sie bemerkte mit einem Lächeln, dass er auch jetzt noch ihren Blick mied und auch nicht auf ihre nackten Beine schaute. »Und du musst Lawrence Hoffman sein, Nicks Mitbewohner. Habe ich Recht?«

Ihre Selbstsicherheit kehrte zurück, was sie erleichterte. Sie schaute Nick an und hob ihre Brauen. »Hübscher Trick, Nick«, sagte sie sarkastisch.

Er hielt ihrem Blick stand. »Es hat dir doch gefallen, oder nicht, Clarissa?« Sie nickte, und Nick lehnte sich vor, griff ihre Hände und sagte: »Siehst du, ich weiß, was du willst.« Sie lächelten sich an, aber die Intimität des Augenblicks wurde durch Lawrences Räuspern beendet. Er warf sich die Jacke um und sagte, immer noch verlegen und unbehaglich: »Ich geh dann mal.«

Clarissa blickte Nick fragend an, aber der wies mit den Händen auf sie und sagte: »Das liegt an dir, Ris. Es ist deine Entscheidung. Wie du willst.«

Sie wandte sich an Lawrence. »Nein«, sagte sie, als wäre sie zu einer spontanen Entscheidung gelangt, von der sie selbst überrascht war. »Bleib. Trink noch ein Glas Wein.« Sie wies auf die Flasche und nickte ermunternd. »Vielleicht sollten wir uns besser kennen lernen.«

Ihr Blick huschte nach unten zu seinem Schoß, und dort sah sie das erste Mal eine ziemlich große Erektion, die ihm recht unbequem sein musste. Es war ihr nicht bewusst, dass sie schluckte, als sie sich vorstellte, wie es aussah, wenn die Stange aus der Hose gesprungen war. Sie fragte sich, ob Lawrence die Abneigung seines Mitbewohners gegen Unterwäsche teilte.

Als Lawrence Clarissas nach unten gerichteten Blick sah, den sie auch gar nicht versteckte, musste er lachen, und dann löste sich die Spannung im Raum ein wenig. Clarissa fühlte sich entkrampft, und ihr Körper leuchtete noch von den Schwindel erregenden Orgasmen. Wie von selbst drängte sich ihr der Gedanke auf, ein wenig zu experimentieren und der perversen, eigenwilligen und erregenden Begegnung noch etwas mehr Spaß abzugewinnen.

»Also, Lawrence«, begann sie schelmisch, »warum sagst du mir nicht, welche anderen Tricks du und Nick vereinbart habt? Welche verdorbenen Dinge habt ihr zwei euch für den Abend ausgedacht?«

Lawrence starrte Nick offenen Mundes an; deutlich war zu sehen, dass er nicht damit gerechnet hatte, Clarissa würde so einfach das Kommando übernehmen. Nick dagegen hob nur die Schultern und fragte fast wie nebenbei: »Oh, Clarissa führt noch etwas im Schilde? Was würdest du denn gern mal ausprobieren?«

Clarissa lehnte sich zu Lawrence, streckte ihre Hand aus und strich mit den Fingern nachdenklich über die Halsnaht seines derben Rugbyshirts. »Nun, Lawrence, Nick sagt mir, du bist beim Militär. Ist dir lieber, wenn ich Larry zu dir sage? Du bist in der Ausbildung zum Offizier und gehst auch noch zur Uni.« Sie betrachtete bewundernd seinen Körper, lehnte sich dann wieder in ihrem Stuhl zurück, hob ein Knie und legte den Fuß in einer jungenhaften Manier auf den Tisch. »Ich habe gehört, dass Soldaten ihre Körper in ausgezeichneter Verfassung halten, die ganze Märsche und Dauerläufe, die Kletterei und all die rigiden Prüfungen, die eure Ausdauer verbessern sollen.«

Sie beugte sich vor, nahm eine lange kalte Spaghetti vom Teller, ließ ein Ende zwischen ihren Lippen baumeln und zog die gesamte Länge in den Mund, wobei sie Lawrence die ganze Zeit ansah. Er sagte immer noch nichts und ließ die Blicke zwischen ihr und Nick hin und her wandern. Clarissa lachte auf, ein tiefes, kehliges Lachen, und fragte, scheinbar harmlos interessiert: »Nun, Larry, stimmt das? Haben die Männer des Militärs stramme Körper?« Als er wieder nichts sagte und nur noch tiefer rot wurde, richtete sich Clarissa auf dem Stuhl auf und sagte befehlsgewohnt: »Komm, Larry, steh auf und zieh dich aus. Zeige uns, was du hast.«

Lawrences Mund klappte auf, und er schaute hilflos von der freundlich lächelnden Clarissa zu Nick, dessen Ausdruck absolut nichts verriet. Aber Clarissa konnte sehen, dass Nick beeindruckt davon war, wie sie das Ruder herumgerissen hatte; sie sah die Bewunderung in seinem Blick, seit sie das Kommando über die Szene übernommen hatte.

Er hatte wieder versucht, sie auszutricksen, sie in eine Lage der Hilflosigkeit zu führen, damit sie es geschehen ließ, dass jemand zuschaute, während er sie befriedigte. Ich würde gern hören, was sich die Jungs in meiner Abwesenheit ausgedacht haben, dachte sie, halb verärgert, halb amüsiert. Nun, das würde sie nie erfahren, denn Nick würde es ihr nie erzählen. Und jetzt soll Lawrence fühlen, was es heißt, von einer anderen Person manipuliert zu werden, dachte Clarissa triumphierend.

Sie forderte ihn mit einer ungeduldigen Handbewegung auf, endlich aufzustehen und sich vor sie hinzustellen, was er zögernd tat. Seine Hände hielten sich an seinen Ellenbogen fest, aber Clarissa fiel auf, dass seine Erektion noch größer geworden war. Der Penis drohte die Hose zu sprengen.

»Komm schon, Larry, du hast meinen Körper bis in den letzten Winkel gesehen, jetzt zeig uns deinen.«

Und so begann Lawrence, ein bisschen bibbernd aber doch sichtlich erregt von Clarissas erotischer Einladung, mit zitternden Händen seine Kleider abzulegen. Clarissa lehnte sich auf dem Stuhl zurück, atmete schwerer als normal und beobachtete genau, wie er das Rugbyshirt über den Kopf zog und das ärmellose weiße Unterhemd abstreifte.

Clarissa bewunderte den kräftigen, sehnigen Oberkörper des Jungen. Nick schien eher gelangweilt zu sein, als ob er das alles schon mal gesehen hätte, aber Clarissa hatte kaum Augen für ihn und konzentrierte sich auf Lawrence, der nun den Reißverschluss seiner Khakihose aufzog. Er ließ sich Zeit dabei und schlüpfte dann aus seiner engen Unterhose.

Als er nackt vor ihr stand, stieß Clarissa einen leisen Pfiff aus, stand auf und ging um den Jungen herum, damit sie ihn aus allen Richtungen bewundern konnte. Das hatte offenbar einen erregenden Effekt auf ihn, denn das prächtige Glied wippte auf und ab, als wollte es Clarissa bei ihrem Rundgang folgen.

Nick saß still auf seinem Stuhl und sah zu, wie Clarissa eine Hand ausstreckte und über die harten Ebenen und Kurven von Lawrences Oberkörper, Schultern und Armen strich, dann bückte sie sich ein wenig und griff in die harten Muskeln seiner prallen Oberschenkel.

Er sah nicht schlecht aus, dachte sie, obwohl er nur ein paar Zentimeter größer war als sie. Den schwarzen Haaren hatte man den typisch militärischen Bürstenschnitt verpasst. Er hatte dünne Lippen, schmale Wangen und eine etwas zu breite Nase, die so aussah, als wäre sie schon mal gebrochen gewesen. Natürlich sah er längst nicht so gut aus wie Nick, aber Clarissa fand, dass er sich nicht zu verstecken brauchte. Sie schaute auf seinen Penis und leckte sich voller Erwartung über die Lippen. Sie sah das Pochen im von dicken blauen Adern durchzogenen Glied und studierte den tiefen Purpur der pilzförmigen Spitze.

Clarissa zog hastig ihre Bluse aus und streifte den Slip ab, dann ließ sie sich auf den Boden nieder und fuhr mit dem

Mund über den Pilzkopf. Sie öffnete die Lippen ein wenig, ließ ihn aber nur einen Zentimeter tief ein. Mit heiserem Seufzen hielt Lawrence voller Hoffnung ihren Kopf gepackt, um ihren Mund tiefer auf den Schaft zu drücken, aber mit einem fast grausamen Lachen löste sich Clarissa von seinem Griff, legte sich flach auf den Boden, öffnete die Schenkel und fuhr mit einer Hand über ihr Geschlecht.

»Zuerst noch ein bisschen davon«, befahl sie lächelnd, und mit einem Ausdruck unbefriedigter Lust, aber doch bald bereit, kniete sich Lawrence zwischen die Beine und strich mit den Lippen über Clarissas Scham.

Während des heißen Spiels hatte sie Nicks Anwesenheit beinahe vergessen, und so war es wie ein Schock für sie, als er aus dem Nichts auftauchte, köstlich nackt und erigiert. Clarissa sah ihn wortlos an, er schwang sich über sie, ließ sich auf die Knie nieder und rutschte so weit nach oben, bis sein Penis auf ihre vollen roten Lippen zeigte. Clarissa öffnete den Mund und zog Nick genussvoll in sich hinein, während Lawrence sie eifrig mit der Zunge reizte.

Sie und Nick bewegten sich in einem Rhythmus, der ihnen beiden behagte. Sie rieb die warmen weichen Lippen an der Länge des pulsierenden Schafts entlang, leckte über die Unterseite und suchte die empfindliche Stelle am Band unterhalb der Eichel.

Dann hatte sie genug von dieser Position, sie schob beide Männer von sich und langte nach einem Kondom, das sie in der Gesäßtasche von Nicks Jeans wusste. Sie saß zwischen den beiden Männern und warf Lawrence, der nach wie vor seine volle Härte zeigte, das Kondom zu.

Clarissa ging auf alle Viere, ihr Mund schnappte nach Nicks Schwanz, und dann wartete sie, dass Lawrence sich hinter ihr platzierte. Sie hatte Nick wieder im Mund und spürte Larrys Härte, die den Weg durch die Kerbe in ihre

Vagina fand. Als er tief in ihr steckte, hielten alle drei kurz inne. Die Männer warteten höflich, dass Clarissa das Tempo vorgab.

Es war ein Abend der erotischen Höhepunkte für Clarissa. Sie war wie in Trance und bedauerte, nicht alle Orgasmen bewusst erlebt und ausgekostet zu haben, weil einer in den anderen überging. Was für eine Verschwendung, dachte sie grinsend, als ihr am Ende des Abends Zeit zum Reflektieren blieb.

Sie steckte so tief in den Bildern dieser ungewöhnlichen Party, dass sie gar nicht bemerkte, dass Larry sich anzog und aus dem Zimmer ging. Irgendwann öffnete sie die Augen und sah Nick an, der ein wenig entfernt von ihr auf dem Boden lag, den Kopf in eine Hand gestützt. Er blickte auf sie hinab, ein sanftes Grinsen im Gesicht. Er streckte die andere Hand aus und fuhr mit einem Finger über die Linien ihres Kinns, dann über die Lippen.

Clarissa saugte den Finger kurz in den Mund, stieß ihn dann mit der Zunge hinaus, setzte sich aufrecht hin und griff nach ihren Kleidern, weil sie sich anziehen wollte. Nick legte seine Hand auf ihre.

»Tu's nicht«, flüsterte er fast flehend, und sie ließ vor Überraschung die Bluse fallen. »Bleibe hier. Geh nicht.«

Clarissa war verdutzt und tief gerührt. »Nick, du bittest mich, die Nacht über bei dir zu bleiben?«, fragte sie leise und fühlte, wie ihr Herz aufging. Sie und Nick hatten noch nie eine Nacht gemeinsam verbracht.

Oder wollte er sich nur vergewissern, ob sein Einfluss auf sie immer noch so groß war? Oder hatte das Geschehen mit ihr und Lawrence ihn endlich eifersüchtig gemacht?

»Ja«, sagte er entschieden, »ja, Clarissa, ich möchte, dass

du bleibst. Schlafe mit mir in meinem Bett. Geh mit mir« –
jetzt grinste er – »morgen früh in den Hörsaal.«

Nicht einmal der Gedanke an die Uni lenkte sie von der
Nähe ab, die sie für ihren Studenten-Liebhaber empfand.
Trotzdem sagte sie: »Das geht nicht, Nick.« Bedauernd
senkte sie den Kopf, dann erhob sie sich und zog sich an. »Du
weißt, dass ich nicht bleiben kann, jedenfalls nicht heute
Abend.«

Als sie angezogen war, ging er mit ihr zur Tür, aber dann
blieb er stehen, lehnte sich gegen die Tür und blockierte mit
seinem Körper ihren Weg. »Clarissa«, begann er, brach aber
ab, als wären ihm Bedenken gekommen, den Gedanken zu
formulieren.

Sie stieß ihn an. »Was, Nick? Was wolltest du sagen?«

Er sah sich unruhig in seiner Wohnung um, dann trafen
sich ihre Blicke, und er sagte brüsk: »Wenn du mit anderen
Männern schlafen willst, will ich dabei sein.«

Sie starrte ihn ungläubig an, dann begann sie zu lachen.
»Ist das der Grund?«, rief sie, und ihr Lachen grenzte an
Hysterie. »Hast du die Szene mit deinem Freund deshalb
ausgedacht, weil du noch über letzte Nacht brütest? Weil ich
nicht zu Hause war? Du glaubst, ich hätte mich mit einem
anderen Mann getroffen und willst nun beweisen, dass ich
dir gehöre?«

Nick sagte nichts, mied sogar ihren Blick und sah jetzt
noch jünger als seine neunzehn Jahre aus. »Na und?«, fragte
er trotzig. »Bist du jetzt sauer auf mich?«

Nun hatte die Hysterie sie gepackt, Ergebnis der nervösen
Spannung, der aufgebrauchten Energie und der sexuellen
Erschöpfung. »Oh, Nick«, keuchte sie schließlich und
wischte sich die Tränen aus dem müden Gesicht. »Ich mag
darüber jetzt nicht nachdenken. Lass uns einfach sagen, dass
es ein sehr interessanter Abend war.« Sie musste über die

Untertreibung lachen. »Wir sehen uns morgen im Hörsaal?« Sie sah ihn scharf an, und ihre Stimme klang strenger, als Clarissa wollte. »Du kommst doch in den Kurs? Es ist die letzte Vorlesung vor den Ferien.«

Er nickte, lächelte fast zärtlich und trat beiseite, damit sie zur Tür gehen konnte. »Gute Nacht, meine Liebe«, flüsterte er, als sie an ihm vorbei ging.

Hatte er wirklich ›meine Liebe‹ gesagt? Sie war sich nicht sicher.

# Achtes Kapitel

Clarissa wachte am nächsten Morgen in ihrem Bett auf, streckte sich vorsichtig und seufzte lächelnd, als sie ein leichtes Wundsein zwischen den Schenkeln bemerkte. Sie fühlte sich glänzend und sehr, sehr sexy. Sie wälzte sich auf den Bauch, barg ihr Gesicht in die Armbeuge und atmete tief ein. Sie nahm immer noch Nicks Körpergeruch wahr, so vertraut war er ihr inzwischen geworden. Sie lächelte wieder, fuhr mit den Fingerspitzen ihre Arme entlang, tastete ihre Muskeln ab, so viel schwächer als Nicks.

An diesem Morgen fühlte sie sich außerordentlich gut, und sie freute sich schon auf ihren Termin im Fitness-Club. In den folgenden Wochen würde sie einige Termine absagen müssen, weil andere Dinge wichtiger waren. Sie strich mit den Fingern über ihre Bauchmuskulatur, testete ihre Kraft und glitt zu den Pobacken, die von den Übungen fest und straff waren. Auch von den Übungen der letzten Nacht, fügte sie grinsend hinzu. Sie war sich der Kraft ihres Körpers mehr bewusst denn je, und sie konnte es kaum erwarten, ihre Muskeln so zu trainieren, dass ihr Körper wieder gefordert wurde.

Aber zuerst die Vorlesung. Clarissa stand auf, um sich auf den Tag vorzubereiten, dann stöhnte sie laut, als sie an die Arbeit dachte, die sich stets in der letzten Woche vor den Ferien anhäufte. Sie war froh, dass dann endlich die Ferien begannen, denn sie brauchte die drei Wochen, um Arbeiten zu bewerten, die noch auf ihrem Schreibtisch lagen.

Sie machte sich auch Gedanken über ihr Manuskript, das ihre Lektorin bearbeitete, deren kritisches Auge manchmal sehr ärgerlich sein konnte. Keine weiteren Nachbesserungen, flehte Clarissa stumm. Sie hatte von der gewöhnlich sehr zuverlässigen Heidi nichts gehört, seit sie das Manuskript abgeschickt hatte. Sie konnte nur beten, dass das kein übles Omen war. Clarissa glaubte nicht, dass es noch etwas gab, was sie hätte einfügen oder ergänzen können, jedenfalls nicht, seit sie den Enthusiasmus nach der denkwürdigen Szene mit Nick und Jessica eingebracht hatte.

Nick.

Clarissa hielt unter der prasselnden Dusche den Atem an, massierte das Shampoo in die Haare und sah wieder Szenen der vergangenen Nacht vor sich. Sie hatte oft daran gedacht, wie es bei einem Dreier zuging – jetzt wusste sie es. Clarissa spülte die Seife aus den Haaren, trat aus der Duschkabine und dachte wieder über Nicks Eifersucht nach.

Er hatte das erhalten, was er wollte, oder? Er hatte das Tableau inszeniert, es war gut für ihn gelaufen, bis er sie angefleht hatte, die Nacht bei ihm zu verbringen. Wenn er noch mit Jessica schlief, und Clarissa hielt das für durchaus möglich, dann hatte er kein Recht, sich in ihre Beziehung mit anderen Männern zu drängen.

Sie verdrängte Nick und seine Eifersucht aus ihrem Kopf und konzentrierte sich auf ihre Vorlesungen. Für sie war es der letzte Arbeitstag vor den Ferien. Im nächsten Moment war Nick wieder da – würde sie ihn in den Ferien sehen? Sie erschauerte bei der Vorstellung, drei Wochen lang auf seine Berührungen verzichten zu müssen. Er blieb bestimmt in der Stadt, oder fuhr er zu seinen Eltern?

Clarissa betrachtete ihr Spiegelbild; der glühende rote Schimmer ihrer Haare bildete einen auffälligen Kontrast zu ihrem schwarzen Kostüm, die Jacke lang und schlank, die

Hose weit und fließend. Wahrscheinlich altersmäßig näher an Nicks Mutter als an Nick, dachte sie und musste lachen. Aber ich wette, seine Mutter würde sich nicht so benehmen wie ich gestern Abend.

Sie zupfte ein letztes Mal an ihrer Jacke. Der violette Farbton ihres BHs war deutlich durch die Bluse zu sehen, aber sie würde den ganzen Tag die Jacke nicht ablegen, deshalb blieb der BH unsichtbar. Sie griff nach einer Banane als Frühstück und wollte gerade gehen, als das Telefon klingelte.

»Hallo«, sagte sie und starrte auf einen braunen Fleck auf der Banane.

»He, Rissa, wir sind aber früh dran heute Morgen!«, dröhnte Julians breite Londoner Stimme durch die Muschel.

Clarissa hielt den Hörer eine Handbreit vom Ohr weg und richtete ihr Stirnrunzeln von der Banane zum Telefon. Dann brachte sie den Mund ganz nah und brüllte: »Musst du am frühen Morgen schon so verdammt fröhlich sein?«

»Entschuldige, Ris, keine Zeit zu klönen«, antwortete sie kurz. »Ich bin auf dem Weg nach unten, denn ich muss für die Frühaufsteher unter den Säufern öffnen. Ich rufe nur an, um dich zu fragen, ob du heute Abend mit mir in die *Glory Box* kommst. Sie hat heute für Besucher geöffnet.«

»Wohin willst du mich einladen?« Clarissa schüttelte den Kopf.

»In die *Glory Box*«, erklärte die Freundin geduldig. »Sie haben ab und zu mal einen Abend für Besucher. Das heißt, Mitglieder können Gäste mitbringen, die sich mal umsehen wollen, und wenn es ihnen gefällt, können sie natürlich dem Club beitreten.«

»Oh, ich verstehe.« Clarissa überlegte, ob dies ihr Ding sein könnte. Sie entschied sich für nein und wollte das auch gerade sagen, als sich Bilder der vergangenen Nacht in ihre Erinnerung drängten. Ja, es konnte sein, dass so ein Club doch ihr Ding war.

»Hallo, Ris, bist du noch da?« Julian musste mit einem metallenen Gegenstand gegen den Hörer tippen, denn in Clarissas Ohren klimperte es.

»Ja, ich bin hier, Jules.« Clarissa schloss kurz die Augen, dann sagte sie ohne Umschweife: »Ja, natürlich, ich gehe gern mit dir hin.« Sie sah auf ihre polierten Nägel und fragte sich, worauf sie sich jetzt schon wieder eingelassen hatte.

»Großartig!«, jubilierte Julian. »Ich hatte gehofft, du würdest ja sagen. Sei um zehn im Pub. Wir bechern ein paar und gehen von dort in den Club, okay?«

Ja, herrlich. Wieder eine lange Nacht, schimpfte Clarissa auf sich selbst. Genau das, was ich brauche. »Klar, Jules. Punkt zehn. Bis dahin. Bye.«

Sie legte den Hörer auf und starrte sich im Spiegel an. Ein Sexclub. War das klug? Sie tupfte mit der flachen Hand auf ihre Locken, nahm die Banane mit und ging zur Tür. Zeit, sich darauf zu konzentrieren, Nick nach der schamlosen Nacht wiederzusehen.


Aber wieder einmal wurde sie von Nick enttäuscht. Er kam nicht in ihren Kurs, obwohl es der letzte vor den Ferien war und obwohl er es ihr gestern Abend versprochen hatte. Sein Fehlen bedrückte sie und erfüllte sie mit einem frustrierten Verlangen, das jedes Mal in ihr aufstieg, wenn sie auf seinen leeren Stuhl sah.

Vergeblich richtete sie ihre Konzentration auf die schwierige Dichte von James Joyces *Ulysses,* ein Text, der sich schon schwer deuten ließ, wenn sie in Hochform war, aber heute erwies er sich als mörderisch, denn ihre Nerven lagen blank, und fast jedes Wort lenkte sie ab.

Obwohl die Klasse sich nur mit einem Auszug befasste, darunter auch Molly Browns berühmter Monolog über die Freuden des Oralsex, hatte Clarissa einfach nicht die Kraft, in die Analyse einzusteigen. Sie verabschiedete ihre Klasse mit einem Lächeln in die Ferien, wünschte allen ein frohes Osterfest und versprach, im nächsten Monat intensiver über den Text zu reden.

Wo war er? Clarissa hastete den Flur entlang und fragte sich, ob sie ihn anrufen sollte, aber dann entschied sie sich dagegen. Sie wollte sich nicht so weit erniedrigen, dass sie einem Studenten hinterherlief.

Nicht zum ersten Mal ärgerte sich Clarissa über die Beschränkungen, die ihre Position ihr aufzwang; wäre sie nur eine Studentin, wäre es ein Klacks gewesen, ihn anzurufen oder sich vor seine Tür zu stellen. Einen Moment lang erlaubte sie sich den Luxus zu träumen – von der absoluten Freiheit, an Nicks Tür zu klopfen, ganz egal, wer sie sah, ihn in aller Öffentlichkeit zu küssen, sogar auf dem Campus.

Aber nein. Sie konnte die Tatsache nicht ignorieren, dass sie so viel älter und seine Lehrerin war, und sie würde sich nicht so tief erniedrigen, dass sie wegen eines Ficks hinter einem neunzehnjährigen Studenten her jagte.

Ihr Beschluss stand, aber es war trotzdem ein herber Schlag für sie, als sie ihn am Nachmittag sah, wie er an der Wand neben ihrem Büro lehnte und fröhlich mit einer Gruppe von drei oder vier Studenten redete, wovon zu ihrem Entsetzen zwei sehr attraktive Frauen waren. Es war nicht möglich, dass er Clarissa übersah, denn sie ging direkt auf die Gruppe zu, nahm die Schlüssel heraus und schloss die Bürotür auf. Clarissa sah ihm ins Gesicht, aber er blieb dabei, sie zu ignorieren.

Absichtlich laut schlug sie die Tür zu, dann ließ sie sich in den Sessel hinter ihrem Schreibtisch fallen, ließ den Kopf sinken und stützte ihn mürrisch mit den Händen. Die Finger tickten rhythmisch gegen ihre Schläfen. Das war genau wie nach dem ersten Mal, als sie miteinander geschlafen hatten, dachte sie verzweifelt.

Für sie stand jetzt fest, dass ihm die letzte Nacht nichts bedeutet hatte. Nur ein törichter Anfall von Zärtlichkeit, resümierte sie verdrießlich. Sie redete sich gut zu und wollte sich zusammenreißen, damit sie sich wieder auf ihre Arbeit konzentrieren konnte, aber das gelang nicht. Der Tag würde vorbeigehen – und kein Nick, und dann würde sie ihn erst nach den Ferien wiedersehen. Drei lange entbehrungsreiche Wochen.

Vielleicht ist der Clubbesuch mit Julian eine Inspiration, dachte sie und räumte ihren Schreibtisch auf. Die exotischen Szenen würden sie garantiert von Nick ablenken.

Natürlich ließ er sich später an diesem Tag bei ihr sehen, und Clarissa wurde fast verrückt vor Freude, als sie seinen typisch schleifenden Gang auf dem Flur hörte. Sie konnte den Eifer in ihrer Stimme nicht zurückhalten, als sie auf sein leichtes Klopfen an die Tür »Herein!«, rief.

Nick stand gebogen wie ein Fragezeichen in der Tür und ließ sie weit auf. Er lehnte sich lässig an ihren Schreibtisch, überflog die Papiere, die da lagen und nahm eine Arbeit mit dem Titel ›Der groteske Körper‹ in die Hand.

»Nun, Clarissa«, sagte er zur Begrüßung, während er die Arbeit wieder hinlegte, »welche Pläne hast du denn während der Ferien? Unternimmst du was in den drei Wochen?«

Clarissa gab vor, ganz entspannt zu sein. »Nicht viel«, sagte sie, zuckte die Achseln und sah ihn unter gesenkten Lidern an. »Und du?«

»Hör zu«, sagte Nick und beugte sich so weit über den Schreibtisch, dass sich ihre Gesichter sehr nahe waren. »Ich gehe morgen für eine Weile weg« – typisch für ihn, er sagt mir nicht, wohin er geht, dachte Clarissa –, »aber heute in drei Wochen, am letzten Ferientag, steigt eine Party bei meinem Vetter. Ich bin dann wieder zurück. Sag, dass du mit zur Party gehst.« Als er sah, dass sie zögerte, fügte er schnell hinzu: »Von der Uni wird keiner dabei sein. Versprochen.«

Clarissa starrte ihn einen Moment lang an. Er wird drei Wochen weg sein? Drei Wochen ohne ihn? Und kein Wort über den gestrigen Abend? Nun, mit seinem Vetter würde sie wenigstens einen von seiner Familie kennen lernen. Dann klingelte es bei ihr: Das war der Tag, an dem sie versprochen hatte, mit Graham zum Pferderennen zu gehen. Nun, das musste sie absagen. Eine Party versprach mehr Spaß. Nein, zum Teufel, es war auch der Abend des Fakultätsessens!

»Es tut mir Leid, Nick«, begann sie langsam, »aber ich muss an dem Abend zu einem Essen der Fakultät gehen, und ich glaube nicht, dass ich . . .«

Er unterbrach sie rasch. »Rissa, die Party fängt erst viel später an, das kannst du dir doch denken.« Dann fügte er leise hinzu: »Bitte, sag ja. Ich möchte wirklich gern, dass du mit mir gehst.«

Sie sah ihn kurz an, geschmolzen von der ungewohnten Wärme. »Eine Party. Im Haus deines Vetters. Natürlich gehe ich mit dir.« Aber noch während sie es sagte, spürte Clarissa ihr Misstrauen. Welchen Trick würde er ihr auf der Party spielen? Wartete ein neues sexuelles Szenario auf sie?

Als ob er ihre Gedanken erraten hätte, stellte sich Nick vor sie und wartete darauf, dass sie weiterredete.

»Nick«, sagte Clarissa langsam, weil sie auch nicht genau wusste, was sie sagen sollte, »wegen gestern Abend . . .«

»Ja?« Nick hob eine Braue und wartete.

Clarissa fielen die richtigen Worte nicht ein. Sie konnte ihn nur mit großen Augen verlangend ansehen, und ohne lange nachzudenken, schlang sie die Arme um seinen Hals zog seinen Kopf nach unten und presste ihre Lippen auf seinen offenen Mund. Ihre Zunge rieb sich mit seiner, und seine Hände griffen unter ihre Jacke und schmiegten sich um ihre Brüste.

»Clarissa! Was, um alles in der Welt, machst du da?«

Graham! Hektisch löste sie sich von Nick, das Gesicht rot übergossen. Oh, Gott, die Tür stand offen! Unwillig hob sie den Kopf und sah Graham an, der ausdruckslos in der Tür stand. Was hatte er gesehen? Wie lange stand er schon da?

Lange genug, schien es. Graham musterte Nicks schlanke Gestalt mit einem verächtlichen Blick. »Ist das einer deiner Studenten?«, fragte er.

Clarissa war dankbar für Nicks rasche Reaktion. »Vielen Dank für Ihre Hilfe bei meinem Essay, Dr. Cornwall«, sagte er höflich und ohne Spur von Ironie. »Ich werde jetzt gehen. Schöne Ferien.« Er schritt zur Tür, an Graham vorbei, ohne ihn auch nur anzusehen.

Sie räusperte sich. War ihr Lippenstift verschmiert? »Das ist eine Überraschung«, sagte sie so freundlich wie möglich. »Was führt dich zur Uni?«

»Ich wollte ein paar Termine mit der Physikabteilung absprechen. Wie ich dir schon am Telefon gesagt habe« – er hatte sich von seinem Schock erholt, keine Spur mehr von Verachtung oder Misstrauen –, »sind wir daran interessiert, mit jungen Leuten aus dem Leistungskurs zu sprechen, um ihnen in unserer Firma eine Chance zu geben.« Er suchte nach irgendwas in ihrem Gesicht und fügte hinzu: »Dann habe ich mir gedacht, ich könnte dich vielleicht zu einem verspäteten Mittagessen einladen, wenn du, ahem, frei bist.«

Mittagessen mit Graham! Clarissa konnte sich nur wenige Dinge vorstellen, die ihr noch weniger behagen würden. Sie hatte noch den Geschmack von Nicks Kuss im Mund, und ein Vergleich zu Graham drängte sich geradezu auf. Es gab nichts, was für ihren Ex sprach.

Seine blonden Haare waren streng zurückgekämmt – ihr war noch nie aufgefallen, wie dünn sie geworden waren –, der Knoten seiner Paisleykrawatte saß korrekt am Kragen des frisch gebügelten weißen Hemds, und den teuren Mantel aus Kaschmir trug er adrett gefaltet über dem Arm. Er war die Verkörperung eines kühlen leitenden Angestellten, und sie konnte sich kaum vorstellen, dass er beim Militär war – bei dem auch Larry Hoffman Karriere machen wollte.

»Tut mir Leid, Graham«, sagte sie lieb, »ich habe schon gegessen. Trotzdem vielen Dank.«

»Ah.« Graham faltete den Mantel sorgsam auseinander, weil er ihn anziehen wollte, aber dann hielt er inne. »Was das Rennen angeht ...«

»Tut mir Leid, Graham«, sagte sie wieder, noch süßer als vorher, »aber ich werde es tatsächlich nicht schaffen. Es sind noch andere Dinge aufgetaucht, die ich dringend erledigen muss an diesem Tag.«

Graham trat einen Schritt auf sie zu und starrte ihr in die Augen. »Andere Dinge sind aufgetaucht?«, wiederholte er mit gehässiger Stimme. »Andere Dinge mit dem Studenten vielleicht, dessen Zunge ich eben in deinem Hals gesehen habe?«

Es war sehr ungewöhnlich für Graham, so derb zu reden, dachte Clarissa ungläubig. Was war los mit ihm?

»Das geht dich nichts an«, sagte sie spröde, stand auf und gab ihm deutlich zu verstehen, dass er gehen sollte. »Du wirst eine andere kleine Frau finden, mit der du deinen Boss beeindrucken kannst.«

Aus irgendeinem Grund schien sie bei ihm einen Nerv getroffen zu haben. Er packte ihr Handgelenk und zeigte eine Aggression, die für ihn völlig untypisch war. Sie stand ein paar Sekunden starr und reglos da, dann versuchte sie erfolglos, ihn abzuschütteln. »Bitte, lass mich los«, sagte sie scharf.

Aber er verstärkte noch den Druck um ihren Arm, zog sie auf die Füße und brachte ihr Gesicht ganz nah an seins. »Hör mir gut zu, Clarissa. Ich kann dir nur raten, mich bei dieser wichtigen Gesellschaft unserer Firma zu begleiten. In dieser Universität habe ich viele Freunde, das weißt du, und sie wären gar nicht erfreut, von deinen, nun, sagen wir, von deiner Beschäftigung außerhalb des Lehrplans zu erfahren.« Er schniefte.

Nie war ihr Graham mehr zuwider gewesen als jetzt. Gemein und aggressiv, hässlich und dominant. Entsetzt stieß sie ihn zurück.

»Du drohst mir?«, fauchte sie voller Verachtung. »Wie kannst du es wagen!« Aber in ihre Wut mischte sich auch ein wenig Furcht, und Graham schien das zu bemerken.

Er hatte sich wieder gefasst und schien sicher zu sein, sie überzeugt zu haben. Mit einem zufriedenen Lächeln zog er sich den teuren Mantel an, wischte ein imaginäres Staubkorn weg, drehte sich auf dem Absatz um und ging zur Tür. Dort blieb er noch einmal stehen und zeigte mit ausgestrecktem Arm auf Clarissa.

»Pferderennen«, sagte er nur, öffnete die Tür und warf sie hinter sich ins Schloss.


Später an diesem Tag trat sie wütend in die Pedale in ihrem Fitness-Club. Sie blies sich die Haare aus dem Gesicht und wischte sich den Schweiß von der Nase. Sie suhlte sich in ihrer schlechten Laune, die noch dadurch verstärkt wurde, dass sie das Treten der Fahrradpedale hasste. Sie benutzte viel lieber die Stufenleiter, auf der sie ihre Gesäßmuskeln straffen konnte, aber diese Geräte waren alle belegt, deshalb hatte sie sich zum Fahrrad verdonnert. Der Sitz rieb gegen ihren Schoß, der von gestern Abend noch wund war, und ihre Qualen nahmen mit jeder Pedaldrehung zu.

In ihrem Kopf spulte sie noch einmal die Szene im Büro mit Graham ab, aber diese Bilder verschlechterten ihre Laune noch mehr.

Wie konnte er es wagen, in diesem Ton mit ihr zu reden? Was bildete er sich ein, ihr zu drohen, wenn sie ihn im Stich und das verflixte Grand National sausen ließ? Sie knirschte mit den Zähnen und verstellte den Druck auf die Pedale mit dem Zeigefinger. Verdammt, jetzt hatte sie sich auch noch ein Stück des Nagels abgebrochen! Was, zum Teufel, war Graham in den Kopf gefahren?

Als sie ihn kennen lernte, hatte Graham sie mit seiner Sanftheit und Höflichkeit beeindruckt, mit seinem Intellekt, seinem Witz und seiner Sammlung von Single Malt Whiskys. Sie dachte, er wäre genau das, was sie brauchte: Ein sehr gut erzogener gebildeter Gentleman mit einer Begeisterung für seine Arbeit, und fast alles traf auch auf sie selbst zu, dachte Clarissa, wenn sie auch nie begreifen konnte, dass er für die Militärindustrie arbeitete.

Aber sie konnte sich mit ihm sehen lassen, er war alles andere als kompliziert, er war großzügig und dankbar, wenn auch manchmal etwas gönnerhaft herablassend. Im Laufe der Beziehung begann sich Clarissa bei ihm zu langweilen, sein glatter Charme und sein ständiges Reden über seine Arbeit genügten ihr nicht mehr. Sie sehnte sich nach einem, der lockerer war als er, jemand, der ihre Schwäche für amerikanische Actionfilme verstand, für Heavy Metal Rock und ab und zu für einen kitschigen Liebesroman. Sie mochte zwar eine Akademikerin sein, dachte sie, während sie den verdammten Treter ausschaltete, aber sie war wenigstens nicht verstaubt, eingebildet oder hochgestochen. Graham ging ihr mit seinem Bildungsdünkel auf den Geist. Sie wollte jemanden haben, der anders als sie selbst war, einer wie Nick zum Beispiel, der, wie sie Julian gesagt hatte, fast das genaue Gegenteil von ihr war. Sie und Graham hatten sich in aller Freundschaft getrennt.

Sie begann die Fünf-Kilo-Gewichte zu stemmen, um die Bizeps auszubilden, und dachte darüber nach, wie Graham sich verändert hatte. Immer sanft, immer rücksichtsvoll, im Bett und außerhalb, schien er kaum der Typ zu sein, der die Software für Militärwaffen entwarf. Als Liebhaber hatte er eine reife Technik; mühelos fand er ihren G-Spot, von dem sie nie geglaubt hatte, dass sie ihn überhaupt besaß, ehe sie Graham kennen lernte.

Nick war der einzige andere Mann, der es mit Graham aufnehmen konnte, obwohl Clarissa inzwischen glaubte, die wilden Orgasmen, die sie bei Nick erlebte, resultierten aus ihrer Besessenheit für ihn, während Graham lediglich das Sexhandbuch auswendig gelernt hatte.

Sie schlenderte hinüber zu einem anderen Gerät, das die Brustmuskulatur stärken sollte, und schob Graham aus ihren Gedanken. Sie würde nicht zum Grand National gehen, egal, womit er ihr drohte; sie ging davon aus, dass die missliche Situation aus der Welt war, sobald sein Verstand einsetzte. Sie würde jetzt die Quälerei beenden und Julian wie geplant im Pub treffen, und spätestens dann würde sie Graham und sein rüdes Benehmen vergessen haben.

Als Clarissa sich im *Head* sehen ließ, hatte sie sich verspätet, was ihr nicht oft passierte, aber sie hatte zwanzig Minuten damit vergeudet, über das nachzudenken, was sie anziehen sollte. Sie wusste einfach nicht, was man zu einem Besuch im Sexclub trug, besonders, weil sie ja nur als Tourist in den Club ging. Sie hätte Julian am Morgen danach fragen sollen, aber das hatte sie vergessen. Schließlich entschied sie sich für den Hosenanzug, den sie auch tagsüber getragen hatte, eine andere Bluse und frische Wäsche. Aber als sie jetzt den Pub betrat, war sie nicht sicher, ob sie die richtige Entscheidung gefällt hatte.

»He, schau sie dir an!«, rief Julian von ihrem Platz hinter der Bar. »So was hat man früher ›kesser Vater‹ genannt.«

Clarissa setzte sich auf ihren Lieblingsplatz neben der Registrierkasse und lehnte sich über den Tresen. »Warum schreist du das nicht noch ein bisschen lauter, Jules?«, fuhr sie die Freundin verärgert an. »Hinten stehen noch ein paar Leute, die es nicht gehört haben.«

»Du wirst dich heute Abend vor Einladungen nicht retten können, Lady«, neckte Julian und strich mit dem Finger über das breite schwarze Revers von Clarissas Jacke. »Ehrlich, Ris, du solltest überlegen, ob du nicht was anderes anziehen willst. Ich bin nicht sicher, ob du die Signale ausschicken willst, die dieses Kostüm geradezu einlädt.«

»Aber was soll ich anziehen?«, jammerte Clarissa. Schon jetzt hatte sie keine Lust mehr und wäre am liebsten nach Hause gegangen.

»Haut«, sagte Julian.

»Julian, ich werde nicht nackt gehen«, sagte sie hastig, aber ihre beste Freundin lachte laut auf und schüttelte den Kopf.

»Ich meine Leder, du Dummchen«, kicherte sie und strich Clarissa liebevoll über die Wange. »Gehen wir hinauf. Ich habe was, das kannst du gut tragen. Bill, übernimmst du?«, rief sie über die Schulter.

In Julians Wohnung hielt sich Clarissa schüchtern zurück, als die Freundin sich mit wenigen Handgriffen aus ihrer Kleidung schälte. »Ich muss mich auch noch umziehen«, erklärte sie außer Atem und riss sich den gestreiften Pulli über den Kopf. Als sie ein schwarzes Outfit in Leder aus dem Schrank holte und es mit einer weit ausholenden Geste präsentierte, wich Clarissa erschrocken zurück.

»Niemals«, verkündete Clarissa, schüttelte den Kopf und wandte sich zum Gehen. »Ich mach mich dünn.«

»Nicht für dich, sondern für mich.« Julian kicherte wieder und amüsierte sich über Clarissas offensichtliche Naivität. »Du legst ja keinen Wert darauf, heute Abend zum Zuge zu kommen, aber ich will.«

So blieb Clarissa nichts anderes übrig, als verblüfft dabei zuzusehen, wie Julian sich in das anschmiegsame Leder zwängte, die langen dünnen Beine hoch und über den flachen Bauch, bevor sie sich ein Lederband mit Nieten um den Hals legte. Als sie angezogen war – wenn man es so nennen konnte –, stand Clarissa verdutzt da und konnte die Freundin nur bewundernd anstarren.

Julian trug einen hautengen Catsuit mit Löchern in der Taille und auf dem Bauch, wo der neu gepiercte Nabel zu sehen war, dessen Goldring kräftig glänzte. Julians Brüste waren in kleine Halbkörbchen gefasst, die sie nach oben und zusammen drückten, wodurch sich dazwischen ein tiefes Tal bildete, das vortäuschte, Julian hätte mehr, als sie hatte. Dünne Bänder liefen von den Schultern zu den Ärmeln, die erst über den Ellenbogen ansetzten und bis zu den Fingern reichten. Dort endeten sie in kleinen schwarzen Ringen.

Es war, musste Clarissa einräumen, ein sehr originelles Outfit, dessen Anziehungskraft noch durch scharfe kleine

Silbernieten um Brüste und Scham erhöht wurde. Unter den Nieten im Schritt befand sich ein Reißverschluss, »aber den halte ich geschlossen – vorerst«, sagte Julian lachend. Hohe schwarze Stiefel mit scharfkantigen Absätzen rundeten das Outfit passend ab. Ein bisschen Furcht einflößend, dachte Clarissa, und dieser Eindruck verstärkte sich noch, als sie sah, wie Julian eine zusammengerollte Peitsche aus dem Schrank nahm, und wieder wäre Clarissa am liebsten nach Hause gegangen.

»Heute Abend«, sagte sie im strengen Ton und ließ die Peitsche knallen, »ist die Lederknute nur Schau. Ich bin, liebste Rissa, nur deine Tourführerin, Zuschauerin wie du. Diese Peitsche wird keine Haut berühren, das verspreche ich dir.«

»Ich dachte, du willst jemanden abschleppen«, sagte sie misstrauisch und äugte nervös auf die Peitsche.

»Nur wenn du auch was findest.« Julians Grinsen hatte jetzt was Satanisches an sich. Als Clarissa entschieden den Kopf schüttelte, ließ Julian die Peitsche fallen und ging auf die Freundin zu. »Ich habe doch nur einen Spaß gemacht«, sagte sie und legte eine Hand auf Clarissas Arm. »So, nun ziehen wir dich an.« Sie zeigte auf das Kostüm der Freundin und sagte: »Zieh dich aus.« Als Clarissa reglos da stand, musste Julian lächeln und fügte hinzu: »Schon gut, ich sehe nicht hin.«

»Ach, du bist verrückt.« Clarissa wollte locker sein, und tatsächlich störte es sie nicht, sich vor der Freundin nackt auszuziehen. Sie hatten sich schon oft nackt gesehen, wenn sie bei Julian übernachtet hatte. Aber sie hatte keine Ahnung von dem, was Julian für sie zum Anziehen ausgesucht hatte. »Kein Leder, okay?«

Julian betrachtete sie einen Moment nachdenklich, dann ging sie zum Schrank und warf ihr etwas Rotes, Glänzendes zu. Clarissa stellte erleichtert fest, dass es sich um einen kurzen Rock aus PVC und ein passendes Top mit langen Ärmeln und einem Reißverschluss handelte. »Probier das mal an, Clarissa«, schlug Julian vor.

Zögernd trat Clarissa in den kühlen glatten Rock und zog ihn zur Taille. »Hilfe, ich kann nicht atmen«, keuchte sie und schaffte es kaum, den Rock zu schließen.

Julian lachte wieder und schüttelte den Kopf. »Reg dich nicht auf, er streckt sich.«

Clarissa bezweifelte das. Sie hoffte, sie würde nicht allzu sehr schwitzen, denn das musste in der engen Kleidung sehr unangenehm sein. Sie betrachtete sich mit dem kurzen Rock im Spiegel. Er reichte gerade bis über die Pobacken. »Jules, das Ding ist aber sehr kurz«, murrte sie und zog den Saum nach unten. »Wie passt er dir mit deinen langen Beinen?«

Julian grinste breit. »Er bedeckt genau die Pflaume«, sagte sie stolz. Sie wies auf das Top. »Jetzt das noch.«

Clarissa konnte sich nicht vorstellen, dass ihr das Oberteil passen sollte. Sie war zwar zehn Zentimeter kleiner als die Freundin, aber sie hatte auch fünf oder sechs Zentimeter mehr Umfang. Erst jetzt stellte sie fest, dass sich die Reißverschlüsse nicht bedienen ließen, sie waren nur zum besseren Aussehen da. Fragend sah sie Julian an.

»Leichter Zugang«, erklärte die Freundin fröhlich. Clarissa stieß einen Zischlaut aus, aber es blieb ihr nichts anderes übrig, als das Ding anzuziehen. Sie sah sofort, dass ihr Top viel zu tief ausgeschnitten war, um darunter einen BH zu tragen; die türkisfarbene Spitze der Wäsche war gut zu erkennen. Schulterzuckend und scheinbar lässig hakte sie den BH auf, ließ ihn zu Boden fallen und zog das Top über die nackten Brüste. Das kühle glatte PVC fühlte sich weich und geschmeidig auf der blanken Haut an, und ungewollt lief ein lüsterner Schauer über ihren Rücken.

»Fühlt sich gut an, was?«, fragte Julian im Stil einer guten Verkäuferin. »Und nun die schwarzen Strümpfe.« Sie zeigte auf die schwarzen Strapse, aber Clarissa schüttelte sofort den Kopf.

»Unter dem Rock ist kein Platz für irgendetwas«, sagte sie entschieden.

»Oh. Also gut.« Mit einem resignierenden Seufzer ließ Julian die Strapse fallen und kramte in einer Schublade. Sie hielt schwarze Holdups, am Saum mit Spitze verziert, hoch. »Besser?«, fragte sie schmollend.

Sie hatte ein ungutes Gefühl, als sie die Strümpfe die Beine hoch rollte. Ja, sie hatte es gewusst: Zwischen dem Ende der Strümpfe und dem Saum ihres Rocks blieb eine Handbreit Haut, aber sie traute sich nicht mehr, Julian noch einmal vor den Kopf zu stoßen. »Es geht eben nicht anders, was?«, murmelte sie und zog die Stiefeletten an, dies sie den ganzen Tag getragen hatte.

»Fertig?«, fragte Julian, während sie Schwärze um die Augen auftrug. Sie drehte sich nach der Freundin um und sagte: »Ja, ich glaube, wir sind bereit.« Sie stellte sich neben Clarissa, die sich kritisch im Spiegel betrachtete, und dann sahen sich die beiden Frauen gegenseitig an; Julian in ihrem Furcht einflößenden Leder und Clarissa im glänzenden PVC. Einen Moment nahmen sie das Bild schweigend in sich auf, dann zupfte Julian die Freundin am kurzen roten Rock.

»Komm«, sagte sie, »du fährst.«

Es war ein ständiger Jux zwischen ihnen: Julian fiel mit beschämender Regelmäßigkeit durch den Führerscheintest, und Clarissa wollte sowieso lieber die Kontrolle behalten, also war sie froh, dass sie fahren musste.

Sie holte die Schlüssel aus der winzigen Tasche und fühlte ein Flattern im Bauch, ob vor Angst oder Erregung, wusste sie nicht zu sagen. Vielleicht ein bisschen von beidem.

## Neuntes Kapitel

Es war schon nach elf, als sie im Club eintrafen. Clarissa war ein oder zwei Mal während des Tages an *The Glory Box* vorbeigefahren, aber jetzt bei Nacht stockte ihr der Atem von dem unheimlichen und düsteren Bild, das der Club bot. Er lag am Stadtrand in einer nicht sehr vornehmen Gegend und befand sich in einem großen Steinhaus, von dem es hieß, dass es früher mal eine Kirche gewesen war, wobei Clarissa das eher als gezielt gestreutes Gerücht ansah. Oben gab es ein Tattoo-Studio, für das ein schwarzes Schild warb und das offenbar noch geöffnet hatte.

Als Clarissa neben ihrer Freundin den Club betrat, hielt sie Julians Arm fest – nicht den mit der Peitsche – und flüsterte: »Lass mich nicht allein.«

Julian tätschelte sie tröstend. »Keine Sorge«, antwortete sie, »ich lasse dich nicht aus den Augen.«

Drinnen war Clarissa beruhigt, dass *The Glory Box* auf den ersten Blick jeder anderen gut besuchten Bar glich. Hell beleuchtet, Gäste tanzten zu fröhlicher Musik, und um die lange Eichentheke drängten sich Männer und Frauen, die auf den ersten Blick ganz normal schienen, obwohl viele von ihnen solche bizarren Kostüme trugen, mit denen sie Julians noch übertrafen.

Viel Leder, viele Nieten, viel Haut. Kostüme mit Federn, mit Teufelshörnern und Teufelsschwänzen, mit Halbmasken und mit Vampirumhängen. Eine Frau trug ein langes blaues Ballkleid aus Seide.

Julia führte Clarissa, die nicht wusste, wohin sie zuerst

153

schauen sollte, weg von einem stark tätowierten Mann, der ein Kostüm eines Revuegirls aus den zwanziger Jahren trug und eine blinkende rote Spange an die Schulter von Clarissas PVC-Top heftete.

Clarissa sah verärgert auf die Spange. »Noch mehr rot?«, murmelte sie stirnrunzelnd. »Sie passt nicht zu meinen Haaren.«

Julian lachte. »Rot, Baby, bedeutet ›nein‹. Deine Spange sagt den Leuten, dass du nicht zum Spielen hier bist, nur um zu gucken. Eine Touristin eben und deshalb tabu.« Julian hatte plötzlich eine grüne Spange in der Hand und wollte sie sich anheften.

»He, was tust du da?«, rief Clarissa entsetzt, und als sie die grüne Spange sah, schüttelte sie den Kopf. »Nein, das geht so nicht. Du bist ebenso tabu wie ich. Willst du mich der Meute ausliefern, während du einen suchst, den du mit der Peitsche traktieren kannst?«

»Bitte?«, bettelte Julian und hielt die Spange fest in ihrer Hand. »Oder kann ich eine gelbe tragen? Das heißt, dass ich es mir noch überlege.«

»Nein«, sagte Clarissa streng. Sie zwang Julians Finger auf und holte die grüne Spange heraus, dann suchte sie eine rote Spange im Korb, der auf der Theke stand und hielt inne. An Julians Outfit gab es kaum eine Stelle, wo sich was anheften ließ, aber schließlich befestigte sie die rote Spange an dem Band an der Schulter.

»So ist es gut«, fand Clarissa. »Jetzt suchen wir uns was zu trinken.«

Sie nippte an ihrem ›Sex am Strand‹, einer der etwas zurückhaltender getauften Cocktails, und folgte Julian, die sich einen Weg durch die Menge bahnte und hier und dort anhielt, um Liebhaber und Freunde zu begrüßen und darauf achtete, dass sie Clarissa jedes Mal vorstellte, die wiederum gab sich alle Mühe, nicht verlegen oder entsetzt auszusehen und die eigenwillige Sammlung von Julians Freundinnen und Freunden anzulächeln. Einige von ihnen hatte Clarissa oft im *King's Head* gesehen.

Nach ein paar Minuten und bei ihrem zweiten Cocktail begann sich Clarissa zu entspannen. Trotz der Kleider, die die Clubmitglieder trugen, stellte sie bald fest, dass sie liebe und warmherzige Menschen waren, die ihre Nervosität zu spüren schienen und sich anstrengten, dass sie sich wohl fühlte. Einige scherzten über die eigene Aufmachung, und sie lachte mit ihnen.

Die meisten Leute trugen grüne Spangen, mit denen sie ihre Bereitschaft signalisierten, aber sie respektierten auch Clarissas Signal, und ihr kam die rote Spange ein bisschen albern vor, eine unnötige Belastung. Mit dem Drink in der Hand und Julian neben sich fühlte sie sich absolut wohl und genoss ihren Ausflug in die Unterwelt.

Die letzte Nacht mit Lawrence und Nick schien Millionen Jahre entfernt, ebenso Graham mit seinen hässlichen Drohungen, sie bloßzustellen. Sie erwischte sich sogar dabei, wie sie sich ein paar Männer anschaute, als sie durch die tanzende Menge schritt. Auch wer nicht tanzte, bewegte sich rhythmisch im Takt der Musik. Der Kontrast des harten Leders zu der verletzlichen Haut reizte sie, wobei die entblößte Haut sich an nicht immer sofort erkennbaren Stellen befand, am Muskel des Oberarms, ein Dreieck dicht über dem Gesäß, ein blanker Streifen auf dem Oberschenkel.

Clarissa konnte den Blick nicht von einem Schwarzen wenden, der besonders sexy aussah. Seine ebenholzfarbene Haut schimmerte von einem schlichten weißen Shirt, dazu trug er Levi's. Julian knuffte sie in die Seite. »Es geht noch weiter«, sagte sie und zog Clarissa mit sich. »Hör auf zu lechzen.«

»Wohin gehen wir?« Clarissa wollte eigentlich nicht weg, die Atmosphäre gefiel ihr. »Können wir nicht bleiben und ein bisschen tanzen?«

»Wir können später hierhin zurück«, bot Julian an und zog sie am PVC-Ärmel mit sich.

Clarissa warf einen sehnsüchtigen Blick auf den jungen attraktiven Mann, gerade noch rechtzeitig, um zu sehen, wie er hingebungsvoll einen gehörnten roten Teufel küsste. Sie hob die Schultern und folgte Julian. Kurz darauf fand sie sich in einem langen schmalen Flur wieder, mit Spiegeln an beiden Seiten. Die Barmusik war nur noch leise zu hören, und dann trat eine etwas unheimliche Stille ein. Die Frauen bogen um eine Ecke und standen vor einer Holztür mit einem großen schwarzen Türklopfer aus Metall.

Julian schlug den Ring laut gegen das Metall. Clarissa hörte das Rasseln von Schlüsseln und stellte sich nervös hinter Julian, die aber rasch zur Seite trat, sodass Clarissa vor der Tür stand.

»Wo sind wir?«, raunte Clarissa.

»Hier ist das Verlies«, flüsterte Julian und lachte makaber. Clarissa versteifte sich, als die schwere Holztür von innen langsam aufgezogen wurde. Ein großer Baum von einem kahlen Kerl stand da. Speckrollen im Nacken und Piercings in Ohren, Nase und Augenbrauen. Er trug eine seltsame Tunika aus Leder, die bis zu den nackten behaarten Knien reichte und so aussah, als käme sie direkt aus der Römerzeit, und dazu passte auch das Schwert in der Scheide in Hüfthöhe.

Der Mann starrte Clarissa boshaft an. Sie duckte sich unter den brutal aussehenden Augen und wäre am liebsten weggerannt, aber zu ihrer Verblüffung sah er dann auf ihre Freundin, die hinter Clarissa getreten war und nun mit einem bösen Glitzern in den Augen vortrat.

Das Gesicht des Mannes leuchtete auf wie der Trafalgar Square, und Clarissa brachte keinen Ton heraus, als der Mann vor Julian auf die Knie fiel. »Herrin«, rief er laut und küsste Julians Stiefelspitzen.

Mit einem fürchterlichen Peitschenschlag trat Julian den Mann beiseite und gab Clarissa zu verstehen, dass sie ihr folgen sollte. »Aus dem Weg, Sklave«, fauchte sie den Mann an, und er richtete sich mit einer Geschwindigkeit auf, die man ihm bei seinem Umfang nicht zugetraut hätte.

Jetzt ängstigte sich Clarissa noch mehr, sie blieb dicht bei der Freundin und wollte sich hinter ihr verstecken, aber Julian schob sie mit einem amüsierten Lachen nach vorn und führte sie zu einer schmalen Holztreppe. Es war also kein Scherz, dass sie *The Glory Box* eine Unterweltbar nannten, dachte Clarissa und hielt sich am kalten Geländer fest, als sie die wacklige Treppe hinunterging. Am Fuß der Treppe blieb sie stehen, sah sich einen Moment um und riss vor Staunen den Mund weit auf.

»Sehet, das Verlies«, verkündete Julian dramatisch.

Und was für ein Verlies! Clarissa glaubte sich in eine Szene von Dantes *Inferno* versetzt. Seine Beschreibung passte genau auf diesen Ort. Trübe Beleuchtung, hohes gewölbtes Deckengemäuer und keine Fenster. Brennende Kerzen in metallenen Haltern in den Nischen. Leute waren in Eisen gelegt, auf sich bewegende Räder gebunden, über seltsamen Holz-Leder-Geräten gebeugt oder standen auf Vorrichtungen, die an Schafotte erinnerten. Misstönende Rockmusik pumpte aus den Lautsprechern, aber selbst über den Bässen hörte man das Wimmern und Stöhnen der Opfer und das Knallen der Peitschen.

Für einen Moment verließ Clarissa die schützende Seite von Julian und ging tiefer in das Verlies hinein. Sie wollte sich alles ganz genau ansehen. Je näher sie den einzelnen

Szenen kam, desto deutlicher wurde ihr, dass es nicht der Schmerz war, der die Opfer wimmern und stöhnen ließ – es war die Lust, obwohl es eine eigenartige Lust sein musste, und Clarissa glaubte nicht, dass sie Gefallen daran finden könnte.

In einer Ecke blieb sie stehen und starrte auf eine Frau, die über ein springendes Holzpferd gebeugt war, Hände und Füße an die vier Beine gebunden. Sie trug einen mit Rüschen besetzten viktorianischen Unterrock, nur der Po war nackt, weil die Unterhose bis auf ihre Knie gezogen war. Ein Mann in einem weiten Umhang schritt hinter ihr hin und her. Seine schwarzen Stiefel klackten laut auf den Boden, während er die Beschaffenheit einer Birkenrute mit den Händen testete.

Clarissa wandte sich an Julian. »Stört es sie, wenn ich mir das aus der Nähe ansehe?«, fragte sie besorgt. Sie wollte die Lust der anderen nicht stören, ganz egal, wie verrückt diese Lust auch war.

Julian schüttelte den Kopf. »Überhaupt nicht. Eher im Gegenteil.« Sie zeigte mit einer weit ausholenden Bewegung des Arms auf das Verlies. »Der entscheidende Punkt bei all diesen Leuten, die ihr Ding ausleben, wird erst dadurch erfüllt, dass sie ihren Kick öffentlich leben können. Andere sollen zuschauen; sie gewinnen einen Teil ihrer Lust daraus, dass sie gesehen werden.« Sie dachte einen Moment nach. »Was sie tun, wird erst real durch die Zuschauer.«

Clarissa musste an ihr Erlebnis in der vergangenen Nacht denken. Es hatte ihre Lust gesteigert, dass Lawrence und Nick ihr zugesehen hatten, deshalb nickte sie begreifend. Wenn die aktiven Mitglieder hier unten ihre Gefühle noch intensiver erleben konnten, wenn sie zusah, dann würde sie gern bleiben.

Sie trat näher heran. Weder der Mann noch die Frau sahen

in ihre Richtung, sie schienen sie überhaupt nicht wahrzunehmen. Clarissa sah aber, dass ihre Bewegungen entschiedener wurden, als wollten sie ihre Aufmerksamkeit erregen. Die Frau zerrte an ihren Fesseln, was nur dazu führte, dass ihre Unterhose weiter nach unten rutschte, und der Mann warf sich in Positur.

»Siehst du«, erklärte Julian, »ein Teil der Anziehungskraft liegt im überzeugenden Schauspiel, das sie aufführen. Es sind natürlich keine Schauspieler, weil das, was sie tun, echt ist, aber die Schau gehört hier im Verlies dazu. Was sich hier unten abspielt, ist der normalen Welt entrückt. Wir wollen, dass jeder Zuschauer etwas Besonderes erlebt.«

Clarissa bemerkte, dass ihre Freundin von ›wir‹ sprach.

»Außerdem«, fuhr Julian fort, »bringt es natürlich für alle Beteiligten Sicherheit, wenn die Spiele in der Öffentlichkeit stattfinden. Es gibt Zeugen, die dafür sorgen, dass nichts außer Kontrolle gerät. Hier geschieht nichts, was die Leute nicht wollen. Aber schau jetzt hin.«

Clarissa hatte noch nie gehört, dass Julian so eloquent reden konnte. Sie betrachtete die Freundin mit einer ganz anderen Neugier.

»Küsse die Rute, die dich schlagen wird«, sagte der Mann zu der Frau, und er sprach so laut, dass Clarissa es hören konnte. Er legte die Birkenrute auf den Mund der Frau. »Zeige der Rute dein Verlangen nach ihren Küssen, zeige der Welt deine Bereitschaft, dich zu unterwerfen.«

Gehorsam und voller Eifer drückte die Frau ihre Lippen gegen die Birkenrute und hinterließ rote Spuren der Farbe ihres Stifts. Dann legte sie den Kopf auf den Pferderücken, sie schloss die Augen und atmete langsam ein.

Die Rute klatschte, und Clarissa fuhr fast aus ihrer Haut, so sehr hatte sie sich erschrocken. Sie hätte nie gedacht, dass solche dünnen Gerten so laut sein konnten. Verdutzt blickte sie auf den Po. Sie hätte auch nie gedacht, dass die Birken solche roten Striemen auf der Haut hinterließen. Clarissa hielt den Atem an und zuckte zusammen, als der Mann den Arm hob, während die Frau sich gegen ihre Fesseln wehrte und rief: »Nicht weiter! Bitte, nicht noch mehr!«

»Warum hört er nicht auf?«, zischte Clarissa wütend und wandte sich an Julian. Am liebsten wäre sie zu dem Mann gelaufen und hätte ihm die Rute aus der Hand gerissen. »Sie hat ›nein‹ gesagt.«

Julian schüttelte den Kopf und legte eine warnende Hand auf Clarissas Arm. »Warte«, sagte sie leise.

Wieder hob der Mann den Arm, und Clarissa verzog das Gesicht, als sie sah, dass der Mann auf die empfindliche Region unterhalb der Backen zielte. Und doch konnte sie den Blick nicht wenden, so sehr es sie auch schmerzte, das seltsame Geschehen zu verfolgen. Die klassische Szene von Dominanz und Unterwerfung hatte eine Faszination, der sich Clarissa nicht entziehen konnte.

Immer wieder schrie die Frau auf, doch der Mann schlug weiter zu, manchmal auf die Backen, dann auf die Schenkel und einige Male auch direkt auf ihr Geschlecht. Er begann zu schwitzen, warf sein Cape ab und rollte die Ärmel seines weißen Hemds hoch, das in der Hose des Smokings steckte. Unter den Achseln prangten große feuchte Flecken.

Die Frau schien sich der Rute entgegen zu werfen, als wollte sie die Birken zu mehr Schlägen einladen. Und als Clarissa genau hinsah, fiel ihr die glitschige Flüssigkeit auf, die von der Vagina abgesondert wurde und an den Beinen hinunterlief. Sie schien das tatsächlich zu genießen, die Schläge erregten sie.

Clarissa wusste, dass auch dem Schmerz eine gewisse Lust abzugewinnen war, aber sie hatte es noch nie so nah erlebt. Wieder klatschte die Rute auf das Geschlecht der

Frau, sie gab einen schrillen Schrei von sich, und der ganze Körper wurde vom Orgasmus geschüttelt. Nach einer Weile hob sie den Kopf und rief mit geschwächter Stimme: »Grün!«

Der Mann ließ die Rute sofort auf den Boden fallen, und damit war die Szene beendet.

Verblüfft aber doch mit beginnendem Verstehen wandte sich Clarissa an Julian. »Grün?«

Julian wies nickend zu dem Paar. Der Mann kniete jetzt hinter der gefesselten Frau und küsste die Striemen, die er so brutal verursacht hatte.

»Du darfst während des Spiels ›nein‹ sagen, aber dadurch wird das Spiel nicht unterbrochen«, erklärte Julian und sah zu, wie der Mann zärtlich über die geröteten Stellen strich. »Nein zu sagen und ignoriert zu werden gehört zum Spaß des Spiels; die Sklavin wird zu Selbstkontrolle und Ausdauer erzogen.« Sie seufzte. »Weißt du, Clarissa, diese Szenen, ob du sie Rollenspiele oder Gehirnwäsche nennst, dienen nur einem Ziel: Verlangen. Die Sklavin spürt, dass sie im Fokus der Aufmerksamkeit ihres Herrn steht. Er begehrt sie so sehr, dass er alles tut, um ihr das zu beweisen. Der Schmerz des Sklaven ist Beweis für das Begehren des Herrn.«

Clarissa wandte sich angewidert ab. »Wie entsetzlich. Ich glaube keine Sekunde an solchen Unsinn.«

»Verurteile nicht die Phantasien anderer Menschen, nur weil du sie nicht begreifst, Clarissa«, wies Julian sie ernst zurecht, dann hob sie die Schultern und fügte hinzu: »Wenn du als Sklavin genug hast, gibt es ein vorher verabredetes Wort, mit dem du das Spiel beendest.« Es lag Julian daran, dass Clarissa sie verstand. »Die Beziehung zwischen Sklave und Herr – du kannst auch andere Bezeichnungen für sie finden – basiert auf einem imaginären Vertrag. Die Parteien nutzen das Rollenspiel, um gegenseitiges Vertrauen zu üben. Dadurch wächst die Beziehung.«

Julian sah ihre Freundin an, dann lachte sie. »Vielleicht solltest du diese Methode einmal bei deinem jungen Hengst anwenden.« Sie lachte wieder, als sie sah, dass es Clarissa schüttelte, dann führte sie sie langsam auf das Paar zu. »Du hast vielleicht jetzt schon die Chance.«

Clarissa sah, wie die Frau wieder die Rute küsste, wohl um sich für die Schläge zu bedanken, aber der Mann blickte intensiv auf Clarissa. Seufzend senkte die Frau den Kopf, die Augen vor Glückseligkeit geschlossen. Der Mann winkte Clarissa mit der Rute heran, und die Einladung in seinen Augen war nicht zu übersehen: Wollte sie es nicht auch mal versuchen?

Clarissa hatte die Augen weit aufgerissen und schüttelte entsetzt den Kopf, dann zeigte sie auf ihre rote Spange, aber der Mann warf nur den Kopf in den Nacken und bellte vor Lachen, dann sah er Clarissa an, lächelte galant unter dem dünnen Schnurrbart, schlug die Hacken zusammen und verbeugte sich. Bei dem bellenden Lachen hatte die Frau die Augen geöffnet und lächelte Clarissa verträumt an; sie bog den Rücken und schnurrte vor Lust.

Clarissa wandte sich an Julian. »Ich weiß nicht«, sagte sie und rümpfte die Nase. »Auf mich wirkt es so erniedrigend, so . . . gewalttätig.«

»Nein, das ist es nicht«, hielt Julian dagegen. »Verstehst du das denn nicht? Es hat absolut nichts mit Gewalt zu tun. Es hat was mit Schmerz zu tun, ja, aber es geht in erster Linie um Vertrauen. Die Frau will draußen nicht geschlagen oder gar vergewaltigt werden, sie will nicht wirkliche Gewalt und keinen erzwungenen Sex, sie will keine Rolle spielen in den gewalttätigen Phantasien anderer. Sie und ihr Partner sind nur daran interessiert zu lernen, wie sie ihre Körper beherrschen. Für sie ist es befreiend, in die Hilflosigkeit der Kindheit zurückzufallen, aber alles läuft kontrolliert ab, und beide müssen zustimmen – sonst würden sie hier gar nicht erst eingelassen.«

»Aber muss es immer so sein, dass der Mann die Frau schlägt?«, wandte Clarissa ein. »In der realen Welt sind die Frauen doch schon machtlos genug. Deshalb ist das alles doch nichts als ein Klischee.«

Julian lächelte. »Sehen wir und etwas anderes an«, sagte sie und führte Clarissa tiefer hinein in den Keller. Vor ihnen befand sich eine Nische, die durch zwei Bretterwände entstanden war. In der Nische selbst war ein Mann an ein gewaltiges Holzrad gebunden, ein früheres Mühlrad. Arme und Beine waren gespreizt, sodass er ein menschliches X bildete. Er war nackt bis auf einen lächerlich kleinen Beutel um die Genitalien. Das Stück aus Wildleder oder Moleskin war mit einem Band um die Taille befestigt.

Das Rad drehte sich langsam, und mit ihm der Mann. Clarissa fürchtete, der Mann könnte bewusstlos werden, wenn ihn das Rad auf den Kopf stellte und alles Blut in den Kopf floss. Aber ihre Sorge wurde gegenstandslos, denn das Rad hielt an, als der Mann aufrecht stand, auf Augenhöhe mit seinem Peiniger.

Der Peiniger war eine Frau, eine hoch aufgeschossene schwarze Schönheit in einem mit Juwelen besetzten Kleid. Die Haare waren geflochten und mit vielen kleinen Perlen verziert und fielen ihr lang über den Rücken. Das Kleid war kurz und gab den Blick auf die kräftigen Muskeln der Beine und Arme frei, die kaffeefarben glänzten. Der Stoff wand sich verführerisch um die Kurven der Frau.

Sie drehte sich um und winkte Julian fröhlich zu, offenbar kannten sich die beiden. Sie sah auf Julians Peitsche. »Darf ich ...?«, fragte sie höflich und legte ihre kurze Reitpeitsche auf den Boden.

Mit einem Lächeln reichte Julian ihr die Peitsche, und Clarissa bemerkte, dass der Mann plötzlich geräuschvoll die Luft ausstieß, ob aus Angst oder Verlangen, konnte sie nicht sagen. Sie stand in einigem Abstand zur Szene und sah zu, wie die Frau die Peitsche hob und zielte. Die ledernen Riemen sirrten durch die Luft, und mit einem scharfen Knall landeten sie auf dem Brustkorb des Mannes.

Clarissa hielt keuchend die Luft an, als sie die Striemen auf der Brust sah und sich vorstellte, wie sehr sie schmerzen mussten. Sie starrte die Frau empört an, die ihren Blick mit Heiterkeit erwiderte und Clarissas Aufmerksamkeit auf den Schoß des Mannes lenkte, wo sich der zuckende Penis gegen den engen Beutel reckte.

Mit Geschick und Erfahrung zog die Frau einen Riemen über den Bauch des Mannes, legte ihn unter den Beutel, bildete eine Schlinge und schob das Bändchen, das den Beutel hielt, unter die Schlinge. Mit einer lockeren Bewegung aus dem Handgelenk heraus zuckte die Peitsche und löste die Schlinge auf. Das Bändchen zerriss, und der Beutel fiel vor die Füße des Mannes. Jetzt war der erigierte Penis in der ganzen geröteten Pracht zu sehen. Behutsam schlang die Frau den Riemen in lockeren Spiralen um den Schaft und ruckte an der Peitsche.

Sie massierte ihn auf diese Weise etwa eine Minute lang, dann folgte wieder eine flinke Bewegung des Gelenks, und schon hielt sie die Peitsche wieder in der Hand und hatte den Penis befreit. Der Mann stöhnte verzweifelt und wünschte sich mehr Stimulans.

Clarissa sah, wie sich der Mund des Mannes öffnete und kläglich »Bitte, Herrin!«, rief, aber die Frau klatschte mit der Peitsche auf seine Brust und herrschte ihn an: »Still, Sklave! Du hast nicht zu reden!«

Clarissa wandte sich an Julian. »Können wir weitergehen? Ich glaube, das ist nicht mein Ding.«

Julian lachte nur. »Ja, das weiß ich. Du bist zu normal für solche Szenen, glaube ich.«

Sie gingen weiter, der Mitte des Kellers entgegen, dann blieb Clarissa plötzlich stehen, als sie einen grauhaarigen Mann über einen niedrigen Holzbock gebeugt sah. Sein Gesicht war nicht zu sehen, der Kopf hing auf einer Seite, und seine Hose war nach unten gezogen, sodass man den blanken, roten Hintern sehen konnte.

Die Frau hinter ihm drosch kräftig auf die Gesäßbacken und benutzte ein Instrument, das Clarissa nicht erkennen konnte. Mit einer Stimme, deren Akzent nicht auf Anhieb zu orten war, beschimpfte die Frau ihr Opfer mit jedem neuen Schlag. Irgendwie kam sie Clarissa bekannt vor, obwohl sie ziemlich sicher war, dass keine Bekannte von ihr *The Glory Box* betreten würde.

Die Frau trug die Kleidung einer klassischen Dominatrix. Schwarze Halbmaske, konische Brüste über dem schwarzen Korsett aus Leder und Metall, Fischnetzstrümpfe, die an den stämmigen weißen Oberschenkeln an schwarzen Strapsen hingen, schwarze Lederstiefel mit grausam spitzen Zehen und unmöglich hohen Absätzen. Das schwarze Haar war auf dem Kopf in einem Dutt zusammengefasst, aus dem ein langer Pferdeschwanz spross. Ihre Handschuhe bedeckten die Arme bis zu den Ellenbogen.

Clarissa wusste nicht genau, was ihr an der Frau bekannt schien, deshalb schlich sie ein wenig näher, bis sie hören konnte, wie sie den Mann beschimpfte, während sie ihn mit Schlägen traktierte. Jetzt sah Clarissa auch, was sie benutzte – eine Haarbürste mit langem Stiel.

»Und das ist für die aalglatte Empfehlung, die du für diese schreckliche Studentin Melissa Dodwell geschrieben hast!« Klatsch! »Und das ist dafür, dass du ihr eine Eins gegeben hast, obwohl sie höchstens eine Zwei verdient hat.« Klatsch!

»Und das ist dafür, dass du sie so gierig angestarrt hast, nur weil sie jung, blond und schön ist!« Drei Schläge. »Hast du irgendwas dazu zu sagen?«

»Nein, Herrin, ich meine ja, Herrin«, keuchte der Mann, von dem Clarissa nur den roten Hintern sah. »Es tut mir Leid, Herrin. Ich habe es nicht gewollt, Herrin.«

»Du bist ein sehr unanständiger Junge, was? Sage mir, dass du ein unanständiger Junge bist.« Die Frau holte zu einem besonders schmerzhaften Schlag aus und klatschte die Bürste auf seine Hoden, die zwischen den Oberschenkeln schlaff hinab hingen.

Diese Stimme! Konnte das Monica Talbot sein?

Clarissa schlich noch etwas näher. Gott, ja, sie war es! Clarissa hörte auch, dass sie ihn mit Warburton ansprach. Sie drehte sich rasch um und ging hastig zur Theke am hinteren Ende des Kellers, damit Monica Talbot sie nicht ertappte, wie sie ihr beim Züchtigen zusah.

Julian folgte ihr sofort und holte sie ein, als Clarissa das erste Getränk bestellte, das ihr einfiel – ein *Come Shot*, ohne zu wissen, was das war.

»Clarissa, kennst du Mistress Monica?«, fragte Julian leise, und Clarissa leerte ihren Drink mit drei durstigen Zügen und hielt dem Barmann ihr Glas hin.

»Ob ich sie kenne? Ha, ich arbeite mit ihr!« Clarissa würgte, sie hatte sich an einem Stückchen Eis verschluckt. »Und Warburton war mein Boss, bevor er gefeuert wurde.«

Julian geriet in Panik und drückte eine Hand auf Clarissas Mund. »Pst! Nicht so laut! Niemand nennt hier irgendwelche Namen. Anonymität ist der Schlüssel.« Ihre Augen blitzten Clarissa an, die plötzlich ein lautes Gelächter ausbrach, sie gluckste so heftig, dass der Drink fast aus der Nase wieder herausgekommen wäre.

Jetzt erhielt alles einen Sinn. Kein Wunder, dass Monica mit dieser schamlosen Lust Nick hinterhergesehen hatte. Die arme alte Ziege hatte also doch ein Sexleben. Hatte sie sich beim Anblick von Nicks Hinterteil vorgestellt, wie es wäre, ihn mit der Haarbürste zu vertrimmen?

Clarissa kippte den Rest ihres Getränks hinunter und fühlte sich ein wenig benommen von der Atmosphäre im Verlies. Um sie herum sah sie viel nackte Haut, kunstvolle Tattoos und Piercings an Nippeln, Labien, Hoden und Penissen. Je mehr sie die Welt im Verlies studierte, desto zahmer kam ihr die eigene Sexualität vor.

Sie wandte sich an Julian. »Zieh die Spange raus«, wies sie die Freundin knapp an.

Julian sah sie verwirrt an. »Bist du sicher, Ris? Ich habe nichts dagegen, bei dir zu bleiben und . . .«

»Zieh sie raus«, sagte Clarissa wieder. »Ja, ich bin mir sicher, Jules, du hast lange genug die Babysitterin gespielt, jetzt finde ich mich allein zurecht, und ich will auch bald gehen.«

»Aber warum denn, Clarissa? Hat es dir nicht gefallen? Ich will dir noch viel zeigen.«

Clarissa lächelte. »Es hat mir gefallen«, versicherte sie, »aber ich will es beim ersten Mal nicht übertreiben. Ich will alles erst mal sacken lassen. Aber du sollst dich von jetzt an richtig amüsieren.«

Nach einer Weile ging sie die schmale Treppe hoch und lächelte dem kahlen Türsteher zu, der ihr nun nicht mehr so bedrohlich vorkam. Sie schritt den Spiegelflur entlang und betrat wieder die vordere Bar, in der Paare bei gedämpftem Licht langsam miteinander tanzten. Clarissa ließ die Spange in den Korb auf der Theke fallen und trat hinaus in die frische Nachtluft, dankbar für den kühlen Wind, der ihr über die heißen Wangen strich.

Sie hatte nur einen Gedanken im Kopf – so schnell wie möglich zu Nick. Sie musste ihn in dieser Nacht sehen, ehe er morgen wegfuhr. Sie war noch versessener auf ihn als zu Beginn ihrer Affäre. Als sie auf die Uhr sah, war es drei. Zu spät? Ob er noch wach war? Sie wusste es nicht, sie würde es trotzdem riskieren. Sie stieg ins Auto, startete den Motor und fuhr los.

Als Clarissa vor Nicks Wohnhaus anhielt, sah sie sofort die Lichter, und sie hörte sogar Musik, die durchs Fenster quoll. Sie blieb eine Weile im Auto sitzen, plötzlich unsicher geworden. Sollte sie hineingehen? Was, wenn er sie nicht sehen wollte? Ihr Bauch wurde zu Eis bei diesem Gedanken; sie stellte sich vor, wie er sich auf dem Absatz umdrehte und sagte, er wäre beschäftigt. Sie blickte hoch zum Fenster. Ob Jessica bei ihm war?

Nun, es gab nur einen Weg, das herauszufinden. Sie war mutig genug, das Verlies der *Glory Box* zu erforschen, dann sollte sie auch mutig genug sein, Nick gegenüberzutreten. Entschlossen stieg sie aus, ging hoch und klopfte an die Tür von Nicks Wohnung.

Sie klopfte laut und fragte sich, ob er sie bei der Musik von The Who überhaupt hören konnte. Sie klopfte wieder und noch lauter. Sie geriet in Panik, dass niemand sie hören konnte. Gerade überlegte sie, ob sie es schaffen würde, die Tür einzutreten, als sie sich plötzlich öffnete und Clarissa fast ins Zimmer gefallen wäre.

Vor ihr stand ein Fremder, blond, schön, jung und sehr männlich. »Ist Nick da?«, fragte sie so kühl wie möglich und versuchte, über seine Schulter ins Zimmer zu sehen.

»Wer bist du?«, fragte der Junge rüde und stierte auf ihr glänzendes Outfit und auf den fast entblößten Busen.

»Das geht dich nichts an«, gab sie ebenfalls rüde zurück.
»Ist Nick da?«, fragte sie lauter. Sie wollte sich nicht ein-
schüchtern lassen.

Der Junge hob die Schultern und trat einen Schritt nach
hinten, ließ die Tür aber nur einen Spalt offen. »Nick! Für
dich!«, rief er in den Raum hinein.

Clarissa schloss vor Freude die Augen. Er war zu Hause!
Aber dann kam die Angst zurück. Sie erwartete, dass er aus
dem Schlafzimmer kam, die Augen verklärt vom Sex, halb
nackt und neben sich ein ebenfalls halb nacktes Mädchen.
Clarissa hörte weibliche Stimmen, und sie glaubte, Jessicas
blonden Schopf gesehen zu haben, und sie war sich ziemlich
sicher, dass es keine Räucherstäbchen waren, deren Geruch
ihr in die Nase stieg.

»Wer ist es denn?«, fragte Nick schroff. Beim Klang der
Stimme, nach der sie sich gesehnt hatte, schmolz sie dahin
und musste sich am Türrahmen festhalten. Sie hörte nicht
die gemurmelte Antwort des Jungen, aber plötzlich wurde
die Tür geöffnet, und da stand er und blendete sie mit seiner
potenten männlichen Schönheit.

Die rotbraunen Haare fielen ihm störrisch in die Stirn, die
Stoppeln am markanten Kinn waren nicht rasiert, die Jeans
war zerrissen und sein Hemd aufgeknöpft, aber das alles
nahm Clarissa nicht wahr; sie war von neuem erregt von der
verführerischen Ausstrahlung dieses Jungen.

Als Nick seine Besucherin erkannte, was ihr wie eine
halbe Ewigkeit vorkam, breitete sich ein Lächeln auf seinem Gesicht aus, dann nahm er ihre Hände und trat zurück,
um ihre ungewohnte Aufmachung zu bestaunen.

»He, Clarissa, das ist aber eine Überraschung«, quetschte
er heraus. Er legte den Kopf ein wenig schief. »Und was
trägst du da?«

»Komm raus mit mir«, flüsterte sie und streckte die Hand

nach seinem Kopf aus. Sie zog ihn aus der Tür und dann die Treppe hinunter.

Er musste über ihre offensichtliche Hast lachen. »Wow«, rief er aus und blieb draußen in der kühlen Luft stehen. »Was ist los? Wir feiern eine Party, da kann ich nicht so einfach weg.«

»Eine Party?«, fragte sie zitternd und konnte ihre große Enttäuschung nicht verbergen. »Und du hast mich nicht dazu eingeladen?«

»He, Clarissa, es ist kalt hier draußen«, sagte Nick, aber als er ihren Schmerz sah, fügte er sanfter hinzu: »Das sind alles Leute von der Uni. Das hätte dir nicht gefallen.« Er sah sie beschwichtigend an. »Außerdem kommst du doch in drei Wochen zur Party meines Vetters.« Sie nickte, und er fuhr mit einem Finger über ihren Busen. »Das gefällt mir«, sagte er und wies auf ihr Top. »Aber was soll dieser Aufzug? Wo warst du heute Abend?«

»Lassen wir das, Nick«, antwortete sie leise, drückte sich gegen die kalte Hausmauer und zog ihn mit sich. »Ich wollte dich sehen. Es wird nur eine Minute dauern.« Sie zog seinen Kopf zu sich und küsste ihn. Sie brauchte Nick, brauchte ihn jetzt. »Ich will dich haben«, flüsterte sie heiser und schlang ein Bein um seinen Schenkel. Sie reichte ihm ein Kondom. »Ich will dich in mir spüren. Jetzt.«

»Hast du gestern Abend nicht genug gehabt?«, fragte er lachend und presste ihren Körper gegen den harten Stein. Er hob ihren Rock und griff mit fester Hand an ihren Slip, riss ihn entzwei und warf die Reste über seine Schulter.

Er schob seine Jeans nach unten, zerriss die Folie des Kondoms und rollte es auf seinen steifen Schwanz. Nick hob sie leicht an, nahm sie in seine Arme und schlang ihre Beine um seine Hüften.

Clarissa war schon nass und bereit für ihn, und sie schrie

vor Lust auf, als sie spürte, wie sein Penis gegen ihre Vulva pochte. Sie griff nach ihm und führte ihn hinein. Sonst hielt sie die Augen stets geöffnet, weil sie sehen wollte, wie sich sein Gesicht beim Orgasmus veränderte, aber heute presste sie die Augen fest zu, schmiegte den Kopf in die Halsbeuge und drückte sich von der Mauer ab. Ungeduldig stieß sie ihm entgegen.

Sie schlang die Arme um seinen Nacken und grub die Finger in seine Haut, als er tief in sie hineintrieb. Sie rieb den Schaft gegen ihre Klitoris, und dann hörte er plötzlich auf, sich zu bewegen. Seine Hände rissen ihr Top hinunter und entblößten die Brüste.

Er beugte den Kopf und schaute ihre Brüste an, strich darüber und drückte sie, bewunderte die cremige Haut und schnappte mit dem Mund hungrig nach ihren Nippeln. Er zog eine Brust in seinen Mund, während sie gegen seinen Schoß mahlte, weil der Penis tatenlos in ihr ruhte.

Als sie es nicht mehr ertragen konnte, ließ sie die Brust aus seinem Mund gleiten und wimmerte: »Nick, oh Nick, fang endlich an. Ich will fühlen, wie du dich in mir reibst, ich will deine Bewegungen spüren.«

Nick lehnte sich gegen sie, stützte sich mit den Händen an der Wand ab und wiegte ihren Körper mit seinem. Härter und tiefer stieß er in sie hinein. Sie brauchte kein Leder und keine Peitsche, sie brauchte nur Nick und den pulsierenden Schaft. Heißes, pumpendes Fleisch. Die Hitze von Nicks Leidenschaft ließ ihr Blut pochen, und sein Schwanz bog sich in ihr und rieb gegen die Enge ihrer glühenden inneren Wände.

Sie hatten ihren eigenen Rhythmus gefunden, ihre Hüften prallten aufeinander, Bauch stieß auf Bauch. Bei jeder neuen Einfahrt rieb Nicks Peniswurzel gegen ihre Klitoris. Clarissa war der Ekstase nahe und wollte ihre Lust herausschreien, ganz egal, wer sie alles hören konnte. Nick legte eine Hand hinter ihren Kopf, weil sie sich auf dem Höhepunkt viel zu wild bewegte und mit dem Hinterkopf gegen die Hausmauer schabte.

Der Wind trug ihr Lustgeheul davon in die Nacht, als der Orgasmus ihren Körper griff und sie unkontrolliert zucken ließ, und Sekunden später ergoss sich Nick in der bebenden, klammernden Vagina.

Sie hielten sich eng umschlungen und lauschten ihren Herzschlägen, die sich nur langsam beruhigten. Auch der Atem wurde wieder normal, während der Schweiß auf den Körpern vom Wind getrocknet wurde.

»Hui«, stieß Clarissa aus, als Nick sie behutsam auf die Erde stellte. Sie schwankte, leicht schwindlig von der Lust, die er ihr beschert hatte. »Danke«, sagte sie lachend, als wollte sie die Tiefe ihrer Emotionen nicht gestehen.

Nick sagte nichts, während er rasch die Jeans hochzog und das Hemd zuknöpfte, das Clarissa beim Ritt an der Wand aufgerissen hatte. Jetzt erst sah er sie an. »Okay?« Er hob seine Brauen, als wollte er sie etwas fragen, aber als sie nicht darauf einging, hob er die Schultern und wollte sich zur Treppe wenden.

»Warte!«, rief sie ihm nach, verwirrt durch sein wenig freundliches Schweigen. »Wohin gehst du?«

Er drehte sich um. »Zurück zur Party.«

Sie starrte ihn an und wusste nicht, was sie sagen sollte. »Oh. Okay«, war alles, was ihr über die Lippen kam. Um ganz sicher zu gehen, fragte sie: »Wir sehen uns also in ein paar Wochen?«

Er ging zu ihr zurück, lächelte und strich durch ihre roten Haare. »Ja, richtig. Ich komme vorbei, wenn ich wieder da bin und sage dir die Einzelheiten zur Party.«

Er wandte sich um, und sie griff seine Hand. »Nick?« Sie

lächelte ihn besorgt an. »Gibst du mir zum Abschied keinen Kuss?«

Nun beugte er sich zu ihr, drückte seinen Mund auf ihre Lippen, schlang die Arme um ihren Körper und presste sie an sich. Er küsste sie lange, dann ließ er sie los, sah ihr ins Gesicht und lächelte. Wieder fuhr er durch ihre zerzausten Haare, bevor er sich erneut zur Treppe wandte. »Pass gut auf dich auf, Clarissa«, rief er ihr über die Schulter zu.

»Komm bald zurück, Nick«, rief sie leise, aber laut genug für ihn. Er drehte sich nicht mehr um, nickte aber und lief leichtfüßig die Treppe hoch.

# Zehntes Kapitel

Die nächsten drei Wochen zogen sich für Clarissa zäh dahin. Zu Beginn der Ferien überlegte sie, spontan in die Staaten zu fliegen, aber sie verwarf diese Idee; sie hatte eine Menge aufzuarbeiten. So sehr sie auch das Heimweh plagte und so gern sie ihre Freunde und Familie gesehen hätte – sie wusste, dass die Vernunft verlangte, im kühlen England zu bleiben. Obwohl sie schon seit über fünf Jahren in England lebte, sehnte sie sich nach dem amerikanischen Nordosten. Aber da sie nun einen Job an der Uni hatte, würde sie wohl noch eine Weile hier leben. Sie sehnte sich oft nach der Heimat, doch seit ihrer Affäre mit Nick hatten sich ihre Sehnsüchte verlagert.

Seit sie Nick begegnet war, fühlte sie sich mehr mit dem Vereinigten Königreich verwurzelt denn je. Es gab Zeiten, da glaubte sie nicht, jemals wieder dieselbe Person zu sein, wenn die Affäre mal vorbei war. Nicholas St. Clair blieb ein mächtiger Ansporn für Clarissa, dort zu bleiben, wo sie war. Selbst diese drei Wochen streckten sich zu einer kleinen Ewigkeit.

Sie wurde ganz schön auf Trab gehalten. Die Fahnen ihres Buches waren endlich da; ihre Lektorin hatte das Okay gegeben, und Ende Mai sollte der Titel schon veröffentlicht werden – eine Woche vor den Sommerferien und passend zu der Entscheidung, ob ihr Vertrag an der Uni verlängert werden würde. Gerade rechtzeitig, dass der Vizedekan ein Exemplar kaufen und die unanständigen Stellen anstreichen kann, dachte sie amüsiert.

Clarissa war stolz auf ihre Arbeit und hoffte, dass das Buch ein Erfolg wurde. Es konnte sich auch außerhalb der akademischen Welt durchsetzen, ähnlich wie *Backlash* von Susan Faludi. Wenn sie ihre Position an der Uni festigen wollte, brauchte sie eine solide Forschungsarbeit, und ihre Arbeit über die Erotik in der Literatur war vielleicht ihr Durchbruch.

Zwischen Korrigieren der Fahnen und Zensieren der Essays ihrer Studenten reichte sie Vorschläge zu anderen Kursen ein, über die die Konferenz zu entscheiden hatte. Ja, es waren sehr ausgelastete Osterferien.

Clarissa war dankbar, dass es noch einige Wochen dauern würde, bis sie Monica Talbot wieder sah. Wie konnte sie der ›Mistress Monica‹ jemals wieder in die Augen schauen, ohne laut aufzulachen? Ein Problem, an dem sie arbeiten musste. Sie war sich ziemlich sicher, dass die Kollegin sie im Verlies nicht bemerkt hatte, was gut war, sonst müsste sie glauben, Clarissa wollte das Handwerk einer Domina erlernen.

Trotz der Arbeit blieb ihr Zeit, darüber zu spekulieren, was zu Warburtons Fall geführt hatte. Sie konnte sich nicht vorstellen, dass der winselnde Mann, den sie mit seinem roten Arsch im Verlies gesehen hatte, zu sexuellen Übergriffen der gröberen Art in der Lage war. Vielleicht war es nur ein Satz gewesen, der missverstanden worden war, eine unbedachte, unangemessene Geste oder auch nur ein falsches Wort.

Clarissa verachtete die nackte Ausbeutung von Macht und die hinterlistige Gewalt von echter sexueller Belästigung, und sie verabscheute solche Szenarien wie Sex gegen hohe Bewertungen. Aber sie wusste auch, dass eine harmlose Bemerkung völlig falsch gedeutet werden konnte. Bestand nicht auch die Möglichkeit, dass es zwischen Warburton und der Studentin Sex in gegenseitigem Einvernehmen gegeben hatte? Er sah relativ gut aus, wenn man auf Vaterfiguren abfuhr, und sein akademisches Ansehen konnte auf eine junge Frau wie ein Aphrodisiakum wirken.

Wie auch immer es gewesen war – Warburtons Vertrag war wegen der Beziehung zu einer Studentin vorzeitig beendet worden, ganz egal, wie einvernehmlich sie war, eine solche Beziehung sprengte die Grenzen des akzeptierten professionellen Verhaltens.

Clarissa schüttelte sich. Wenn das der Fall war, befand sie sich in ernster Gefahr; wenn die Universität bereit war, einen Abteilungsleiter wegen einer Lappalie mit einer Studentin zu feuern, dann genügte ein diskretes Wort von Graham an der richtigen Stelle, um Clarissa bloßzustellen. Sie würde ihren Job verlieren und vielleicht ihre ganze Karriere.

Sie bog die Schultern durch und trommelte mit ihrem Montblanc auf den Stapel der Arbeiten, die sie noch benoten musste. Nun, sie würde sich niemals zwingen lassen, die Beziehung mit Graham wieder aufzunehmen, ganz egal, wie bedrohlich die Situation für sie war. Sein Wort stand gegen ihr Wort, und jeder wusste, dass er ihr Ex war, also sprach die pure Eifersucht aus seiner Beschuldigung. Außerdem, dachte Clarissa – sie griff nach jedem Strohhalm –, gab es keinen Beweis gegen sie. Niemand hatte sie zusammen mit Nick gesehen.

Sie versuchte, sich ihre paranoiden Phantasien aus dem Kopf zu schlagen. Sie war überzeugt, dass Graham nicht so tief sinken würde, Gerüchte über ihr unprofessionelles Verhalten zu verbreiten, nur weil er sich dafür rächen wollte, dass sie ihn nicht zum Grand National begleitete.

Als Graham sie am Vortag angerufen hatte, war sie nicht ans Telefon gegangen. Sie hatte instinktiv geahnt, dass er am Telefon war und hatte ihn auf Band sprechen lassen. Kurz und verkrampft hatte er ihr mitgeteilt, dass sie ihn in seinem

Büro abholen sollte, ohne sich dafür zu entschuldigen, dass er nicht sie abholte. Er unterstellte einfach, dass sie sich seinen Forderungen unterwerfen würde und erwartete, dass sie sich zur angegebenen Zeit im Büro einfand, um von dort mit der Limousine der Firma zusammen mit anderen hohen Tieren und ihren Begleiterinnen zum Rennen gebracht zu werden.

Clarissa erschauerte. Niemals, schwor sie sich. Er wird mich nicht in Hut und Handschuhe zwingen können, um dann stinkenden Pferden beim Laufen zuzusehen, während Graham versuchte, seine Chefs mit seiner gefügigen kleinen Freundin zu beeindrucken.

Nein, entschied sie, wenn Graham sich nicht einmal die Mühe machte, sie abzuholen und zum Rennen zu begleiten, dann würde sie ihn nicht daran erinnern, dass sie ihm vor Wochen schon abgesagt hatte. Das wird ihn lehren, mir zu drohen und sich so aggressiv zu verhalten. Darüber soll er beim Ausflug seiner Firma mal nachdenken, dachte sie grinsend.

Also hakte sie Graham ab. Denn eine andere Person beschäftigte Clarissa seit dem Abend in *The Glory Box* viel mehr – ihre Freundin Julian. Bisher hatte sie sich gescheut, sie im *King's Head* zu besuchen. Obwohl Julian oft in allen Einzelheiten über ihre sexuellen Erlebnisse erzählte, hatte Clarissa die heißen Geschichten stets wie einen erfundenen Roman betrachtet, hübsche kleine Phantasien. Aber der Besuch in der *Glory Box* hatte Clarissa gezeigt, dass Julians Geschichten alles andere als ersonnene Phantasien waren, und das gemeinsame Erleben der Szenen hatte Clarissa in eine Intimität mit der Freundin gebracht, die ihr nichts als Verlegenheit bescherte.

Genau aus diesem Grund vermied sie Sex mit Freunden, dachte Clarissa und versuchte, genug Mut zu schöpfen, um sich dem unvermeidlichen Moment zu nähern, Julian wieder zu sehen. Intimität kann oft eine Freundschaft zerstören, so paradox sich das auch anhörte.

Ihre Sorgen waren völlig unbegründet. Sie hätte Julians Anstand und Instinkt vertrauen sollen, stellte sie fest, als sie sich tapfer endlich im Pub sehen ließ.

»Hallo, Liebste. Was darf es heute Abend sein?«, rief Julian schon von weitem, forsch wie immer. Keine Spur von Verlegenheit.

»Whisky«, murmelte Clarissa, stieg auf den Barhocker und mied den Blick der Freundin.

»Was? Kein Come Shot?«, fragte Julian lächelnd.

Clarissa war erleichtert, dass Julian nicht so tat, als wäre nichts geschehen. Sie hob den Blick, sah Julian in die Augen und prustete los vor Lachen. Okay, sie hatte Julian in der Rolle der Herrin gesehen – na und? Sie wusste jetzt, wo die Freundin sich in der Freizeit am liebsten aufhielt, und wenn es auch nicht ihr bevorzugtes Ausflugsziel werden würde, so blieb Julian doch ihre beste Freundin.

»Bist du gut nach Hause gekommen?«, fragte Clarissa.

»Ja, sehr gut sogar. Ich habe Christie im Club getroffen, als du weg warst, und dann sind wir zusammen nach Hause gegangen.« Julian lachte und blinzelte ihr zu. Clarissa setzte sich völlig entspannt zurück, auch die Reste der Verlegenheit schwanden.

Jetzt blieb nur noch Nick. Wie nicht anders zu erwarten war, hatte Clarissa nichts von ihm gehört, aber er war stets in ihren Gedanken. Sie war sogar einige Male an seinem Haus vorbeigefahren und schämte sich wegen ihrer Schwärmerei, die besser zu einem Schulmädchen passte als zu ihr.


Dann war endlich der Tag der Party da. Der Tag, den sie eigentlich beim Grand National verbringen sollte. Graham würde inzwischen ihre Abwesenheit bemerkt haben und vor Frust qualmen, aber bisher hatte er noch nicht angerufen, um zu hören, warum sie sich nicht hatte blicken lassen. In ein paar Stunden würde sie zum Fakultätsessen fahren, und dann Nicks Party ...

Sie hatte noch nichts von ihm gehört. Hatte er vergessen, dass er sie zur Party eingeladen hatte? Er wollte während des Tages zu ihr kommen, um ihr Details und die Adresse mitzuteilen. War er überhaupt schon aus den Ferien zurück?

Als suchte sie dort eine Antwort, starrte sie die Wände ihres Arbeitszimmers an, früher ein Gästezimmer, das sie bei dem jüngsten Umgestaltungswahn umfunktioniert hatte. Die Wände waren in einem sanften ›Crème de Cocoa‹ gehalten, was gut zu den Schokotönen ihres antiken Schreibtischs aus Eiche passte, dessen Oberfläche blank poliert war.

Clarissa hatte eine kostspielige CD-Anlage installieren lassen, und die volle Schönheit von Beethovens Siebter quoll aus den Lautsprechern. Die klangvolle Süße des zweiten Satzes schien zugeschnitten auf ihre Sehnsucht nach Nick.

Frustriert grub sie im Stapel der schon zensierten Essays und holte Nicks von ganz unten hervor, denn sie las seine Arbeiten stets vor allen anderen. Sie las seinen Aufsatz über Byron noch einmal, als wollte sie versteckte Botschaften in seinem Text erkennen, die ihr Auskunft über Nicks Gefühle und Gedanken, vor allem über ihre Beziehung, gäben.

Ihre Augen folgten Nicks Zeilen über Begierde und Verlust, über erotische Erregung und ausbleibende Erfüllung in Beziehungen. Ihr war, als läse sie über sich selbst, als hätte Nick ihren eigenen Zustand eingefangen und ein Essay über sie geschrieben und nicht über Byron. Clarissa las Nicks Gedanken über die Unmöglichkeit der befriedigten Lust und über die romantische Suche nach Einheit, die immer wieder zum Scheitern verurteilt war.

Ihre Türklingel schrillte, und Clarissa sprang von ihrem Stuhl hoch. Sie hielt Nicks Essay in der Hand, rannte die Treppe hinunter zur Tür und fürchtete plötzlich, Graham könnte da draußen stehen. Sie zog den Riegel zurück, riss die Tür auf und sah Nick auf der oberen Treppenstufe stehen.

»Tut mir Leid, dass ich klingeln musste«, sagte er lässig und lehnte sich gegen den Türrahmen, »aber ich glaube, du hast mein Klopfen nicht gehört.« Von draußen hatte er schon Beethoven erkannt, deshalb zeigte er mit dem Finger auf das obere Fenster. »Ein bisschen laut, was?«, fragte er lachend und fügte hinzu: »Darf ich hinein?«

»Ja, natürlich.«

Clarissa riss sich aus der freudigen Trance, ihn zu sehen, und trat zur Seite, damit Nick eintreten konnte. Auch wenn sie wusste, dass er kommen wollte, war es doch immer wie ein kleiner Schock für sie, wenn er da war. Er war für sie wie ein Schatten, ein Phantom, das plötzlich auftauchte und so geheimnisvoll und spontan wieder verschwand, wie es sich hatte sehen lassen.

Sie sah ihn an, seinen Aufsatz an die Brust gedrückt. »Wie bist du gekommen?«, fragte sie neugierig. Sie hatte sich schon oft gefragt, wie er zu ihrem Haus gelangt war. Oft sagte er, zu Fuß gegangen zu sein, aber es waren zwei Meilen von seiner Wohnung. Manchmal fuhr er auch mit dem Rad, wie viele Studenten auch.

»Eine Freundin hat mich abgesetzt«, sagte er, dann sah er sie an und fuhr fort: »Sie wird mich bald wieder abholen, wir haben also nicht viel Zeit.«

Freundin? Clarissa biss sich auf die Zunge, damit sie ihre Eifersucht nicht zeigte. Sie sah Nick erwartungsvoll an und wollte hören, was er zu sagen hatte.

»He, ist das mein Essay?«, fragte er mit einem gewissen Eifer. Er streckte die Hand nach dem Papier aus, das sie in der Hand zusammengerollt hatte.

Sie sprachen selten über die Uni oder ihren Kurs, beide taten so, als gehörten diese Dinge in eine andere Welt, die mit ihrer Affäre nichts zu tun hatten. Aber heute schien er seine Neugier nicht bezwingen zu können. Clarissa dachte darüber nach, ob sie ihn ein bisschen zappeln lassen sollte, dann fand sie, dass solche Spiele für Kinder da waren, also reichte sie ihm das Papier und beobachtete sein Gesicht, als er ihren Kommentar überflog.

Plötzlich klingelte das Telefon, genau in dem Augenblick, in dem Beethoven beendet war. Clarissa hob den Hörer auf.

»Hallo?«, sagte sie und sah Nick lächeln, als er die Zensur sah, mit der sie seine Arbeit bewertet hatte.

»Clarissa?«, fragte Graham, und selbst übers Telefon hörte sie die unterdrückte Wut in seiner Stimme. »Ist etwas nicht in Ordnung? Warum bist du nicht hier?«

Clarissa ahnte, dass er nicht allein war, denn sie hörte Geräusche im Hintergrund, deshalb musste er seinen Zorn im Griff halten. Nun, sie hatte ihm gesagt, sie würde keine Zeit haben. Warum hatte er ihr nicht geglaubt?

»Ich habe dir gesagt, dass ich es nicht schaffen würde, Graham«, sagte sie so ruhig wie möglich und sah Nick zu, wie er die Bücher in ihrem Regal betrachtete und offenbar vermied, dem Gespräch zu lauschen.

»Jeder hat auf dich gewartet«, kam es knirschend aus Graham heraus, die Stimme tief und drohend.

»Hart für dich«, gab sie zurück und war versucht, einfach den Hörer aufzulegen. »Du kannst ihnen sagen, dass ich nicht komme.«

»Clarissa«, presste er hervor, sehr um Kontrolle bemüht, »ich dachte, du hättest begriffen, dass ...«

Sie unterbrach ihn. »Ich sagte, ich komme nicht«, rief sie laut und legte auf.

Nick wandte sich ihr zu, eine Braue spöttisch gehoben. »Ärger?«, fragte er und legte seine Arbeit auf den Tisch.

»Nein«, antwortete sie spröde und versuchte, so gelassen wie möglich auszusehen. »Wo ist also deine Party?«, fragte sie lässig und reichte ihm ihren Füller.

Nick schrieb ihr die Adresse auf und eine Beschreibung der Strecke auf die Rückseite seines Essays. Verdutzt stellte sie fest, dass die Adresse fast in einer anderen Grafschaft lag, wenigstens eine halbe Stunde Fahrt von hier. »Das Haus liegt aber nicht an einer Hauptstraße, was?«

»Es liegt ziemlich weit von der Straße zurück, aber man kann es eigentlich nicht übersehen«, sagte Nick mit einem geheimnisvollen Grinsen. »Es werden viele Autos da sein, denn es wird eine Riesenparty. Du wirst dich amüsieren, Clarissa, das verspreche ich dir.«

Er sah ihr intensiv in die Augen. Sie hatte Graham längst vergessen und trat näher an Nick heran.

»Ich habe dich vermisst«, murmelte er, beugte den Kopf und gab ihr einen Kuss auf die Haare, aber als sie ihren Mund gegen seinen Hals drückte, schob er sie behutsam von sich und richtete sich auf. »Nicht jetzt, Rissa«, sagte er und lächelte über ihren Eifer. »Verwahre es für heute Nacht.«

Wie aufs Stichwort ertönte draußen eine Hupe. Nick ging rückwärts zur Tür, sein Blick auf Clarissa. »Versuche, nicht zu spät zu kommen«, sagte er leise und griff nach dem Türknopf.

»So gegen zehn, schätze ich«, sagte Clarissa, die ihn gern länger berührt hätte, aber sie zwang sich, auf der Stelle zu verharren. Sie blickte Nick nach, als er sich umdrehte und die Treppe hinunterlief. Draußen stand ein schnittiger Porsche in ihrer Einfahrt. Sie wollte nicht zu neugierig sein, deshalb drückte sie die Tür rasch zu – so schnell, dass sie keinen Blick auf die Fahrerin hatte werfen können.


Den Rest des Tages verbrachte Clarissa damit, Arbeiten zu bewerten und das Haus in Ordnung zu bringen. Sie schob alle Gedanken an Nick beiseite, obwohl sie sich fragte, wie er die Zeit bis zur Party verbrachte. Sie war froh, dass sie zuerst zum Fakultätsessen gehen musste, dadurch würde die Zeit schneller vergehen.

Sie musste sich mit besonderem Bedacht kleiden, denn sie wusste, dass sie nach dem Essen keine Zeit hatte, sich noch einmal umzuziehen. Zögernd betrachtete sie ein schwarzes Seidenkleid, aber das sah zu sehr nach Beerdigung aus. Das kurze scharlachfarbene Kostüm? Zu auffällig. Das karierte Wollkostüm? Zu schlicht.

Das Wollkleid, für das sie sich dann entschied, zeigte ein tiefes Waldgrün, eine Farbe, die Clarissa sonst nie trug, aber die weiche Merinowolle hatte es ihr angetan. Das Gewebe schmiegte sich um ihre Kurven, ohne aufdringlich oder billig zu wirken. Sie legte einen breiten schwarzen Gürtel mit einer originell gebogenen Schnalle um die Taille, trat zurück und betrachtete sich im Spiegel. Das krause rote Haar hatte sie im Nacken zu einem Zopf zusammengefasst; es bildete einen wunderbaren Kontrast zum Grün des Kleids. Sie trug durchsichtige schwarze Strümpfe und unauffällige Perlen als Ohrringe.

Clarissa hatte gerade einen matten Bordeauxton auf die Lippen aufgetragen und in ihre kleine schwarze Handtasche gesteckt, als die Türglocke anschlug. Sie befürchtete schon das Schlimmste, lief die Treppe hinunter, streckte ihren Körper und ballte die kleinen Fäuste.

»Du brauchst eine gute Entschuldigung für dein Verhalten, Clarissa!«, schnauzte Graham sie an, drückte sie zur Seite und stürmte in ihr Wohnzimmer. »Wo, zum Teufel, bist du gewesen?«

Clarissa atmete tief durch. »Ich habe dir gesagt, ich würde es nicht schaffen«, sagte sie mit fester Stimme. Sie wollte die Kontrolle behalten, ganz im Gegensatz zu Graham. »Ich hatte mich klar ausgedrückt, oder?«

»Wie konntest du mir das antun?«, greinte Graham, ohne auf Clarissas Einwand einzugehen. »Weißt du, wie sehr du mich gedemütigt hast? Ich stand wie ein Trottel da, ohne jede Begleitung, während alle Herren eine Frau an ihrer Seite hatten. Ich bin von meiner ... meiner eigenen ...« Seine Stimme versagte für einen Augenblick.

Clarissa trat ihm entgegen, das Gesicht weiß vor Wut. »Von deiner eigenen was?«, fragte sie kalt. »Ich bin nicht deine Frau, ich bin nicht deine Freundin, und zu diesem Zeitpunkt bist du auch nicht mein Freund. Ich weigere mich, vor deinem aufgeblasenen Boss und euren kleinkarierten Kunden wie ein Honigkuchenpferd vorgeführt zu werden, nur damit du ...«

Was hatte sie da gesagt? Er trat auf sie zu, das Gesicht verzerrt vor Zorn. Unwillkürlich wich sie zurück, denn sie fürchtete, er könnte sie schlagen. Clarissa wusste nicht, was ihn so sehr in Rage gebracht hatte.

»Was willst du tun, Graham? Willst du mich schlagen?«, fragte sie eisig. Tatsächlich hatte er eine Faust gehoben, aber als er sah, dass Clarissa keine Angst zeigte, ließ er sie sinken und ging zur Tür.

»Wir sind noch nicht fertig, du und ich«, sagte er mit einem drohenden Unterton und zeigte mit einem Finger auf sie. »Dies ist noch nicht zu Ende.«

Clarissa sah ihm zu, wie er sich umdrehte und ging. Er schlug die Tür hinter sich zu, sodass sie in den Messingangeln hin und her zitterte. Clarissa blinzelte und schüttelte den Kopf, als sie hörte, wie Graham mit dem BMW davonfuhr und die Räder über den Asphalt radierten.

Was sollte das denn?, fragte sich Clarissa verwundert, zuckte die Achseln und zog den Mantel an. Sie hatte keine Zeit, sich jetzt mit Graham zu beschäftigen, sie wollte das Essen hinter sich bringen. Bis morgen würde sich Graham beruhigt haben.

Als Clarissa zwanzig Minuten zu spät den Speisesaal der Fachabteilungsleiter betrat, sah sie ›Mistress‹ Monica Talbot vor allen anderen. Sie hatte einen verhutzelten kleinen Mann mit Beschlag belegt und lehnte eindrucksvoll über ihm. Sie langweilt den armen Kerl zu Tode, dachte Clarissa, dann schlüpfte ihr ein lautes Kichern über die Lippen: Vorher würde sie ihn bestimmt noch gern auspeitschen!

Zum Glück schien da keine Spur von Verlegenheit zu sein, als Monica kurz Luft holte, um Clarissa zu begrüßen, ehe sie den Mann wieder zum Zuhören zwang. Monica hatte also keine Ahnung, dass Clarissa sie im Verlies gesehen hatte, als sie den Hintern des armen Professor Warburton vertrimmt hatte.

Die Reden erwiesen sich als so öde, wie Clarissa gedacht hatte, und der neue Abteilungsleiter, Professor Anderson, war nicht weniger öde. Clarissa fragte sich erneut mit Wut im Bauch, warum man keine Frau berufen hatte. Sie sah sich am Tisch um; die englische Abteilung bestand größtenteils aus Männern, zehn gegen vier Frauen. Sie saß zwischen Bob Evans vom Medienseminar – was tat er eigentlich hier? – und, genau wie sie befürchtet hatte, dem hiesigen Vikar, der auch dem akademischen Rat angehörte.

Clarissa seufzte und schob die schleimige Lachsmousse auf dem Teller hin und her. Sie hörte nur mit halbem Ohr zu, als Bob und der Vikar die Ergebnisse der lokalen Teams austauschten, es schien in erster Linie um Kricket und Fußball zu gehen. Sie konnte nur inständig hoffen, durch ihre Teilnahme an diesem langweiligen Essen einige Punkte bei ihren Vorgesetzten gut zu machen, und sie wollte sich schon unter irgendeinem Vorwand entschuldigen, als sie ein paar Gesprächsfetzen am Tisch auffing, die das Blut in ihren Adern gefrieren ließen.

»Ja, es ist eine Schande, dieser jüngste Skandal mit der Studentin Dodwell und Warburton«, bemerkte der Chaucer-Fachmann ziemlich laut zu der Sekretärin, die neben ihm saß. »Einfach unvorstellbar, seine Karriere zu riskieren, nur weil ein williges junges Ding dir schöne Augen macht.«

Schöne Augen? Warburton schöne Augen machen? Es fiel Clarissa schwer, das zu glauben, aber sie hätte gern mehr darüber gehört, deshalb lehnte sie sich so weit vor, wie es gerade noch ging und tat so, als hänge sie an jedem Wort des Vikars.

»Ja, und es heißt, dass sie gegangen ist, um ihm an seine neue Uni zu folgen«, sagte die Sekretärin kichernd und nahm einen Schluck Wein. »Warburton hat ihr auch eine Referenz für die neue Uni geschrieben, ich habe sogar die Kopie des Schreibens gesehen, weil jemand aus der Verwaltung gefragt hat, ob die Dinge, die er über sie geschrieben hat, überhaupt zutreffen.«

»Was einige Leute nicht alles für eine gute Zensur tun«, meinte der Chaucer-Mann kopfschüttelnd und biss sichtlich vergnügt in seine Ente *à l'orange*.

»Oh, nein!«, rief die Sekretärin, die Augen groß und leuchtend. »Es heißt, dass es sich um eine Romanze bei den beiden handelt; man hat sie zusammen gesehen, und sie hat sich wohl in alle seine Vorlesungen eingetragen.«

Clarissa glaubte kein Wort. Warburton musste in seinen Fünfzigern sein; er mochte eine bizarre sexuelle Anziehung

186

für eine Domina wie Monica Talbot haben, aber welche junge Frau von einundzwanzig Jahren stand dermaßen auf einem grauhaarigen, dickbäuchigen Mann, dass sie den Verlauf ihrer akademischen Karriere ändern musste? Clarissa konnte verstehen, dass man sich in einen seiner Professoren verknallte, aber dass man gleich die Uni wechselte, um dem Geliebten nahe zu sein, das war schon mehr als eine erste Schwärmerei.

Ich bin kaum diejenige, die über diesen Fall richten kann, fand sie selbstkritisch und dachte an ihr Fehlverhalten der letzten Monate. Vielleicht lebte Warburton das ganze Feld der Sexualität aus: Er konnte bei Miss Dodwell der gebildete Vatertyp sein und tobte seine infantilen Phantasien bei der dominanten Mistress Monica aus.

»Nun, hoffen wir, dass sie diesmal ein wenig diskreter vorgehen, ganz egal, wie ihre Gefühle zueinander sind«, sagte der Chaucer-Experte und nickte weise, während er die Sauce mit einem Stück Brot aufsog. »Wahre Liebe oder sexuelle Belästigung – in beiden Fällen wirst du von dieser Universität gefeuert.«

Clarissa saß wie versteinert da. Sie hatte den Appetit verloren, und ihre Hände zitterten. Es gab Tutoren, die ihre Stellung auf eine gemeine und gefährliche Weise ausnutzten und sogar missbrauchten, und viele von ihnen verdienten es, gefeuert zu werden. Aber konnte man nicht zwischen diesen strafwürdigen Vergehen und einer einvernehmlichen Affäre unterscheiden?

Was war, wenn Graham tatsächlich an den richtigen Stellen die Bemerkung fallen ließ, er hätte gesehen, wie sie einen Studenten geküsst hätte – und das auch noch in ihrem Büro? Clarissa wusste nun, dass niemand von der Uni hinter ihr stehen würde.

Sie blickte zu Monica, um herauszufinden, ob sie auch

dem Gespräch auf der anderen Tischseite gelauscht hatte. Es sah nicht so aus, denn Monica kaute fröhlich auf ihrer Ente. Doch Clarissa meinte zu sehen, wie die Knöchel der Hand, die die Gabel hielt, weiß geworden waren. Nun, eins stand fest: Wenn Monica erfuhr, dass Warburtons Romanze die Runde an der Uni machte, würde der Hintern des Mannes eine Menge harter Schläge auszuhalten haben.

Der Rest des Essens zog sich zäh dahin, und Clarissa verkrampfte immer mehr. Sie musste die Konfrontation mit Graham suchen und wollte dieser dünkelhaften Gesellschaft so schnell wie möglich den Rücken kehren und zu der Party hasten, wo sie endlich ihren Spaß haben würde. Seufzend rieb sie unter dem Tisch ihre Schenkel aneinander und stellte sich Nicks großen schlanken Körper vor, wie er am Mittag erst in ihrem Wohnzimmer gestanden hatte. Sie hatte Mühe, ein erleichtertes Grunzen zu unterdrücken, als der Vize sich nach seiner einschläfernden Rede wieder auf seinen Platz setzte.

Ohne ein Wort zu irgendeinem zu sagen, stieß Clarissa ihren Stuhl zurück und lief zur Garderobe. Sie hoffte, dass niemand sie auf dem Weg zur Tür aufhielt. Zu spät – mit einem scheuen Lächeln stellte sich Monica Talbot in ihren Weg. Clarissa geriet in schiere Panik. Hatte Monica doch von ihrem Besuch in *The Glory Box* erfahren?

Aber nein. Sie fragte die Kollegin nach wiederholtem Lidaufschlag: »Und was halten Sie von unserem Professor Anderson, Clarissa?«

Sie wusste später nicht mehr, mit welchem Klischee sie geantwortet hatte, aber Monica schien damit zufrieden zu sein und ließ sie gehen, und Clarissa stieg in ihr Auto und entfernte sich mit viel zu hoher Geschwindigkeit von ihren Kollegen.

Als Clarissa nach mehreren falschen Abbiegungen endlich die Adresse erreichte, die Nick ihr aufgeschrieben hatte, blieb sie noch eine Weile im Auto sitzen und sah staunend um sich. Nick hatte nicht übertrieben, als er sagte, das Haus läge von der Straße zurück.

In eine hohe graue Steinmauer war ein breites eisernes Tor eingelassen, und der Weg hinter dem Tor zog sich mindestens eine halbe Meile hin; er führte durch einen riesigen Garten. Gelb blühender Goldregen und breite Trauerweiden säumten den Weg, und dazwischen die Beete mit üppig blühenden Blumen. In der Mitte des Platzes vor dem Haus stand ein sprudelnder Brunnen, dessen Nass sich über eine Meerjungfrau aus weißem Stein ergoss.

Überall parkten Autos und flanierten Menschen. Clarissa musste lange nach einem Parkplatz suchen, aber dann fand sie eine Lücke für ihren Kleinwagen. Aber nun blieb sie erst einmal sitzen und fragte sich, ob sie genug Selbstvertrauen hatte, auf die Party zu gehen.

Das Haus war gewaltig. Es hatte mehr Fenster, als sie zählen konnte, hell erleuchtete Fenster, aus denen laut Musik dröhnte. Es war eine schwüle Frühlingsnacht, und die Gäste nutzten sie, tranken und tanzten unter den Sternen. Clarissa sah ein paar schemenhafte Gestalten, die sich in den Schatten umarmten.

Sie sah auch, dass sie unpassend angezogen war; viele Frauen trugen lange oder halblange Kleider, Ballkleider sogar, und die meisten Männer, die sie bis jetzt gesehen hatte, waren in Smoking oder Frack gewandet, komplett mit Fliege und Kummerbund.

Clarissa zweifelte, ob Nick überhaupt da war. Dies schien nicht wirklich seine Partyszene zu sein. Aber nun war sie einmal hier und wollte ihn finden, auch wenn sie noch keine

Vorstellung davon hatte, wie sie ihn unter diesen Massen ausfindig machen sollte.

Tapfer stieg sie die breite Steintreppe hinauf, die zur doppelflügeligen Haustür führte, flankiert von zwei runden Pfeilern. Sie wartete einen unentschlossenen Augenblick, ehe sie sich gegen einen Flügel der Tür stemmte. Im nächsten Moment wurde sie von einer jungen Frau in einem luftigen schwarzen Kleid beinahe umgerissen, die trunken einen attraktiven Mann hinter sich her zog und es scheinbar nicht erwarten konnte, bis sie ihn draußen für sich hatte. Clarissa schlüpfte rasch hinein und achtete darauf, dass sie auf dem glänzenden Holzfußboden nicht ausrutschte.

Im Haus bestand ihre erste Handlung darin, vom Tablett eines vorbeieilenden Kellners ein Glas Champagner zu greifen. Sie nippte an ihrem Drink und versuchte, sich in ihrem Wollkleid zu verstecken, denn jetzt wusste sie genau, dass sie nicht angemessen gekleidet war: Überall um sie herum sah sie Frauen in eleganten Abendroben.

Das Altersspektrum der Gäste war überraschend breit; gesetzte silberhaarige Damen in der Begleitung von höllisch gut aussehenden jungen Männern, Pärchen in den Dreißigern, die fürchterlich gebildet und aristokratisch wirkten, dazu eine Menge von attraktiven, gut angezogenen Zwanzigern. Es waren auch einige Studenten ihrer Uni da, stellte Clarissa fest.

Sie bewegte sich durch die einzelnen Räume, alle herrlich eingerichtet, betrachtete die mit Teppichen behangenen Wände, die vielen erlesenen Kunstwerke und das antike Mobiliar. Vor einer Nachbildung des Eiffelturms, ganz aus Eis geschnitzt, blieb sie stehen. Am Fuß des Turms war ein Bett für Hummer, Garnelen, Austern und Kaviar angelegt. Sie war versucht, schwarze Oliven von einem Tablett zu stibitzen, traute sich aber nicht und ging weiter. Clarissa schätzte, dass wenigstens zweihundert Menschen auf der Party waren.

Aber wo war Nick? Clarissa konnte sich nicht vorstellen, dass er sich in diesem geschmackvoll eingerichteten Museum wohl fühlte, umgeben von betuchten Freunden in Juwelen und Seide und von klassischer Musik, die aus unsichtbaren Lautsprechern scholl. Je weiter Clarissa ins Haus vordrang, desto jünger schienen die Gäste; es sah so aus, als hätten sich die älteren Besucher auf die äußeren Räume beschränkt.

In der Bibliothek, offenbar das Zentrum des Hauses, fast so groß wie ein Lesesaal in der Uni, kostbare Eichenmöbel und endlose Reihen von in Leder gebundenen Büchern, gab es nur ein paar Gäste, und keiner von ihnen schien älter als einundzwanzig zu sein.

»Entschuldigt«, sagte sie und räusperte sich nervös, denn sie wollte die offenbar private Versammlung nicht stören.

Ein hoch aufgeschossener blasser, blonder Mann saß in einem tiefen Sessel, Cognacschwenker in der einen Hand, Zigarre in der anderen, und zwei kichernde junge Frauen flankierten ihn auf den Sesselarmen.

»Ja?«, fragte er und zog an seiner Zigarre. »Kann ich dir irgendwie helfen?«

»Ich suche Nick ... Nicholas St. Clair«, stammelte sie und fühlte sich plötzlich fehl am Platz auf dieser Party. »Ist er irgendwo in der Nähe?«

Der Junge legte den Kopf in den Nacken und blies einen perfekt geformten Kringel gegen die Decke. »Ich schätze, du findest ihn irgendwo in den oberen Schlafzimmern«, sagte er langsam. Die beiden Frauen auf den Sesselarmen fanden die Vermutung höchst amüsant; sie kicherten so laut und nervig, dass Clarissa an sich halten musste, um ihnen keine Ohrfeige zu verpassen. Aber sie nickte nur dem jungen Mann zu und ging hinaus, aber dann rief er ihr hinterher.

»He, Darling, warte mal.«

Sie drehte sich um, knirschte mit den Zähnen, lächelte aber freundlich. »Ja?«

»Wenn du draußen einen der wandernden Kellner finden solltest, schick ihn doch zu uns«, sagte er in einem Ton, dem man anhörte, dass er gewohnt war, Personal zu befehligen. »Wir sind alle schrecklich trocken hier drin.« Er wies auf sein leeres Glas und verschwand fast aus Clarissas Blickfeld, als sich die beiden kichernden Mädchen über ihn beugten und ihm ins Ohr flüsterten.

Clarissa verzichtete auf eine Replik, sie ging hinaus auf den Flur bis zur überwältigenden Wendeltreppe aus glattem Mahagoni, die in den ersten Stock führte.

Sie folgte dem breiten Flur und schaute in prächtige Räume, aber sie sah kein vertrautes Gesicht. Sie war bereit aufzugeben, ihr Auto zu finden und rasch zu verschwinden, als ein glockenhelles Lachen aus einem nahen Zimmer ihre Aufmerksamkeit erregte.

Clarissa blieb vor der offenen Tür stehen und hatte endlich das Objekt ihrer Suche gefunden.

Da war Nick; er ruhte auf einer Chaiselongue, deren Stoff mit hellen Farben in Pink und Creme gestreift war. Sein Kopf lag auf der einen Armlehne, und über der anderen hatte er die Stiefel gestreckt. Er wenigstens hatte auf Frack oder Smoking verzichtet, die unter den anderen Gästen zur Kleiderordnung zu gehören schienen; er trug seine schwarze Lederjeans und ein schwarzes Hemd dazu; aber er hatte sich rasiert, das war wohl sein Beitrag zur Förmlichkeit dieser Party.

Auf einem Bettkissen vor Nick saß Lawrence Hoffman, der ein Frackhemd und eine schwarze Hose trug; der rote

Kummerbund lag auf dem Boden, die rote Fliege hing lose um den Hals. Zwischen seinen Zähnen steckte eine Zigarre, und in der Hand hielt er eine Champagnerflasche, aus der er offenbar schon seit einiger Zeit kräftig genuckelt hatte.

Zwischen den beiden Männern befand sich ein gewaltiges überladenes Sofa, ebenfalls mit blassen Streifen in Pink und Creme, und darauf saß die schöne blonde Jessica. Wie Nick war auch sie zu leger für diese Party angezogen, Beine und Füße waren nackt, und sie trug ein kurzes, ärmelloses Kleid aus schwarzer Seide, die eng um ihren Körper lag und einen auffälligen Kontrast zum silbernen Schimmer ihrer Haare passte.

Der Reißverschluss des Kleids war zur Hälfte geöffnet und gab den Blick auf ihren tiefen Ausschnitt frei. Clarissa fühlte ihre Blicke zu Jessicas Busen gezogen. Dies war das erste Mal, dass sie das Mädchen aus der Nähe betrachten konnte. Weit auseinander liegende Augen, Stupsnase und ein Mund mit vollen Lippen, die in der Farbe des Klatschmohns glänzten.

Niemand der drei schien Clarissa zunächst zu bemerken, sie schienen sich über einen Scherz zu amüsieren, denn sie lachten ausgelassen. Dann hob Nick den Blick zur Tür und sah Clarissa dort stehen.

»He, hallo«, sagte er lächelnd, aber es war kein offenes, freundliches Lächeln; er sah eher so aus, als hätte Clarissa ihn bei irgendwas gestört. Dann änderte sich sein Ausdruck, er setzte sich auf und klopfte auf das Kissen neben seinem Platz. »Komm herein, Clarissa«, sagte er herzlich, »ich hatte schon befürchtet, du würdest gar nicht kommen.«

Zögernd trat Clarissa ein, nicht ganz sicher, ob sie hier bleiben wollte. Jetzt lächelte Nick sie offen an, er legte den Kopf schief auf seine typische spöttische Weise, während Lawrence an seiner Zigarre paffte und dann einen Schluck aus der Flasche nahm. Er schien Clarissa nicht wirklich wahrzunehmen.

Clarissa starrte wieder Jessica an, sie mochte den Blick nicht von ihr wenden. Die kühle Schönheit betrachtete sie mit einer Art amüsiertem Interesse, als wüsste sie etwas über Clarissa, als wäre die ältere Frau ihr nicht fremd. Es war der Ausdruck in Jessicas Gesicht, der Clarissa zögern ließ, aber nun war sie einmal hier, da konnte sie auch Platz nehmen und abwarten, wohin die Situation führte.

»Komm rein und schließ die Tür«, rief Nick, als Clarissa noch unentschlossen da stand, aber dann folgte sie seiner Aufforderung, schloss die Tür und trat tiefer ins Zimmer hinein. Einen Moment lang überlegte sie, wohin sie sich setzen sollte. Sie befand sich in einem Wohnzimmer, ein kleiner Flur führte von hier zum Schlafzimmer und zum Bad dahinter. Sie fragte sich, wo Nicks geheimnisvoller Vetter blieb.

»Ich glaube, du kennst Lawrence«, sagte Nick mit nur ein wenig Ironie in der kühlen Stimme. »Und dies«, er zeigte mit der Hand zum Sofa, »ist Jessica.«

Clarissa nickte kurz in Jessicas Richtung, und die junge Frau antwortete in schönstem Londoner Akzent: »Ich freue mich, dich endlich kennen zu lernen, Clarissa. Nick hat mir schon viel von dir erzählt.«

Clarissa warf Nick einen Blick zu, der unschuldig lächelte und wieder auf den Sitz klopfte. »Willst du dich nicht setzen, Clarissa?«

Sie sah ihn stirnrunzelnd an, bewegte sich absichtlich von ihm weg und ließ sich vorsichtig auf einen Stuhl mit einem gewölbten Rücken nahe der Tür nieder, etwas abseits des gemütlichen Dreiecks, das die anderen drei bildeten. Clarissa lehnte sich auf dem Stuhl zurück und fragte sich neugierig, was als Nächstes geschehen würde.

»Etwas zu trinken?«, bot Nick an, langte hinter sich und öffnete eine Flasche Champagner, die er aus einem silbernen Eiskübel auf dem Boden holte. Clarissa sah schweigend zu, als er geschickt den Korken löste und die kühle Flüssigkeit in ein Glas füllte, ohne einen Tropfen zu vergeuden.

Er stand auf und ging zu Clarissa hinüber, reichte ihr das Glas und setzte sich wieder auf die Chaiselongue, ohne ein Wort gesagt zu haben. Clarissa nippte nervös an ihrem Glas. Das dickte Schweigen im Raum hämmerte in ihrem Kopf; es schien, als hätte der Teppich alle Geräusche aufgesogen.

»Nun«, begann Nick, brach ab und zündete eine Zigarre an. Welche Rolle spielten Zigarren in diesem Haus? Clarissa wünschte, sie hätte Zigaretten mitgebracht. »Hat es dir bis jetzt gefallen?«

»Eine großartige Party, Nick«, gab Clarissa lässig zurück, froh über ihre feste Stimme. »Habe ich auch Gelegenheit, deinen Vetter kennen zu lernen?«

»Vetter?«, wiederholte Nick, und Lawrence kicherte vor sich hin. Nick wandte sich an ihn und fragte: »Kennst du irgendeinen Vetter von mir, Larry?«

Clarissa spürte, dass irgendwas im Gange war, und sie hatte keine Lust zu warten, bis sie wusste, was da ablief. Sie stellte ihr Glas auf den Boden, stellte sich und sagte: »Okay, ich habe offenbar bei irgendwas gestört, deshalb möchte ich jetzt gehen, Nick. Wir sehen uns nächste Woche im Hörsaal. Bis dann.«

Sie wollte sich nach ihrer Tasche bücken, aber da war Nick schon aufgesprungen und hielt Clarissa zurück.

»Komm schon, Clarissa, es tut mir Leid«, sagte er und blockierte ihr mit seiner schlanken Gestalt den Weg. »Geh nicht. Die Sache ist die ...« Er brach ab, sah zur Decke, sah dann in Clarissas Gesicht und sagte: »Es gibt keinen Vetter. Dies ist mein Haus.«

Völlig verdattert konnte Clarissa ihn nur sekundenlang anstarren, dann brachte sie heraus: »Jetzt brauche ich diesen Drink.« Sie hob ihr Glas, trank es leer und hielt es ihm zum Nachschenken hin. »Warum hast du mir das nicht gesagt?«, rief sie. »Was soll diese ganze Geheimniskrämerei? Wer bist du wirklich, und warum lebst du als armer Student?«, fügte sie hinzu, während er ihr einschenkte.

Nick hob die Schultern. »Ich weiß es nicht. Meine Mutter ist ...« – er hielt einen Augenblick inne, dann nannte er einen Namen, der zu den berühmtesten und reichsten in der Welt der Kunst gehört. Sie war eine sehr bekannte Philanthropin und war berühmt für ihre Partys, auf denen sie für junge Talente Geld sammelte. Jetzt fiel Clarissa auch ein, dass sie Fotos von einigen Zimmern schon in gewissen Magazinen gesehen hatte.

»Sie ist deine Mutter?«, fragte Clarissa, dann sah sie sich in diesem Zimmer um. »Ja, ich kann verstehen, dass du die Wahrheit über deine Eltern zurückgehalten hast. Du bist in einem Palast groß geworden.« Dann sah sie sich wieder um und fragte: »Aber das war nicht dein Zimmer, oder?«

»Himmel, nein«, rief Nick lachend, und Jessica und Larry fielen ein. »Eigentlich habe ich überhaupt kein Zimmer hier. Mein Stiefvater und ich ... nun, sagen wir, dass wir kein Herz und eine Seele sind.« Er grinste schief und sagte: »Ich bin nicht oft zu Hause. Aber Mutter hat darauf bestanden, dass ich mich heute Abend sehen lasse, weil sie diesen Empfang für irgendeinen irren Künstler gibt« – es war unmöglich, die Bitterkeit in seiner Stimme zu überhören, dachte Clarissa – »und ich wollte sie nicht enttäuschen, also bin ich hier. Und du bist auch hier«, fügte er listig hinzu und musterte sie von oben bis unten.

»Ist sie hier?«, fragte Clarissa neugierig. »Ich würde sie gern kennen lernen.«

Nick grinste verächtlich. »Nein, sie und mein Stiefvater« – er sprach das Wort aus, als müsste er sich übergeben – »sind vor kurzem zu einer Kreuzfahrt aufgebrochen.«

»Sie haben die Party verlassen?«, fragte Clarissa ungläubig und schüttelte den Kopf. »Was ist mit all den Gästen?«

Nick hob die Schultern. »Sie bleiben bis zum Morgen, und nach dem Frühstück werden sie gehen. Das Personal schließt das Haus, und es bleibt bis zur Rückkehr meiner Mutter geschlossen.« Er streckte sich und gähnte. »Lass uns nicht länger über sie reden. Fangen wir ein anderes Thema an.«

Clarissa sah ihm in die Augen und wusste, dass sie auf der Hut sein musste. Er hatte irgendwas geplant, aber sie konnte nicht wissen, was es war. Sie wollte ihm zuvorkommen und fragte: »Und wie habt ihr euch kennen gelernt?« Sie wies mit dem Kopf auf Jessica.

Nick grinste die junge Frau auf der Couch an und sagte: »Ach, Jessica und ich sind alte Freunde, stimmt's nicht, Jess?«

Als Lawrence wieder zu kichern begann, wollte Clarissa wirklich gehen. Sie sah ihn prüfend an, aber er senkte sofort den Blick. Er steckte eine frische Zigarre in Brand.

»Wir sind alle alte Freunde hier, nicht wahr?«, sagte Nick und lehnte sich zurück. Er faltete die Hände hinter seinem Kopf. »Du und ich, wir kennen uns doch auch schon eine Weile, nicht wahr, Rissa?«, fragte er lächelnd und sah ihr in die Augen. Er wies mit dem Kopf auf Lawrence. »Und ich weiß, dass du auch den jungen Larry kennst.« Schelmisches Feuer glitzerte in seinen Augen, als er zu Jessica sah und fortfuhr: »Du kennst Jessica nicht so gut wie uns beide, habe ich Recht, Clarissa?«

Er wartete die Reaktionen nicht ab und sah wieder Jessica an. »Ich weiß, dass Clarissa dich schon mal gesehen hat, hast du das gewusst, Jess? Um genau zu sein, Clarissa hat eine ganze Menge von dir gesehen.« Er lächelte seine Freundin an, und Clarissa wurde an jene Nacht erinnert, als sie die beiden zusammen beim Sex erlebt hatte.

Plötzlich hatte sich die Atmosphäre im Raum verändert. Clarissa, verwirrt von den Bildern in ihrem Kopf, wie Nicks rigider Schaft in Jessicas geschwollene Vagina eingedrungen war, spürte ihre eigenen Säfte, die sich in den Falten ihres Schoßes sammelten.

Unruhig rutschte sie von einer Pobacke auf die andere. Sie war jetzt nicht mehr sicher, dass Jessica ihre Anwesenheit damals nicht bemerkt hatte. Der Blick, den Jessica und Nick tauschten, schien sehr, sehr intim zu sein. Er sah sie so intensiv an, wie er Clarissa oft angeschaut hatte.

Clarissa schloss die Augen gegen die brennenden Pfeile der Eifersucht, die durch ihren Körper schossen, als sie Nick und Jessica beobachtete, die sich verliebt anlächelten. Das ist also die Frau, die er so gut kennt. Er wusste, wie Jessica schmeckte, er kannte ihren Geruch und wusste, wie es sich anfühlt, wenn sie die Beine um seinen Körper schlingt. Er kannte Jessicas Mund, Brüste und Geschlecht, und nun wollte Clarissa sie auch in allen intimen Einzelheiten kennen lernen.

Sie wollte Jessicas Körper so erleben wie Nick, sie wollte das erfahren, was er erfahren hatte, sie wollte fühlen, was er fühlte, wenn er Jessica berührte – vielleicht konnte sie auf diese Weise seine Kontrolle über sie reduzieren. Wenn sie wusste, wie es war, Jessica zu lieben, würde sie vielleicht nicht mehr eifersüchtig auf sie sein, und vielleicht würde sie dann auch von Nick loslassen können.

Aber sie wollte Jessica auch als Frau erfahren, nicht nur als Mittel zum Zweck. Sie wollte Jessica küssen und fühlen, wollte sie anfassen und lieben, wie sie noch nie eine andere Frau geliebt hatte. Vielleicht wegen Nick, vielleicht aber auch, weil die Zeit dafür reif war. Jedenfalls war sie bereit. Körper an Körper, Frau an Frau.

Clarissa stand auf und setzte sich neben Jessica auf die Couch, ein wenig verunsichert, wie es weiter gehen sollte. Neidisch starrte sie auf Jessicas lange schlanke Beine und verglich sie mit ihren eigenen kurzen blassen Beinen; dann verglich sie ihre kleinen Brüste mit Jessicas runden und volleren. Zögernd hob Clarissa eine Hand und strich mit den Fingern durch Jessicas blonde Haare. Jessica schloss die Augen und lächelte verträumt, dann schlug sie die Augen auf und sah Clarissa an.

»Es hat dir nichts ausgemacht, dass ich bei dir zugeschaut habe, Jessica?«, murmelte Clarissa und war nicht überrascht, dass Jessica die plötzliche Nähe einfach so hinnahm. Ob es das war, was Nick für den heutigen Abend geplant hatte? Nun, ihr sollte es Recht sein, denn es entsprach auch ihrem eigenen Wollen.

»So schöne Haare«, flüsterte Clarissa. »Weißt du, Jessica« – sie rutschte näher an die junge Frau heran –, »ich bin schon lange eifersüchtig auf deine Beziehung mit Nick gewesen, und ich habe mich gefragt, wie es sich anfühlt, dich so zu berühren wie Nick.« Sie zog die Hand zurück, als wartete sie auf Jessicas Erlaubnis. »Darf ich dich anfassen?«

Jessica seufzte und nickte leicht, sie sah Clarissa wieder in die Augen und lächelte sanft, ehe sie die Augen schloss und sich ein wenig zurücklehnte, um auf Clarissas Berührungen zu warten.

Langsam und scheu griff Clarissa an den Reißverschluss von Jessicas Kleid und zog ihn ein wenig hinunter, bis unter den BH. Das Kleid klaffte auseinander und gab den Blick auf die prallen Rundungen von Jessicas Busen frei. Unsicher legte Clarissa eine Hand auf die Brust, die gegen die seidigen schwarzen Körbchen quoll.

Als sie Clarissas Finger spürte, stöhnte Jessica leise auf. Sie lehnte den Kopf gegen den Sofarücken und hob den Hals, als wollte sie der Frau, die sie streichelte, mehr von sich zeigen.

Clarissa wurde mutiger und hatte ihre Zuschauer beinahe vergessen. Sie legte beide Hände um die Brüste, bestaunte das feste Gewebe und schlüpfte mit den Fingern in das Tal zwischen den Hügeln. Noch traute sie sich nicht, die Nippel zu streicheln. Sie konzentrierte sich darauf, sich mit Jessicas weicher Haut vertraut zu machen und strich mit den Fingern immer wieder um die Konturen der prallen Kugeln. Dann stieß sie eine Warze über dem BH mit der Fingerkuppe an, drang mit dem Finger unter den dünnen Stoff und drückte den harten Nippel. Clarissa schloss für einen Moment die Augen, während sie mit dem Finger um die zitternde Warze strich, ehe sich Clarissa über sie beugte, um Jessicas Brüste zu küssen.

Als sie den Mund öffnete, um über die wunderbar duftende Haut zu gleiten, schlug Clarissa die Augen auf und sah die beiden jungen Männer, die schweigend zuschauten, wie sie Jessicas Brust in den Mund nahm.

Es war, als ahnte Jessica die Blicke der Männer, sie griff an ihre Schultern und streifte die Träger des BHs ab, und dann waren ihre Brüste entblößt. Jetzt legte sie die Hände um Clarissas Kopf und führte ihre Nippel zum Mund der älteren Frau.

Clarissa saugte die harte braune Spitze ein und versuchte, sich den Geschmack des Nippels auf der Zunge für alle Zeit einzuprägen. Sie saugte die ganze Brust in den Mund, labte sich an der Wärme und vibrierte am ganzen Körper, als sie den Mund langsam hob und über die Nippel der jungen Frau leckte, erst den einen, dann den anderen. Jessica seufzte und stöhnte und wimmerte.

Clarissa wollte mehr von ihr schmecken. Sie drückte sich mit den Armen hoch und schaute hinunter auf das Mädchen, das die Augen öffnete und Clarissa lange ansah. Übertrieben langsam zog Jessica den Reißverschluss ihres Kleids bis ganz unten auf und entblößte den goldenen Körper immer mehr. Clarissa sah schweigend zu, dann half sie Jessica, das Kleid abzustreifen. Sie senkte den Kopf und atmete den blumigen Duft der jungen Frau ein. Dann griff sie in den Rücken und hakte den BH auf, um auch ihn auszuziehen. Er landete mit dem Kleid auf dem Boden.

Bis auf den durchsichtigen schwarzen Spitzenslip war sie jetzt nackt. Sie blickte zu Clarissa hoch, als wollte sie die ältere Frau zum Schauen einladen. Sie und die männlichen Zuschauer sollten sich an ihrem makellosen Körper ergötzen und ihn genießen. Jessica spreizte die Beine ein wenig und wölbte verführerisch den Rücken.

Clarissa sah kurz zu Nick, dann beugte sie sich über den ausgestreckten Körper und nahm wieder Jessicas Brust in den Mund. Mehrere Minuten lang küsste sie die Brüste und die kakaofarbenen Spitzen, ehe sie auf den Knien weiter nach unten rutschte. Der Mund schloss sich über dem Nabel und saugte die empfindliche Haut ein. Sie schmeckte Jessicas Parfum und einen Hauch von Schweiß. Clarissas Mund glitt weiter nach unten, dann saß sie auf den Fersen. Ihr Kopf lag zwischen Jessicas Schenkeln, vor sich der so dünn bedeckte Schoß.

Sie drückte den offenen Mund auf die raue Spitze, und als sie den Blick hob, traf er sich mit Jessicas. Wortlos hob das Mädchen die Hüften an, und Clarissa zog den Slip an den langen Schenkeln hinunter. Jetzt schob sie die Beine so weit auseinander, wie es auf dem Sofa möglich war und starrte auf die pink glänzende Vagina.

Zuerst ging es über das Starren nicht hinaus; Clarissa hatte noch nie die Vagina einer anderen Frau aus dieser Nähe gesehen. Sie folgte den prallen Labien, den Falten und Winkeln mit den Augen, dann setzte sie die Finger ein und strich an den Lippen auf und ab. Sie waren glitschig und nass von ihren Säften, und Clarissa atmete den Duft ein, der sie betörte. Sie studierte den Kopf der Klitoris und die inneren Lippen, dann die einladend offene Grotte ins Herz von Jessicas Geschlecht.

Clarissa legte ihre Finger auf die geschwollenen Labien und massierte sie genüsslich, bevor sie die Lippen spreizte. Sie tauchte mit dem Kopf hinunter und tunkte die Zunge in die moschusartig duftende Nässe. Zögernd begann sie Jessicas schmelzende Vagina zu lecken.

Den Geschmack des Mädchens auf der Zunge, spürte sie auch das eigene Geschlecht zucken und anschwellen. Ihr Mund, ihre Vulva und Jessicas Sex schienen zusammenzugehören und teilten dieselbe sinnliche Freude.

Clarissa strich mit der Zunge über Jessicas seidiges Gewebe, und das Mädchen bebte vor Lust. Nur vage und nur ab und zu nahm Clarissa Lawrence und Nick wahr, die voller Eifer zusahen; sie konzentrierte sich auf Jessicas Geschlecht in ihrem Mund, ihren Duft, ihren Geschmack. Das Mädchen begann zu keuchen und zu stöhnen; Clarissa hob den Kopf und führte vorsichtig einen Finger in die glitschige Öffnung. Fasziniert sah sie zu, wie das Gewebe sich um den Eindringling schloss und schob den Finger noch etwas tiefer hinein.

Ein und aus fuhr sie mit dem Finger, sie bohrte ihn in das rosige Fleisch hinein, zog ihn dann zurück und stieß mit der Zunge zu. Ihr war, als würde das eigene Geschlecht gesaugt. Sie hob für einen Moment den Kopf und sah Nick, der sich über Jessica beugte, die Augen weit geöffnet und glänzend, die Lippen geteilt. Er hatte seinen Platz verlassen und stand nun über Jessica gebeugt und schaute den beiden Frauen gebannt zu.

Als Clarissa sah, dass Nick mit einer Hand sanft über das Haar seiner Freundin strich, trieb sie die Zunge noch tiefer in sie hinein, und als sie dann Jessica in Ekstase schreien hörte, empfand sie so etwas wie Triumph. Sie schob ihre Hände unter Jessicas Pobacken und zog sie näher an ihren Mund heran.

Jessica schrie und kreischte. Ihr Körper wurde geschüttelt und wand sich, und Clarissa schloss ihren Mund um den empfindlichen Kopf der Klitoris. Sie leckte mit der Zunge über den kleinen runden Hügel, und als sie ihn in den Mund saugte, wand sich Jessica so heftig, dass sie beinahe vom Sofa gefallen wäre.

Clarissa blickte auf und sah, dass Nick, die Wangen leicht gerötet, sie anstarrte, die Hand noch streichelnd auf Jessicas Kopf. Clarissa fragte sich, ob er auch diese Stiche von Neid spürte, die durch ihren Körper geschossen waren, als sie ihn und Jessica gesehen hatte. Als wollte sie ihn testen, fuhr sie mit der rauen Zunge noch härter über Jessicas Kitzler und trieb die junge Frau in eine neue Ekstase.

Schließlich schien Jessica völlig erschöpft zu sein; sie lag schlaff da, nur ab und zu zuckten noch ein paar Nerven, die Schreie und das Stöhnen waren verklungen. Behutsam schob sie Clarissa von sich.

Clarissa sah das verträumte Lächeln des Mädchens, fuhr sich durch die zerzausten roten Haare und erhob sich. Sie blickte Nick an und wischte sich mit dem Handrücken über den Mund. Dann drehte sie sich um, griff ihre Handtasche und ging durch die Tür.

# Elftes Kapitel

Nach einem tiefen Schlaf wachte Clarissa am Morgen früh auf. Sie hatte von sich rasch öffnenden Rosen geträumt, deren Blätter sich in der Glut der Sonne entfalteten, und von salzigen blauen Meeren, deren Wellen sich majestätisch hoben und rhythmisch ans Ufer klatschten.

Sie öffnete die Augen. Die Frühlingssonne fiel durch die Spalten der halb hochgezogenen Jalousie. Sie lächelte ihrem Bild auf dem Spiegel neben ihrem Bett zu, dann streckte sie sich und fuhr mit den Händen über Brüste und Schoß. Sie stellte sich Jessicas vollen Körper vor und phantasierte davon, wieder ihren Duft einzuatmen.

Clarissa fühlte sich gut an diesem Morgen, es war, als wäre sie jetzt erst komplett, sie fühlte sich mehr als Frau denn je zuvor. Sie hatte das Gefühl, gestern Abend in etwas eingeführt worden zu sein, wovon nur einige ausgewählte tapfere, mutige Frauen wussten.

Dann fiel ihr Graham ein. Graham! Sein wütendes, höhnisch grinsendes Gesicht verdrängte für einen Moment sogar Nicks Bild, mit dem sie gewöhnlich aufwachte. Sie wusste, dass sie möglichst bald mit Graham reden und ihm irgendwie erklären musste, warum sie ihn nicht zum Grand National hatte begleiten können, bevor er seine Drohung wahr machte und einen seiner Freunde an der Universität anrief und über eine gewisse Dozentin schwatzte, die sich bei einem Studenten höchst unprofessionell verhalten hatte.

Clarissa sah auf die Uhr. Halb acht. Gewöhnlich gehörte Graham zu den Frühaufstehern, manchmal joggte er, oder er wollte in Ruhe seine Zeitung lesen oder irgendein sinnloses Computerspiel abarbeiten, bei dem es darum ging, möglichst viele Ziele mit Raketen zu treffen. Sie hatte also eine gute Chance, ihn zu Hause anzutreffen.

Sie stellte sich unter die Dusche, seltsam widerwillig, alle Spuren von Jessicas Lust von Händen, Gesicht und Mund zu tilgen. Sie zog weite Jeans an und einen bequemen türkisfarbenen Pulli. Bei Graham war es wichtig, sich nicht sexy zu kleiden; für ihn war die Definition einer sinnlichen Frau die geschmackvolle, elegante Kleidung.

Nun, sexy sehe ich wirklich nicht aus, dachte sie, als sie einen letzten Blick in den Spiegel warf.

Ihr Herz raste vor Nervosität, als sie die Steintreppe zu Grahams großem viktorianischen Haus hoch ging und schwach auf den Klingelknopf drückte; es sollte freundlich klingen, nicht stürmisch. Niemand reagierte, deshalb drückte Clarissa noch einmal auf die Klingel, weniger zurückhaltend als beim ersten Mal. Sie versuchte, ihren rasenden Puls in den Griff zu bekommen. Noch keine Reaktion, und Clarissa war drauf und dran, mit den Fäusten gegen die Tür zu trommeln, aber dann hörte sie, wie der Riegel zurückgeschoben wurde.

»Clarissa!«, rief Graham verdutzt. Sie starrten sich an, und jeder wartete darauf, dass der andere etwas sagte.

Überrascht bemerkte Clarissa, dass Graham so aussah, als wäre er gerade erst aus dem Bett gestiegen. Unter dem hastig übergeworfenen Bademantel war er offensichtlich nackt. Die blonden Haare waren zerzaust, und die Augen blickten glasig. Das alles passte nicht zu ihm, denn um diese Zeit war er meistens angezogen und sah wie aus dem Ei gepellt aus, auch an einem Samstag.

Clarissa wollte gerade etwas sagen, als eine Stimme aus dem Hintergrund ihre ganze Aufmerksamkeit verlangte.

»Graham, ist da jemand an der Tür?«

Clarissa kannte diese Stimme, das wusste sie genau. Der schottische Akzent war nicht zu überhören, die lang gezogenen und gerollten ›R‹s, die runden und gedehnten Vokale, und dann dieser volle Baritonklang – plötzlich wusste sie es. Das war Glen, Grahams Abteilungsleiter.

Und ganz offensichtlich befand er sich in Grahams Schlafzimmer!

Clarissa konnte ein triumphierendes Lachen nicht verhindern, und ein wissendes, schelmisches Lächeln umspielte ihre ungeschminkten Lippen.

»He, ho, Graham«, sagte sie und betonte jede Silbe. »Ich glaube, du willst mir was erklären.«

Er sah sie hilflos an und stammelte: »Bitte, Clarissa, ich muss ...«

Sie unterbrach ihn mit einem Lachen und rief: »He, Glen, ich bin's nur, Clarissa Cornwall. Warum kommst du nicht zu uns und sagst hallo?«

Ein paar Augenblicke später trat Grahams direkter Vorgesetzter in den Flur und knotete verschämt den Gürtel des Bademantels fest, der in Schnitt und Design ein Zwilling von Grahams Mantel war.

»Hallo, Clarissa, schön, Sie zu sehen«, murmelte er, das Gesicht gerötet. Graham wandte verlegen den Blick, doch Glen stellte sich vor ihn und zischte ihm wütend zu: »Ich habe dir immer gesagt, du solltest ihr gegenüber mit offenen Karten spielen.«

Clarissa lächelte die beiden an. Graham räusperte sich nervös und sagte so höflich wie möglich: »Eh ... also, warum setzen wir uns nicht ins Wohnzimmer, trinken einen Kaffee und reden über die Sache?«

»Zum Teufel mit Kaffee!«, rief Clarissa und schnaufte verächtlich. »Ich glaube, die Situation verlangt einen guten

Whisky. Du hast doch einen besonderen Johnny Walker Black, nicht wahr, Graham?«

»Um neun Uhr morgens?«, fragte Graham entsetzt, aber ein Blick in Clarissas entschlossenes Gesicht schickte ihn zu seiner gut ausgestatteten Bar.

Als sie zu dritt auf Grahams Ledersofa saßen und sich an ihren antiken Whiskygläsern festhielten, nahm Clarissa einen kräftigen Schluck und sagte: »Nun, Graham, willst du dich bei mir für dein Benehmen in letzter Zeit nicht entschuldigen?«

Graham warf Glen einen Blick zu und sagte zögernd: »Eh, ja, Clarissa, ich wollte es dir schon seit längerem sagen, aber ich wusste nicht, wie ich es auf diskrete Weise ausdrücken sollte . . .«

»Was ist denn daran so schwierig?«, unterbrach Clarissa ihn. »Dass dein Geliebter ein Mann ist? Dass er auch noch dein Abteilungsleiter ist? Glaubst du, ich bin so engstirnig, dass mich das stört?«

»Nun ja, Clarissa, ich weiß natürlich, dass du über solchen Dingen stehst«, sagte er spröde, »aber denk doch mal an meine Position – an unsere Position – in der Firma! Stell dir die Schande vor, wenn das bekannt wird! Du weißt, wie konservativ es in der Militärindustrie zugeht«, sagte er noch und sah Clarissa flehend an.

Glen legte eine Hand auf Grahams Arm, dann beugte er sich vor. »Was Graham sagen will, Clarissa«, begann er leise, »es tut ihm wahnsinnig Leid, dass er Sie in letzter Zeit so unsanft angefasst hat. Er glaubte, im Sinne der Firma zu handeln, aber er« – jetzt blickte er stirnrunzelnd zu Graham – »wollte Ihnen mit seinem Machogehabe keinen Stress bescheren.«

»Ach, Sie sprechen von seinem kleinen Erpressungsversuch, nehme ich an«, sagte Clarissa mit süßer Stimme und legte sich in ihrem Sitz zurück. Ihr Blick traf sich mit Grahams. »Oh, jetzt verstehe ich. Kein Wunder, dass du so großen Wert auf meine Begleitung gelegt hast, wenn du ins Theater, in die Oper oder zum Grand National gegangen bist. Du wolltest unter allen Umständen den Schein waren, nicht wahr?«

»Ich hätte nie jemandem was über dich und deinen Studenten erzählt«, sagte Graham, und man sah ihm an, dass er sich elend fühlte. Er mied ihren Blick. »Ich wollte mir nur in der Firma keine Blöße geben. In einigen Büros kursieren schon die Gerüchte, und die konnte ich nur zum Schweigen bringen, wenn ich mich öffentlich mit dir zeigte.« Ängstlich sah er zu Glen. »Aber wegen der Gerüchte hielt ich es nicht für angebracht, unsere Beziehung öffentlich zu machen.«

»Also, ich war schon lange dafür, Ihnen alles zu sagen«, verkündete Glen stolz und lehnte sich gegen Grahams Arm. »Ich schäme mich unserer Beziehung nicht, und die Firma« – jetzt blickte er grinsend zu Glen – »ist längst bereit, die Affäre zu akzeptieren.«

Die ganze Welt ist wahrscheinlich bereit dazu, dachte Clarissa, aber sie bezweifelte, dass der konservative Graham dazu bereit war, der Welt seine Vorliebe für Männer zu gestehen. Dann fiel ihr etwas ein.

»Habt ihr zwei die Affäre schon begonnen, als Graham noch mit mir ging?«, fragte sie und war dankbar, dass keine Eifersucht aus ihr sprach, sondern nur Neugier.

»Nein«, antwortete Glen mit einem liebenden Blick auf Graham. »Er ist viel zu loyal, um jemanden zu betrügen, erst recht nicht Sie, Clarissa, denn er hat Sie stets respektiert, trotz seiner Aggressionen in letzter Zeit.« Er sah seinen Partner tadelnd an und fuhr fort: »Ich will zwar nicht für ihn sprechen, aber ich glaube, dass sein wirkliches sexuelles Erwachen erst spät einsetzte, und erst als die Sache mit Ihnen vorbei war, hatte er genug Mut, uns eine Chance zu geben.«

»Ich habe versucht, es dir zu sagen, Clarissa«, sagte Graham weinerlich und füllte ihr Glas aus der Flasche, die zwischen seinen Füßen auf dem Boden stand. »Aber ich habe es einfach nicht über die Lippen gebracht. Ich wollte nicht, dass du glaubst, du hättest mir auf irgendeine Weise missfallen.«

»Ach, Graham, darüber lass dir mal keine grauen Haare wachsen«, sagte Clarissa fröhlich. Der Scotch hatte sie wunderbar entspannt.

Grahams Enthüllung hatte sie absolut nicht berührt, sie war nur froh, dass jetzt alles klarer geworden war: Vielleicht war seine wahre Sexualität auch der Grund, warum ihre Beziehung von Anfang an zum Scheitern verurteilt war. Graham mochte seit längerer Zeit eine Schwäche für Glen gehabt haben, war aber zu verklemmt, um sich zu offenbaren. Wahrscheinlich hatte er nicht einmal sich selbst gegenüber zugegeben, dass er auf Männer stand.

Nun, dachte sie, während sie wieder am Whisky nippte, sie befand sich kaum in der Lage, sich über die sexuellen Vorlieben von Menschen aufzuregen, besonders, wenn sie an die Experimente der vergangenen Nacht dachte.

»Ich bin nur froh, dass du jemanden gefunden hast, der dich so schätzt, wie du es verdient hast, Graham«, sagte Clarissa und trank den Rest aus ihrem Glas. Sie fühlte sich ein wenig betrunken, das mochte auch an der bizarren Situation liegen. Graham und Glen saßen nebeneinander, die Arme um die Schultern gelegt, und die nackten Schenkel rieben sich. Clarissa beugte sich vor und meinte, durch den Schlitz im Mantel den Beginn einer Erektion bei Graham zu sehen.

»Ich hoffe, ich habe euch nicht gestört, als ich zu so früher Stunde geklingelt habe«, sagte sie und warf wieder einen Blick auf Grahams Schoß.

Die beiden Männer lächelten sich an, und Glen strich über Grahams Haare. »Nun, also, um ehrlich zu sein« – er lachte verlegen.

»Oh, das tut mir aber wirklich Leid«, sagte Clarissa, »dann will ich lieber gehen. Ich hoffe, ihr macht da weiter, wo ich euch gezwungen habe aufzuhören.« Sie grinste Glen an. »Viel Spaß euch beiden.«

»Sie können bleiben«, bot Glen an, »wir können uns noch eine Weile beherrschen.«

»Danke, das ist lieb, aber ich muss gehen. Die Osterferien sind vorbei, und ich muss mich auf meine Kurse vorbereiten.« Sie griff nach ihrer Tasche. »Außerdem ist euch anzusehen, dass ihr lieber allein seid.«

»Du kannst gern bleiben, Clarissa«, sagte nun auch Graham, und Glen fügte hinzu: »Sie können mit uns zu Mittag essen.«

»Nein, wirklich, ich muss gehen«, beharrte Clarissa, und diesmal war ihr Lächeln echt. Sie war froh, dass sie die unerfreuliche Sache mit Graham bereinigt hatte. »Aber ich werde mal anrufen. Vielleicht können wir uns zum Essen treffen.«

»Ja, dann können Sie Ihren jungen Mann mitbringen«, rief Glen ihr hinterher, als sie schon die Tür geöffnet hatte. »Zu viert macht es bestimmt mehr Spaß.«

Der Gedanke an Nick ließ Clarissas Herz höher schlagen. Sie war gespannt, wie er auf das Geschehen vom gestrigen Abend reagierte. Sie ging die Treppe vor Grahams Haus hinunter und versuchte, sich Nicks Gesicht vorzustellen. Würde er von ihrer Darbietung mit Jessica beeindruckt sein? Erregt? Eifersüchtig? Sie sehnte sich nach ihm, wollte spüren, wie er sie in die Arme nahm und seinen Mund auf ihren drückte, wollte seinen warmen Körper an ihrem fühlen.

Aber als Clarissa zu Hause eintraf, fand sie nicht Nick vor, sondern Jessica, die auf der Treppe saß und den Kopf über ein Knie beugte. Sie war offenbar dabei, ihr einen Zettel zu schreiben.

Sie stellte sich neben den langen, eleganten Jaguar in ihre Einfahrt – nicht der Porsche, mit dem Nick gestern abgeholt worden war, bemerkte Clarissa – und fühlte sich plötzlich ein wenig verlegen, der Frau zu begegnen, mit der sie in der vergangenen Nacht so schamlos intim gewesen war. Sie stieg langsam aus ihrem Auto aus und fragte sich, was Jessica von ihr wollte und wie sie sie begrüßen sollte.

»Oh, hallo«, rief Jessica, nicht weniger nervös als Clarissa. »Ich wollte dir gerade einen Zettel schreiben.«

Als sie die Verlegenheit der jungen Frau sah, fühlte sich Clarissa viel ruhiger. Sie lächelte Jessica an und lud sie mit einer freundlichen Geste ins Haus ein. »Komm doch mit hinein«, sagte sie. »Vielleicht möchtest du einen Kaffee mit mir trinken.«

Jessica betrachtete mit großen Augen die verschiedenen Kunstschätze, die Clarissas Tante über die Jahre gesammelt hatte. »Puh«, machte sie und ließ ihre modische Jacke von den Schultern gleiten. »Nick hat mir gesagt, du hättest eine bemerkenswerte Sammlung.«

Clarissa ging in die Küche und stellte die Espressomaschine an, und als sie wieder ins Wohnzimmer trat, hatte sie ein Tablett mit Plätzchen und Obst in der Hand. »Setz dich«, sagte sie zu Jessica und wies auf das gemütliche Sofa mit dem purpurnen Bezug. Dann atmete sie tief ein und fragte ohne Umschweife: »Warum wolltest du mich sehen?«

Clarissa fühlte sich alberner Weise wie eine Universitätsdozentin und überhaupt nicht wie die Frau, die gestern Nacht den Körper des Mädchens mit Händen und Mund erforscht hatte. Sie verfolgte neugierig, wie Jessica in ihrer Handtasche kramte.

»Nick hat mir gesagt, ich soll dir das geben«, verkündete Jessica und reichte ihr einen gefütterten cremefarbenen Umschlag, auf den Nick ihren Namen mit schwungvollen Buchstaben geschrieben hatte.

Clarissa ignorierte das Blubbern der Kaffeemaschine, als sie den edlen Umschlag in die Hand nahm. Sie öffnete ihn und nahm die Karte heraus.

»Clarissa«, las sie, »ich muss wieder für eine Weile weg und werde erst zum Ende des Semesters wieder da sein. Es tut mir Leid, dass ich Deine Vorlesungen versäume, aber wir sehen uns, wenn ich wieder da bin.« Er hatte schlicht mit ›Nick‹ unterschrieben.

Sie sah Jessica an. »Danke«, sagte sie, ehe sie zum Kaffee in die Küche lief.

Als sie zurückkam, saß Jessica noch genauso da wie eben. Um ihre Nervosität zu überspielen, griff sie nach den dunkelroten Trauben auf dem Tablett. Sie bedankte sich für den Kaffee, den Clarissa ihr reichte und sah sie dabei verunsichert an.

»Ich wollte auch über letzte Nacht mit dir sprechen«, begann Jessica zögerlich. Ihre Schüchternheit schien so gar nicht zu der kühlen blonden Schönheit zu passen. »Ich . . . ich weiß nicht genau, wie ich es sagen soll«, flüsterte sie und senkte den Blick, dann sah sie Clarissa wieder an. »Ich habe das noch nie vorher mit einer Frau gemacht, und ich fand, es war wirklich wunderbar.«

Clarissa war gerührt, saß da und schaute die junge Frau an. Sie hatte ihre Tasse noch nicht zum Mund geführt.

»Für mich war es auch das erste Mal«, beichtete sie leise, »aber für mich wird es auch später als etwas Besonderes in meiner Erinnerung bleiben.«

Ein peinliches Schweigen entstand. Die beiden Frauen, gestern kurz mal Liebende, jetzt Fremde, nippten am Kaffee und aßen Trauben. Schließlich stellte Jessica ihre Tasse laut ab und sagte: »Ich hoffe, du hast nicht geglaubt, dass wir über dich lachten, als du gestern Abend nach Nicks Vetter gefragt hast.«

Clarissa sah sie stirnrunzelnd und fragend an, dass Jessica fast den Kaffee verschüttete.

»Nun ja«, fuhr sie fort, »Nick erzählt so viele kleine Geschichten und behält so vieles für sich, vor allem alles, was seine Mutter angeht. Er ist sehr stolz auf sie, glaube ich, und sie verstehen sich auch gut, wenn der Stiefvater nicht dabei ist, aber Nick gehört zu den Menschen, die niemanden an sich heranlassen.«

Das kann ich nur bestätigen, dachte Clarissa verbittert, und dann konnte sie sich die Frage nicht verkneifen: »Aber du stehst ihm doch sehr nahe, nicht wahr, Jessica?«

Die junge Frau lächelte traurig. »Nun, wir kennen uns schon sehr lange«, umschrieb sie das, was Clarissa eigentlich hören wollte, und dann platzte sie heraus: »Aber ich glaube, dass du es bist, die er wirklich will.«

Clarissa bezweifelte das sehr, aber sie wollte Jessica gern glauben. »Hast du gewusst, dass er mich an jenem Abend, als du mit ihm zusammen warst, in seine Wohnung eingeladen hatte?«

Jessica wusste sofort, von welcher Nacht Clarissa sprach, und sie nickte langsam. »Ja, aber ich habe es erst später erfahren«, sagte sie und errötete. »Du kannst mir glauben, ich habe nicht gewusst, dass du im Zimmer warst, sonst hätte ich das nie zugelassen.« Voller Scham senkte sie den Kopf.

»Ich habe ihm gesagt, dass er sich ungehörig verhalten hat, und ich hoffe nur, dass es dich nicht vor den Kopf gestoßen hat, ich meine . . . uns so zu sehen.«

Nein, in Wirklichkeit hatte es Clarissa erregt, aber das wollte sie nicht preisgeben. Sie fuhr in ihrer Befragung fort. »Was hat er dir von mir erzählt?«

»Nicht viel«, antwortete sie und ihre Finger spielten nervös mit der fast leeren Tasse. Sie nahm Clarissas Angebot einer zweiten Tasse gern an, dann sagte sie: »Du bist mir das erste Mal aufgefallen, als du uns morgens beim Küssen zugesehen hast. Als du gegangen warst, habe ich Nick gefragt, wer du bist. Er sagte nur: ›Das war meine Tutorin‹ und lachte, und später hat er gesagt, er fände dich hinreißend und wollte dich dazu bewegen, auf ihn zu reagieren.«

»Und du hast weiter mit ihm geschlafen, obwohl du wusstest, dass er mich wollte?«

Jessica mied ihren Blick. »Nick und ich, nun, wie ich schon sagte, wir sind alte Freunde.« Sie klang ein wenig verunsichert und fügte hinzu: »Außerdem hat es immer andere für Nick gegeben, und er ist danach wieder zu mir zurückgekommen.« Sie sah Clarissa von der Seite an und drückte erschrocken die Hand auf den Mund.

Clarissa musste über die unschuldige Geste lächeln.

»Oh, das sollte nicht so klingen, wie es sich angehört hat«, sagte Jessica entschuldigend. »Die Frauen in seiner Vergangenheit waren oft nur vorübergehende Vergnügen für ihn, während du . . .« Sie brach ab, hob die Schultern und sagte: »Nun, seit jenem Abend, an dem du uns gesehen hast, ist er nicht mehr bei mir gewesen. Ich schätze, er will jetzt nur noch dich.«

Clarissa konnte kaum glauben, was sie hörte. »Glaubst du denn nicht, dass Nick in dieser Zeit andere Frauen gehabt hat?«

Jessica hob wieder hilflos die Schultern. »Ich weiß es nicht«, flüsterte sie und mied Clarissas Blick. »Vielleicht. Er sagt mir längst nicht alles, aber ich weiß, dass da immer Frauen in seiner Nähe sind, die sich ihm anbieten.«

Die zwei Frauen verfielen wieder ins Schweigen. Clarissa versuchte das zu verdauen, was Jessica ihr gesagt hatte. Es war sowieso eine absurde Situation, dass sie Informationen über ihren Liebhaber von einem Mädchen einholte, das gut ihre Studentin hätte sein können, aber sie musste zum Schluss noch eine Frage stellen.

»Bist du verliebt in ihn?«, fragte sie Jessica leise, und sie empfand eine Wärme für das junge Mädchen, die nichts mit dem Erlebnis der vergangenen Nacht zu tun hatte.

»Sind wir das nicht alle?«, fragte Jessica traurig und sah Clarissa noch einmal lange an.

Clarissa glaubte nicht, dass sie in ihn verliebt war, aber sie wusste, dass Nicks Körper ihr auf eine einzigartige Weise das geben konnte, was sie brauchte, und genau das war der Grund, warum sie schnell mit ihm brechen musste, solange sie noch fähig war, dieser unmöglichen Situation zu entkommen. Sie wollte nicht so wie Jessica enden und diesen entsetzlichen Schmerz spüren müssen.

»Kann ich dir noch einen Kaffee anbieten?«, fragte sie und hoffte, Jessica aus der gedrückten Stimmung herausholen zu können. Sie sah so jung und verletzlich aus, und Clarissa fühlte sich jetzt ein wenig schuldig ihr gegenüber.

»Nein, danke«, sagte Jessica, lächelte schwach, stand auf und langte nach ihrer Jacke. »Ich muss gehen, aber es war schön, dich noch einmal zu sehen«, fügte sie scheu hinzu.

Clarissa half ihr in die Jacke. Die beiden Frauen standen einen Moment nah beieinander, ihre Körper berührten sich fast. Jessica kam mit dem Kopf noch näher und drückte einen warmen Kuss auf Clarissas Lippen. Clarissa fühlte den sanften Druck der Lippen und die Zungenspitze, die leicht darüber strich. Aber bevor sie den Kuss erwidern konnte, hatte sich Jessica schon von ihr gelöst.

»Danke für den gestrigen Abend«, murmelte das Mädchen leise, die Wangen ein delikates Pink. »Ich glaube, ich werde mich immer daran erinnern.«

Clarissa antwortete nicht, sie strich nur mit den Fingerkuppen über die Wangen des Mädchens und fuhr dann mit einer Handfläche über die seidigen blonden Haare, bevor Jessica sich umdrehte und zur Tür ging.

Clarissa stand in der Tür und sah Jessica nach. Sie setzte sich in den teuren Wagen und preschte nach einem letzten Winken davon. Clarissa winkte zurück, ging ins Haus und schloss die Tür.

# Zwölftes Kapitel

Die letzten drei Wochen des Semesters brachten die übliche Hektik mit sich. Clarissa ging im Eiltempo noch einmal den Stoff des Semesters durch, um der Erinnerung der Studenten auf die Sprünge zu helfen. Sie war entschlossen, ihr Bestes zu geben, obwohl die Leere auf Nicks Stuhl sie immer wieder abzulenken drohte, wenn sie den Hörsaal betrat.

Nicks abrupte Abwesenheit würde dazu führen, dass er das Ziel des Kurses nicht erreichen würde, was sie – neben der Tatsache, dass sie ihren Geliebten entbehren musste – aufrichtig bedauerte, schließlich war er einer ihrer aussichtsreichsten Studenten. Sie sorgte sich um seine akademische Laufbahn, denn sie ging davon aus, dass er durch sein Fehlen auch andere Kurse nicht bestand.

Clarissa fragte sich, ob die absichtliche Aussetzung oder gar Beendigung seiner akademischen Laufbahn eine Art Rebellion gegen seine so erfolgreiche Mutter und den Stiefvater war, den er ablehnte. Nun, Clarissa hatte andere Dinge zu tun, als sich mit der spätpubertären Auflehnung eines Neunzehnjährigen zu beschäftigen. Sollte sich ein junges naives Mädchen seiner Nöte annehmen und seine unerklärlichen Verhaltensweisen akzeptieren, dachte Clarissa wütend; sie musste sich wichtigeren Aufgaben zuwenden.

Eine solche Aufgabe war das Schicksal ihres Buchs über die Erotik. Ihr Verleger hatte Vorabexemplare an alle wichtigen Literaturzeitungen in England und Amerika geschickt, um möglichst früh gute Kritiken für das Buch zu erhalten. Ihre Lektorin hoffte, dass wenigstens die großen nationalen

Zeitungen über das Buch berichten würden, weil dadurch auch nichtakademische Kreise auf die Veröffentlichung aufmerksam und vielleicht zu Käufern eines akademischen Buchs wurden, weil sie sich für das Thema interessierten.

Für Clarissa spielte das Geld keine große Rolle, das sie mit dem Buch verdienen könnte, wenn es eine größere Leserschaft fand; ihr kam es in erster Linie darauf an, wie die akademische Welt und die literarischen Kritiker auf ihre erste Buchveröffentlichung reagierten.

Ihre andere große Sorge brannte ihr noch mehr unter den Nägeln: Zum Ende des Semesters würde die Universität entscheiden, ob ihr Vertrag verlängert wurde. Zwischen den letzten Arbeiten und der Mitplanung der Verleihungsfeier dachte sie mit zunehmender Nervosität an ihre Zukunft; bei den knappen Kassen war es keine Selbstverständlichkeit, dass sie ein weiteres Jahr übernommen wurde.

Sie wusste, dass ihr Job auch davon abhing, wie viele Veröffentlichungen sie vorweisen konnte, und dieses Ergebnis war bisher minimal ausgefallen. Ein paar Kritiken, ein paar Erwähnungen. Sie wusste, dass sie eine hervorragende Dozentin war; sie hatte mehr als genug Dankesbriefe ihrer Studenten vorzuweisen, aber sie wusste auch, dass gute Vorlesungen allein nicht ausreichten, um ihren Job zu sichern. Doch dies war der einzige Beruf, den sie ausüben konnte und wollte.

Und natürlich vermisste sie Nick, besonders nachts, wenn sie sich in ihrem Bett wälzte, das für sie allein viel zu groß war. Sie war verletzt und wütend über Nicks abrupte Abreise mit der kürzest möglichen Benachrichtigung, die ihr durch eine Dritte zugestellt worden war. Sie war es satt, so oberflächlich von ihm behandelt zu werden. Und doch konnte sie die Spuren seines Körpers nicht ausradieren und die Erinnerungen an seine Berührungen nicht löschen; Bilder seiner Lippen, seiner Hände und seines Penis füllten ihre Träume. Ihre Obsession würde in entsetzlichem Herzschmerz enden, da war sie sicher.

Wie in Trance durchlebte sie die letzten Wochen des Semesters, und ab und zu nahm sie sich Zeit für einen Drink bei Julian. Sie verabredete sich zum Essen mit Glen und Graham, um das Ende des Semesters zu feiern, und sie schrieb Vorschläge für neue Kurse, sollte sie im neuen Studienjahr noch Dozentin sein.

Es war eine große Überraschung für sie, als sie eines Morgens den Hörsaal betrat und Nicholas St. Clair auf seinem Platz sah, die langen Beine in schwarzen Lederjeans weit von sich gestreckt, den Kopf an die Wand gelehnt, die Finger ungeduldig auf ein Exemplar von Angela Carters Sammlung von Short Storys trommelnd.

Clarissa schloss einen kurzen Moment die Augen, um der tumultartigen Welle der Freude Herr zu werden, die in ihr tobte. Ihr lässiger Geliebter starrte sie mit einem amüsierten Glitzern in den Augen an. Sie atmete tief durch, während sie ihre Bücher aufs Pult legte. Absichtlich vermied sie die stechenden Blicke aus den haselnussbraunen Augen und zwang sich zur Ruhe, auch wenn ihre Beine zu schwanken begannen und ihr Geschlecht erblühte.

Ich muss das beenden, und zwar sofort, dachte sie und hörte ihre Zähne knirschen. Nach außen blieb sie ungerührt und blätterte das Buch bis zu der Story durch, über die sie heute sprechen wollten. Die Sache mit ihm muss ein Ende haben, redete sie sich wieder ein, während sie die Studenten laut aufforderte, ihre Aufmerksamkeit auf die Geschichte *Die blutige Kammer* zu richten.

Immer noch vermied sie es, Nick anzusehen, bis er begriff und aufhörte, Clarissa zu verunsichern. Er malte Kringel auf seinen Schreibblock und ignorierte die ganze Zeit ihre Vorlesung.

Als sie zu Ende war, schlenderte er mit seiner üblichen Arroganz zu ihr, lehnte sich über ihren Schreibtisch und flüsterte, sodass nur sie es hören konnte: »Hast du mich vermisst?«

Clarissa Körper schrie nach ihm, sie wollte nach ihm greifen und seinen unwiderstehlichen Körper mit ihren Händen umfassen und ihren Mund auf seinen drücken, aber sie raffte ihre ganze Kraft zusammen und brachte eine kühle Antwort zustande: »Es ist schön, dich wiederzusehen, Nick.«

»Ich möchte dich gern sehen, Clarissa«, sagte er ernst und sah sie mit blitzenden Augen an. »Lass mich heute Abend zu dir kommen.«

Clarissa ballte die Hände zu Fäusten. Ihre Bauchmuskeln spannten sich an, und sie zwang sich zu antworten: »Nein, Nick, nicht heute Abend. Ich kann nicht.«

Er sah sie an, war kurz verwirrt, aber nur einen Moment lang, dann lachte er leise und lächelte sie freundlich an. »Hör zu, wenn du sauer bist, weil ich so plötzlich verreisen musste, das kann ich . . .«

Clarissa unterbrach ihn, denn neue Studenten drängten für die nächste Vorlesung in den Hörsaal.

»Ich kann jetzt nicht darüber reden«, sagte sie förmlich und schritt hinaus. Sie drehte sich im Gehen noch einmal zu ihm um. »Warum kommst du nicht für ein paar Minuten mit in mein Büro?«

Clarissas Büro war nicht gerade der ideale Ort, um das zu diskutieren, was folgen musste, vor allem, wenn sie bedachte, was bei seinem letzten Besuch in ihrem Büro geschehen war; aber sie wollte die Sache hinter sich bringen.

Er folgte ihr gehorsam und schritt den Gang entlang, und Clarissa fiel auf, dass er in die Gesichter der entgegenkommenden Studenten sah, besonders, wenn es sich um Frauen handelte. Vor ihrer Tür blieb er brav auf der Seite stehen, bis sie die Tür aufgeschlossen hatte.

»Hat Jessica dir nicht meine Karte gegeben?«, fragte er abrupt, als Clarissa die Tür geschlossen – und abgeschlossen hatte.

»Hör mal, Nick«, begann sie und spürte das Herzklopfen in ihren Ohren, »es sind die letzten Tage des Semesters, ich habe ungeheuer viel zu tun und bin erschöpft von der Hektik der letzten Wochen. Ich habe einfach keine Zeit, dich in den nächsten Tagen zu sehen.« Sie war zufrieden mit sich, dass ihre Stimme fest geblieben war, aber sie konnte nicht verhindern, dass sie hinzufügte: »Vielleicht können wir uns am Ende des Semesters ... eh, treffen.«

Nick starrte sie nur an, dann nickte er und wollte sich zur Tür umdrehen. In diesem Moment hörte Clarissa sich fragen: »Nur aus Neugier, Nick – wo bist du die vergangenen Wochen gewesen?« Als Nick sie triumphierend anlächelte, weil er endlich eine Reaktion von ihr erhielt, ergänzte Clarissa hastig: »Du hast viele Arbeiten verpasst. Glaubst du, dass du das alles noch nachholen kannst und das Semester überstehst?«

»Ich war bei meinem Vater«, erklärte Nick, legte eine Pause ein und setzte hinzu: »Ich habe meinen Geburtstag in seinem Haus in Derby verbracht.« Als Clarissa keine Regung im Gesicht zeigte, sagte er: »Ich bin zwanzig geworden.«

»Das muss eine lange Party gewesen sein«, murmelte sie mehr zu sich selbst und fühlte, dass sie sich setzen musste. Er war zwanzig geworden, und sie hatte es nicht gewusst! Sie wusste nicht, was sie sagen sollte. »Nun, es ist gut, dass du wieder da bist. Die letzten Essays erwarte ich am Freitag spätestens um fünf Uhr auf meinem Schreibtisch.«

Nick schaute sie an, dann ging er zu dem Sessel, in den sie

sich gesetzt hatte, fuhr mit einem Finger über ihre Wange und sagte: »Ich habe dich vermisst, Rissa.« Er drehte eine Locke ihrer kupferfarbenen Haare um seinen Finger. »Bist du sicher, dass ich heute Abend nicht zu dir kommen kann?«

Clarissa fühlte, wie sie schwach wurde, aber sie wollte stark bleiben. »Es tut mir Leid, Nick«, sagte sie fest, während sich ihr Magen umdrehte. »Es ist besser, wir warten, bis das Semester vorbei ist.« Sie war nicht in der Lage, ein für alle Mal Schluss mit ihm zu machen; das Verlangen ihres Körpers war zu stark. Sie wandte den Kopf und presste ihre Lippen gegen seine Hand, die immer noch über ihr Gesicht strich, dann zog er die Hand zurück und ging hinaus.

Nachdem er gegangen war, saß Clarissa wie benommen hinter ihrem Schreibtisch, starrte blind aus dem Fenster und fragte sich, was, zum Teufel, sie gerade getan hatte. Sie hatte zugelassen, dass der leidenschaftlichste Mann, den sie je kennen gelernt hatte, wortlos aus ihrem Zimmer ging, vielleicht sogar aus ihrem Leben – und wozu? Weil er für eine Weile verreist war und sich nicht die Mühe gemacht hatte, ihr genauer zu sagen, was er vorhatte.

Nein, sagte sie entschieden und ordnete die Stapel auf ihrem Tisch. Ich habe es zugelassen, weil er ein arroganter, unhöflicher, rücksichtsloser junger Mann ist, der mich meinen Job kosten kann. Ich begehre ihn zu sehr, gestand sie sich brutal offen ein, und das weiß er. Deshalb verwendet er es gegen mich, einfach um zu sehen, wie weit er es mit mir treiben und was er sich alles erlauben kann.

Aber noch während sie um Fassung rang, erinnerte sie sich an die Hand, die ihr Gesicht gestreichelt hatte, und sie wäre fast so weit gewesen, aus dem Sessel zu springen und ihn über den Flur zu verfolgen, aber dann klingelte das Telefon und riss sie aus ihrer mentalen Krise.

»Clarissa Cornwall«, sagte sie in die Muschel und hoffte, dass sie eine positive Nachricht hören würde.

»Clarissa, hier ist Heidi, und du wirst dich freuen über das, was ich dir sagen kann.«

Ah, ihre Lektorin. Es wurde auch verdammt Zeit, dachte sie. »Ja?«, fragte sie so teilnahmslos wie möglich.

»Die ersten Besprechungen deines Buchs sind da, und sie sind phantastisch«, sprudelte es aus Heidi. »Zwei Magazine und eine Tageszeitung haben dein Buch als ›ein Muss‹ eingestuft, ein Buch, das man einfach lesen muss. Die hochtrabenden Leute der University Press haben zwar ein wenig die Nase gerümpft, weil der Text Zugeständnisse an eine breitere Leserschaft machte, während eine der Tageszeitungen fand, das Buch wäre viel zu unanständig, um es nur die Akademiker lesen zu lassen. Die Redaktion von *The American Feminist Review* liebt das Buch, besonders die Passagen, die sich mit den frühen Autorinnen der Schauerromane befassen, die damals von der Kritik als viel zu sensationslüstern verurteilt wurden. Ich schätze, sie wollten mit ihrer jubelnden Zustimmung auch beweisen, wie fortschrittlich sie Besprechungen verfassen im Unterschied zu den Kollegen im achtzehnten Jahrhundert.«

Clarissa hielt den Hörer mit beiden Händen fest. Es hat ihnen gefallen!, jubelte es in ihr. Alle Gedanken an Nick waren vergessen. Sie mögen mein Buch! Das mochte der Schlüssel sein, auf den sie gewartet hatte, um eine permanente Anstellung in der akademischen Welt zu erhalten. Vielleicht brauchte sie nie wieder dem Ende eines Studienjahres voller Ungewissheit entgegenzufiebern.

Clarissa atmete tief aus und nahm sich vor, noch am selben Tag das Abo des feministischen Magazins zu erneuern. Heidi sprach schon von der Fortsetzung dieser Arbeit und erinnerte Clarissa daran, sie hätte vor einiger Zeit vorgeschlagen, ein Buch über die Erotik im Film zu erarbeiten.

Als Clarissa schließlich auflegte, die Augen feucht und die Wangen rot vom ersten süßen Rausch des Erfolgs, drängte sich ihr ein anderer Gedanke auf, der ihr Herz noch schneller schlagen ließ.

Der Erfolg ihres Buchs war zum Teil und indirekt auf den Einfluss von Nicholas St. Clair auf ihr Leben zurückzuführen, dachte sie, dann korrigierte sie sich: Es war ihr Verlangen nach Nick, nicht Nick selbst, was sie inspiriert hatte, so voller Leidenschaft und Energie über den Stoff zu schreiben. Es war nicht Nick selbst, sondern die Art der Gefühle, die er in ihr auslöste, sie hatten Clarissa stimuliert, über ihre eigene sexuelle Identität nachzudenken und über die Natur der Erotik in der Welt.

Nachdem sich das in ihren Gedanken herauskristallisiert hatte, fand sie, dass sie Nick vielleicht ein bisschen voreilig vor einer Stunde aus ihrem Büro komplimentiert hatte. Vielleicht war es noch nicht zu spät, ihn zu finden, damit sie ihm wenigstens die gute Nachricht mitteilen konnte. Vielleicht war diese Affäre besser für sie, als sie gedacht hatte, vielleicht konnten sie noch eine kleine Weile so weitermachen wie bisher.

Sie schaute kurz auf ihre Uhr, als sie das Büro verließ. Ihr blieb noch genug Zeit bis zur nächsten Vorlesung. Wenn sie Glück hatte, fand sie Nick irgendwo auf dem Campus; sie kannte die Plätze, wo er zwischen seinen Vorlesungen herumhing.

Clarissa schritt rasch über den Weg des Innenhofs, in dem es von Studenten wimmelte. Sie hielt nach seiner hoch aufgeschossenen Gestalt Ausschau. In diesem verrückten Moment war es ihr völlig egal, wie ein zufälliger Beobachter es deuten würde, dass sie einen Studenten bis auf den Hof verfolgte – sie war außer sich vor Freude über die ersten guten Kritiken ihres Buchs, und ihre tiefe innere Befriedigung über den beruflichen Erfolg setzte sich rasch um in körperliches Verlangen; als wollte sie sich belohnen.

Wo war Nick?, fragte sie sich mit zunehmender Ungeduld und sah zu den Studenten vor der Treppe der Bücherei, wo sie die Strahlen der warmen Maisonne einfingen. Enttäuscht wollte sich Clarissa gerade umdrehen, als eine Gruppe von Studenten sich auflöste, und jetzt geriet Nick in Clarissas Blickfeld, das die anderen Studenten bisher verstellt hatten.

Da stand er, an eine Säule mit der Büste des Gründers der Universität gelehnt, und er war nicht allein. Er lachte in die Augen eines schlanken, umwerfend schönen Mädchens. Sie war groß und reichte Nick fast bis zu den Schultern, und die schwarzen Haare umrahmten das schöne blasse Gesicht.

Sie trug ein mit Spitze besetztes schwarzes Top, in der Taille zusammengerüscht, und tief angesetzte Hüftjeans, die für eine solche Figur mit langen Beinen entworfen waren. Vor Clarissas entsetzt blickenden Augen beugte sich Nick vor und drückte seine Lippen auf den dunkel geschminkten Mund des Mädchens. Er legte eine Hand auf die Wange und zog ihren Kopf näher heran – eine Geste, die Clarissa schmerzhaft vertraut war.

Während Clarissa da stand und die Tränen zu sprießen drohten, legte Nick einen Arm um das Mädchen, und gemeinsam schlenderten sie weg. Sie lehnte sich gegen ihn, und er legte eine seiner breiten Hände besitzergreifend auf ihren blanken Bauch.

Clarissa sah ihnen nach, sie fühlte sich völlig hilflos und plötzlich sehr, sehr alt. Es war, als hätte ihr jemand eine Ohrfeige verpasst. Der heiße trockene Schmerz in ihrem Herzen hatte ihre euphorische Freude, die sie seit Heidis Anruf erfasst hatte, völlig ausgelöscht.

Die Szene, die sie beobachtet hatte, war so ganz anders als die Küsse, die er an einem kalten Februarmorgen mit Jessica getauscht hatte, denn diesen Moment hatte Nick nur wegen ihr herbeigeführt. Nein, dies hier war von einer anderen Qualität, denn Nick hatte sie nicht bemerkt, und seine Zuneigung zu dem Mädchen war nicht zu übersehen. Jessica hatte sich geirrt, dachte Clarissa verbittert: Clarissa war ganz sicher nicht die einzige Frau, die Nick haben würde, und sie würde es auch nie sein.

Clarissa wusste nicht mehr, wie lange sie noch da stand, eine reglose einsame Gestalt unter den sich stets bewegenden, lachenden, plaudernden Menschen. Als sie schließlich die Tränen wegblinzelte und auch nicht mehr auf die Stelle starrte, wo sie gesehen hatte, wie Nick die unbekannte junge Frau geküsst hatte, sah sie Monica Talbot vor sich stehen, das Gesicht voller Sorge.

»Clarissa?«, fragte sie sanft, trat auf sie zu und legte eine Hand auf ihren Arm. »Clarissa, meine Liebe, ist alles in Ordnung mit Ihnen?«

Clarissa blinzelte wieder und sah der Kollegin tapfer in die Augen. »Ja, natürlich, Monica«, sagte sie fröhlich, zu fröhlich, denn Monica schien nicht überzeugt zu sein.

»Es ist Ihr Student, nicht wahr, Clarissa?«, fragte Monica und wies auf die Stelle, zu der Nick das Mädchen geführt hatte. »Clarissa, meine Liebe, Sie müssen auf mich hören«, fuhr sie fort, während Clarissa noch überlegte, wie sie ein Leugnen formulieren sollte. »Ich wollte es Ihnen schon seit längerem sagen. Kommen Sie, setzen wir uns.«

Die beiden Frauen setzten sich auf eine Steinbank unter den Bäumen, ein wenig abseits von den flanierenden Studenten.

»Gewisse Gerüchte zirkulieren in gewissen Kreisen«, begann Monica.

Clarissa sah sie alarmiert an. Sie wich instinktiv zurück, und ihr war, als würde eine eisige Hand der Angst in ihren Eingeweiden zerren. »Gerüchte?«, brachte sie heiser heraus. Aus Furcht konnte sie nicht mehr sagen.

Monica griff nach Clarissas kalten Händen und drückte sie. Sie lächelte die Kollegin an. »Es ist nicht so schlimm, wie Sie denken, Clarissa, also reißen Sie sich zusammen«, sagte sie scharf. »Ich selbst habe gehört, wie sich ein paar Studenten unterhalten haben, und der eine beschrieb eine hübsche rothaarige Dozentin, die er am Abend zuvor auf einer Party gesehen hatte. Sie trug ein grell rotes Outfit und kam morgens um halb vier auf der Party an und fragte nach einem gewissen jungen Mann.«

Oh, Himmel, das war die Nacht nach dem Clubbesuch mit Julian. Clarissa schloss die Augen und schüttelte den Kopf, wütend auf sich selbst wegen ihres gedankenlosem blöden Verhaltens. Wie konnte sie nachts um diese Uhrzeit bei Nick auftauchen, so aufgestachelt von der Lust? Was wäre passiert, wenn jemand gesehen hatte, wie er sie draußen an der Mauer genommen hatte? Oder wusste Monica das auch?

»Ist das alles, oder kommt noch mehr?«, wisperte sie. Ihr Mund war völlig ausgetrocknet.

Monica tätschelte über ihre Hand und schüttelte den Kopf. »Ich glaube nicht, dass einer der Kollegen etwas weiß, wenn es das ist, was Sie befürchten. Aber Clarissa, Sie müssen wirklich darauf achten, was Sie tun. Dies ist eine kleine Stadt, und die geringste Indiskretion verbreitet sich schneller als ein Feuer. Glauben Sie mir, ich weiß, wovon ich rede.« Monica nickte, dann lächelte sie Clarissa an und fragte mit einem kurzen Blitzen in den Augen: »Sie wollen doch nicht wie Warburton enden, oder?«

Ihre Blicke trafen sich, und Clarissa fragte sich, ob die Kollegin ahnte, dass Clarissa einiges über die Dinge wusste, die Monica in ihrer Freizeit trieb. Vielleicht hatte sie sie ja doch auf ihrem Beobachterposten im Verlies gesehen.

Sie würde dieses Thema nicht ansprechen, stattdessen nickte sie entschieden, nahm Monicas Hände in ihre und sagte: »Ich glaube, jetzt geht es mir wieder besser. Aber ich könnte eine starke Tasse Tee vor der nächsten Vorlesung gut gebrauchen.«

Monica lächelte und erhob sich. Sie wischte ein paar dürre Zweige ab, die auf ihre triste olivfarbene Bluse gefallen waren. »Für den Notfall habe ich eine Flasche Whisky versteckt, der könnte den Tee richtig stark machen.« Sie streckte eine Hand aus und half Clarissa aufzustehen, dann gingen die beiden Frauen zurück ins Gebäude.


Das Semester neigte sich dem Ende zu. Nick schaffte es, an der letzten Vorlesung teilzunehmen, lässig arrogant und anmaßend wie immer. Er sah überall hin, nur nicht zu Clarissa, die aber auch seinen Blick mied.

Monicas mahnende Worte klangen ihr noch in den Ohren nach, und Clarissa fürchtete, dass fast alle Studenten von ihrer unklugen Affäre mit Nicholas St. Clair wussten. Wann immer sie den Flur entlangging, hörte sie auf das Getuschel der Studenten vor und hinter sich, und sie meinte, ihre wissenden Blicke zu spüren.

Sie versuchte sich einzureden, dass sie sich albern verhielt, natürlich tuschelte niemand über sie, aber sie spürte überall Gänsehaut, und die Blicke berührten sie wie die Arme einer Krake. Nachts sah sie höhnische Gesichter, die sie in ihren Albträumen auslachten.

Ihre letzten Tage im Hörsaal wurden von ihren Nerven

ruiniert; sie konnte die Spannung kaum noch ertragen. Sie bedauerte sich und ihre neue Rolle als Futter in der Gerüchteküche. Sie war dankbar, dass Monica mit ihr gesprochen hatte – wer weiß, welche albernen Sachen sie sonst noch angestellt hätte? Mit Grauen dachte sie an das Tribunal, das darüber zu entscheiden hatte, ob ihr Vertrag verlängert wurde.

Ihr Unbehagen wurde nur noch größer, als sie völlig unerwartet Malcolm Anderson über den Weg lief, nachdem alle Vorlesungen beendet waren. Sie wollte in ihr Büro, um die Arbeiten zu holen, die ihre Studenten am Vortag abgeliefert hatten.

»Ah, Clarissa, der Rat erwartet Sie am Montag um zehn«, sagte der neue Abteilungsleiter, als ginge er davon aus, dass sie diesen Termin vergessen hätte. »Da ich neu an der Universität bin, nehme ich zwar an der Sitzung teil, aber nur als Zuhörer«, fügte er steif hinzu. Er starrte auf einen Punkt oberhalb ihres Kopfes. »Ich glaube, da gibt es einige Punkte, die der Rat mit Ihnen besprechen will«, sagte er düster, ehe er abrupt den Mund schloss, als hätte er schon zu viel gesagt. Er wandte sich ab und ließ eine sehr nervöse Clarissa zurück.

Das Wochenende über saß sie über den Essays ihrer Studenten; sie begann am frühen Morgen und hörte auf, als die Neun-Uhr-Nachrichten gesendet wurden. Sie unterbrach ihre Arbeit nur für eine Zigarette, zum Kaffeeaufschütten und für einen gelegentlichen Bissen, den sie hastig kaute. Zum Ende eines Semesters ging es stets hektisch zu: Der letzte Ansturm auf gute Zensuren, und Clarissa hatte über einhundert Studenten zu bewerten.

Der Montagmorgen kam mit gleißendem Sonnenschein, der sogar durch die geschlossene Jalousie in ihr Schlafzimmer drängte. Clarissa fühlte sich auf eine perverse Weise erleichtert, dass sich in ein paar Stunden ihr Schicksal entscheiden würde. Sie würde dabei auch erfahren, nahm sie jedenfalls an, ob die Gerüchte über sie und Nick bis in die höheren akademischen Etagen gedrungen waren.

Sie löste sich aus den zerwühlten, verschwitzten Laken, denn sie hatte auch in der letzten Nacht schlecht geschlafen und sich endlos im Bett herumgewälzt, verfolgt von Träumen, in denen Nick das schwarzhaarige Mädchen durch alle Stellungen jagte, oder in denen sie selbst vor einem Podium mit Richtern in dunklen Roben und weißen Perücken stand, und als sie dann auch noch bemerkte, dass sie splitternackt war, hatte sie aufrecht im Bett gestanden und sich den Schweiß von der Stirn gewischt.

Aufstöhnend stellte sich Clarissa unter die Dusche und ließ die heißen Strahlen auf sich prasseln, ehe sie den Knopf drehte und sich vom eiskalten Wasser wecken ließ. Sie rubbelte sich trocken und griff nach dem unauffälligsten Kleid in ihrem Schrank, formlos und Figur versteckend. Das Telefon schrillte und riss sie aus ihren trüben Gedanken.

»Hallo?«, flüsterte sie ins Telefon.

»Rissa? Bist du das?«

Bei der lauten, fröhlichen Stimme besserte sich Clarissas Laune sofort. Sie klammerte sich an den Hörer, als wäre er ihr Lebensretter.

»Julian! Wie wunderschön, deine Stimme zu hören.«

»Ach? Wieso das denn?«, fragte Julian argwöhnisch, und Clarissa konnte beinahe sehen, wie sich die schwarzen Augen verengten und ihr Gesicht studierten. »Meistens blaffst du mich an, wenn ich dich zu früh anrufe.«

»Aber so früh ist es doch gar nicht – neun Uhr«, plapperte Clarissa und freute sich wahnsinnig, dass Julian an sie gedacht hatte.

»Ja, gut«, murmelte Julian, noch nicht ganz überzeugt.

»Ich wollte dich nur anrufen, um dir Glück zu wünschen. Ich weiß, dass heute dein großer Tag ist, und du sollst wissen, dass ich an dich denke und dir alles Gute wünsche. Wenn diese eingebildeten Wichser dich ärgern, sagst du ihnen, wohin sie ihre stinkende Arroganz stecken können.«

»Ja, und ich liebe dich auch«, sagte Clarissa, lächelte ins Telefon, blies Julian einen Kuss zu und legte auf.

Julians Anruf schien Clarissa mit der nötigen Selbstsicherheit ausgestattet zu haben, um aufrecht in den großen Seminarraum in der ersten Etage zu schreiten. Zu ihrer Überraschung saß der Vizedekan der Besprechung vor; gewöhnlich delegierte er solche Aufgaben an den Leiter einer Fakultät oder sonst jemanden. Auch in Konferenzen ließ er sich selten sehen, außer es ging um die Finanzen.

»Nun denn, Dr. Cornwall«, begrüßte er sie. »Bitte, nehmen Sie Platz, dann können wir mit der Besprechung beginnen.«

Nachdem sie sich gesetzt hatte, entstand eine kurze Pause, ehe der Vizedekan sich räusperte und sagte: »Bevor wir über Ihren Antrag entscheiden, Ihren Vertrag an dieser Universität zu verlängern, hat Professor Anderson eine Sache von einiger Bedeutung vorzutragen, über die er mit Ihnen kommunizieren will.«

Clarissa musste einen Anfall von nervösem Kichern im Keim ersticken. Der Vizedekan liebte es, schlichte Vorgänge in komplizierte Formen zu gießen. Malcolm Anderson erhob sich, und im Raum wurde es still.

»Es mag Ihnen nicht bekannt sein, Clarissa«, begann er »dass ich in diesem Jahr zu den Auserwählten der Jury gehöre, die den nationalen Literarischen Kritikerpreis für die beste literarische Arbeit des Jahres verleiht. Es ist mir ein großes Vergnügen, der Erste zu sein, der Ihnen mitteilt, dass Ihr Buch *Visionen der Erotik* zu den nominierten Werken in der Kategorie Sachbuch gehört.«

Clarissa stockte vor Überraschung und Freude der Atem. Höflicher Beifall war die Reaktion der anderen Teilnehmer auf dem Podium, dann ergriff der Vizedekan wieder das Wort und wandte sich an Clarissa.

»Ich habe auch das große Vergnügen gehabt, Ihr neues Buch zu lesen, und ich muss sagen, ich bin beeindruckt von Ihrer geisteswissenschaftlichen Forschung, und außerdem war es eine sehr erbaulich zu lesende Lektüre.«

Er setzte sich wieder, und aus den Augenwinkeln nahm Clarissa wahr, dass Professor Anderson sie jetzt offen anlächelte. Vielleicht ist er doch nicht so ein steifer Sturkopf, dachte sie.

Der Rest der Besprechung lief zügig ab. Clarissas Kurse wurden ausgewertet, Teilnehmerzahlen, Schwund, Durchschnittsbenotungen wurden den einzelnen Teilnehmern in fotokopierten Berichten und Tabellen vorgelegt, und dann verkündete der Vizedekan seine Freude, dass er in der Lage war, Clarissa einen neuen Vertrag der Universität anzubieten, wobei er festhielt, dass mit dem Auslaufen dieses Vertrags eine permanente Lehrtätigkeit von Dr. Clarissa Cornwall ins Auge gefasst würde.

Clarissa schwebte auf Wolke Sieben, als sie nach Hause ging. Sie wusste, dass sie für den Moment den Höhepunkt ihrer beruflichen Laufbahn erreicht hatte. Sie konnte es nicht erwarten, übers Telefon die guten Nachrichten zu verbreiten, aber dann musste sie an Nick denken, und plötzlich verzehrte sie sich vor Sehnsucht nach ihm.

Der Gedanke an Nick ernüchterte sie irgendwie. Sie hatte den Fortbestand ihrer Beziehung vage gelassen, und da ihre akademische Karriere nun gesichert schien, wollte sie die Affäre zu einem behutsamen Ende bringen, wobei ihr nach wie vor bewusst war, dass Nick, egal wie indirekt, zumindest am Erfolg ihres Buchs beteiligt war.

Aber ganz sicher konnte sie nicht in diesem Kleid zu ihm fahren. Clarissa begann ihr graues Leinenkleid auszuziehen, als sie die Haustür hinter sich zugezogen hatte, dann streifte sie die reizlose graue Strumpfhose ab und hakte den langweiligen Baumwoll-BH auf. Sie stand nackt da und wollte gerade nach einem roten Seidenslip greifen, als das Telefon klingelte.

Stirnrunzelnd starrte sie auf den Apparat, dann ging sie hin und hob seufzend den Hörer ab.

»Hallo?«

Als Clarissa den Hörer nach fünfzehn Minuten auflegte, musste sie sich auf den Boden setzen, da kein Stuhl in der Nähe war, und die Beine hätten sie nicht bis zum nächsten Stuhl tragen können.

Die Anruferin war eine alte Freundin aus amerikanischen Collegezeiten gewesen. Zuletzt hatte Clarissa vor einem Jahr von ihr gehört, als sie an der Ivy League University zu lehren begonnen hatte. Vor über zehn Jahren hatten sie und Clarissa dort studiert.

Die Nachrichten von Clarissas erfolgreichem Buch machte auch in der englischen Fakultät der Ivy League die Runde, wie Marie ihr anvertraute, und weil sie im Anwerbungskomitee der Uni saß, wusste sie auch, dass man die Professur für die englischsprachige Literatur des zwanzigsten Jahrhunderts neu besetzen wollte. Marie wollte, dass Clarissa sich um die Position bewarb.

»Du hast die Stelle sicher, wenn du kommst und deine Bewerbung einreichst«, sagte die Freundin eindringlich am Telefon und plauderte schamlos das Ergebnis der Beratungen des Komitees aus.

»Wir suchen ein neues Gesicht, unverbraucht und noch nicht verschlissen von Konferenzen und dem immer wieder gleichen Lehrstoff. Dein Name steht auf der Wunschliste ganz oben, kein Wunder, nachdem dein Buch so ein großer Erfolg ist. Bitte, Clarissa, sage wenigstens, dass du darüber nachdenkst.«

Heim. Zurück nach Amerika und dort auf der Welle ihres Erfolgs schwimmen, weg aus England, weg vom drohenden Skandal, weg von Nick.

Nick.

Clarissa verharrte auf der Stelle, immer noch nackt, den roten Seidenslip in der Hand. Sie wusste schon, dass sie sich um den aufregenden Lehrauftrag bewerben würde, und wenn das Komitee sie haben wollte, würde sie sofort akzeptieren. Welche bessere Antwort gab es, als in ihrer Heimat neu zu beginnen und diese bedrohliche Affäre mit einem Studenten hinter sich zu lassen? Ihr blieben die Erinnerung, die Erfahrung und die neue Definition ihres sexuellen Ichs.

Clarissa rieb sich müde die Augen und verschmierte die Mascara ein wenig. Es gab keine bessere Zeit als diese, um ein für alle Mal einen Schlussstrich unter Nick zu ziehen. Sie hatte sowieso zu ihm gehen wollen, bevor sie den Anruf aus Amerika erhalten hatte, also sollte sie sich anziehen und sich auf den Weg machen. Ein letztes Mal zu Nicks Wohnung. Wenn sie ihn nicht antraf, würde sie ihm einen Zettel hinterlassen, nahm sie sich vor.

Wie aufs Stichwort klingelte es an der Tür. Himmel, was soll das denn? Ein Überraschungsgast wie im Fernsehen? Sie warf einen Blick in den Spiegel. Verdammt, sie war immer noch nackt. Also warf sie sich einen Bademantel über und zurrte den Gurt fest. Sie wollte den Besucher begrüßen, und wenn er sah, wie sie hastig ihren nackten Körper bedeckt hatte, würde er hoffentlich begreifen, dass er sich einen falschen Zeitpunkt für seine Visite ausgesucht hatte.

Die Götter mussten es an diesem Tag besonders gut mit ihr

meinen, dachte Clarissa verdutzt, als sie die Tür aufzog und Nick auf dem Treppenabsatz stehen sah. Er war ihr nie attraktiver erschienen als in diesem Augenblick; die rotbraunen Haare lässig in der hohen Stirn, die haselnussbraunen Augen glänzten, und der wunderschön geschwungene Mund war zu einem halb ironischen und halb traurigen Lächeln verzogen, als er sie ansah.

»Hey, Clarissa«, fing er wie meistens an. »Kann ich reinkommen?«

Wortlos trat sie zur Seite und ließ Nick eintreten. Sie musste gegen den Drang ankämpfen, ihn anzufassen. Wie jedes Mal, wenn sie ihn sah. Zuerst standen sie eine Weile schweigend da, sahen sich an, bis Nick sich räusperte, sie offen anlächelte und eine Hand auf Clarissas Arm legte.

»Ich habe dein Buch gelesen«, sagte er, »es ist wirklich gut.« Als er sah, wie sich ihre Wangen vor Freude röteten, lächelte Nick wieder, diesmal ein bisschen verlegen, und fügte hinzu: »Ich weiß nicht genau, ob ich alles verstanden habe, aber vieles war mir von deinen Vorlesungen vertraut, und beim Lesen habe ich deine Stimme hören können.«

»Ich hätte es ohne dich nicht schreiben können«, hörte sich Clarissa flüstern, dann ging sie auf ihn zu, wobei sie mit einer Hand ihren Mantel geschlossen hielt. »Ich wollte mich gerade anziehen und dich suchen«, murmelte sie und konnte der Versuchung nicht widerstehen, die oberen Knöpfe seines weißen Hemds zu öffnen. »Ich muss dir etwas sagen«, fuhr sie leise fort und drückte ihren Mund auf seinen muskulösen Brustkorb.

Ihr Körper hungerte immer noch nach seinem, auch wenn sie es hasste, wie oberflächlich er sich ihr gegenüber verhielt. Sie wusste, dies war die letzte Möglichkeit, ihr Lechzen nach ihm zu befriedigen.

»Ich werde die Uni verlassen«, sagte Clarissa, schaute ihm

weiter in die Augen und knöpfte sein Hemd auf, bis sie es ihm von den Schultern streifen und seinen Torso in all seiner männlichen Schönheit bewundern konnte.

»Wohin gehst du?«, fragte er, ohne sich zu bewegen. Er lächelte nur ein wenig und sah zu, wie Clarissa sein Hemd auf den Boden fallen ließ.

»Nach Amerika«, antwortete sie, presste eine Wange gegen seine Brust und schlang die Arme um ihn. »Ich glaube, man ist dabei, mir eine Professur an meiner alten Universität anzubieten.«

Nick seufzte und nahm Clarissa in seine Arme. Er drückte sie fest an seinen Körper. »Geh nicht, Rissa«, hauchte er gegen ihren Hals. »Bleib.«

Clarissa überlegte, ob sie eine beißende Bemerkung über das Mädchen machen sollte, das er geküsst hatte, aber dann wurde ihr bewusst, dass es keine Rolle mehr spielte, in welchem Verhältnis Nick zu dem Mädchen stand. In diesem Augenblick ging es ihr nur um diesen Mann, um diesen Körper. Clarissa wusste, dass irgendwas Undefinierbares sie verband, nicht Liebe, aber es war mehr als Lust, und sie würden beide lange brauchen, bis sie etwas Ähnliches gefunden hatten.

Es geschah mit einem Gefühl purer Lust, dass Clarissa die Schnalle von Nicks Gürtel öffnete und seine Jeans nach unten zog, während Nick den Mantel abstreifte, der Clarissas nackte Gestalt verhüllte. Jetzt waren beide nackt, und Sekunden später fanden sie sich auf dem Boden wieder.

Clarissa hob die Hüften an und seufzte glücklich, als sie Nicks Mund auf ihren Lippen spürte. Ihre Hände strichen über seinen Körper. Nick rutschte ein wenig tiefer und küsste ihre Brüste, und Clarissa fuhr mit gespreizten Fingern durch sein dichtes Haar.

Sie rief leise seinen Namen, öffnete die Schenkel weiter für ihn und wartete, dass er in sie eindrang. Er kniete vor ihr, sein Penis vor dem Eingang, seine Augen starr auf ihre gerichtet. Er hielt sich reglos, und nur die Penisspitze schob sich zwischen die Labien. Clarissa schaute in seine Augen und sah etwas Feuchtes dort schimmern.

»Weißt du, ich hätte dich lieben können«, wisperte Nick. Die Augen waren wieder trocken.

Clarissa sah ihn an und musste an die kalkulierten Manipulationen denken, mit der er ihre Schritte von Anfang an bestimmt hatte. Sie dachte an Jessica und Lawrence, an Nicks häufige Abwesenheit, an sein geheimnisvolles Schweigen, aber dann fand sie, dass auch diese Dinge – wie das schwarzhaarige Mädchen – keine Rolle spielten, wenn sie zusammen waren und ihr Körper seinen berührte.

»Ich weiß«, sagte sie nur, und dann war er in ihr drin, er bewegte sich langsam und machte schweigend Liebe mit ihr. Seine Arme umschlangen ihren Körper, und er drückte seine Wange gegen ihre.

Clarissa gab sich ganz ihrem Verlangen hin, ein letztes Mal schwang ihr Körper mit seinem. Ihre Schenkel schlossen sich umeinander, und sein Rhythmus wurde schneller. Nachdem es ihm gekommen war – kurz nach ihr –, blieben sie noch lange miteinander verbunden; bittersüße Momente des Verlangens und der Verlustängste, bis er sich schließlich aus ihr zurückzog und still auf ihr liegen blieb.

Als Nick redete, klang seine Stimme leise und gedämpft. Er legte sich auf eine Seite und stützte den Kopf mit einem aufgerichteten Arm. Er sah in Clarissas Gesicht. »Ich verlasse die Uni auch«, sagte er.

Verdutzt sah Clarissa ihn an. »Du ziehst weg?«, fragte sie.

»Nun, ich werde noch ein bisschen in der Nähe bleiben, aber ich gehe nicht länger zur Uni«, antwortete er.

Clarissa setzte sich abrupt auf, überrascht über die Stärke der Enttäuschung, die sie fühlte. »Aber Nick, du hast gute Leistungen gezeigt!«, rief sie. »Trotz deiner langen Abwesenheit und der geschwänzten Vorlesungen hast du das Semester geschafft.«

Nicks Schulterzucken war beinahe so eloquent wie seine schriftlichen Arbeiten. »Vielleicht gehe ich ja nächstes Jahr wieder zurück«, sagte er, »ich weiß es noch nicht. Aber ich weiß, dass ich zurzeit mit der Uni nichts anfangen kann.« Er sah Clarissa traurig an, und als er weiterredete, konnte sie nicht die geringste Ironie in seiner Stimme hören.

»Außerdem, Clarissa«, flüsterte er, legte eine Hand in ihren Nacken und zog ihren Kopf heran, sodass er seinen Mund auf ihren pressen konnte, »wäre diese Uni nicht mehr dieselbe, wenn du nicht da bist.«

Bevor sich ihre Lippen um seine schlossen, sah Clarissa ihn an und sagte mir Betrübnis und Bedauern: »Warum konnten wir uns nicht zu einer anderen Zeit kennen lernen und an einem anderen Ort?« Dann verschlossen sich ihre Münder, und im Schweigen, das folgte, gab es keine Antworten.

Drei Monate später stand Dr. Clarissa Cornwall im Hörsaal ihres neuen Arbeitsplatzes, der Ivy League University in Amerika. Sie hatte den Ruf als Professorin für Englisch angenommen und gerade den Einführungskurs ihres Themas abgeschlossen – Die Erotik in der Literatur.

Sie wollte gerade ihren Studenten das erotische Gedicht *Der Floh* von John Donne vorlesen. Ihre Finger suchten die Seite, die sie gestern Abend in ihrem Buch markiert hatte, als sie aus den Augenwinkeln einen außergewöhnlich gut aussehenden jungen Mann wahrnahm, der in der hinteren Ecke des Hörsaals saß.

Sein kastanienrotes Haar war zu einem Pferdeschwanz zusammengebunden, seine Haut schimmerte in einem gesunden gebräunten Ton, und selbst aus dieser Entfernung konnte Clarissa die aufregend blauen Augen erkennen. Sie schlug ihr Buch auf und bereitete sich auf das Gedicht vor, als sie bemerkte, wie intensiv der junge Mann sie anstarrte, während sich seine Hand, verborgen unter dem Tisch, zum Schoß vorschob.

Clarissa sah den Jungen direkt an, lächelte und trug das Gedicht vor.

*Ende*

Der neue Roman des amerikanischen Stars der erotischen Literatur

Alison Tyler
IN DEINEN
STARKEN ARMEN
Erotischer Roman
272 Seiten
ISBN 3-404-15394-4

Cat Harrington führt ein Doppelleben. Sie arbeitet in der Filmindustrie, befreundet mit dem erfolgreichen Ingenieur Logan. Trotzdem beginnt sie eine Affäre mit Brock, einem einfachen Arbeiter, mit dem sie ihre heimlichen Fantasien ausleben kann – er sieht gut aus, ist sexy und gut gebaut. Niemand in ihrer Umgebung könnte sich vorstellen, dass sie, die zurückgezogene prüde Frau, sich mit so einem Typen einlässt.

Bastei Lübbe Taschenbuch